# コーカサスの紛争

## ゆれ動く国家と民族

富樫耕介 著

TOYO SHOTEN
SHINSHA

# はじめに

読者の皆さんは、どのようなきっかけで本書を手に取られただろうか。コーカサスにもともと関心があってだろうか、あるいは、たまたま書店で手が伸びただけだろうか。偶然、本書を取ってみた読者はさっと眺めてみて、「日本にはなじみのない地域のマニアックな話だ」と思ったかもしれない。あるいは、もっと辛辣に「この地域のことを理解することにどういう意味があるのか」と思っているかもしれない。コーカサスに一定の関心がある読者も、本書で紹介されている紛争についてすでに学んだことがあって、複雑でわかりにくいテーマだと感じているかもしれない。本書が難解なコーカサスの紛争をわかりやすく説明できるのかと懐疑的に本書を眺めていることだろう。こうした疑問や問いかけは、もっともであり、本書を多くの人に読んでもらうためには、筆者はまずこの疑問に答える必要があるだろう。

本書は、コーカサスという地域の紛争について様々なデータや資料を用いて多角的に理解しようと試みる本であるが、単に「マイナーな地域の本」に留まらないように努力している。つまり、コーカサスの紛争だけではなく、民族や国家を取り巻く問題一般を考える際の視点も提示している。その意味で本書は、コーカサス地域の理解にしか役に立たないのではなく、現在の国際社会において様々な地域で出現している民族や国家をめぐる問題を理解する際にも役立つことを目指している。

そのために本書では、私たちが自明のものと扱いがちな、民族や国家という概念を多様な観点（たとえば、紛争の当事者――中央政府、分離主義地域、住民、テロ集団、あるいは関係者――第三国や国際社会などの観点）から捉え直し、紛争を理解しようとしている。これは、コーカサス地域の複雑な紛争をめぐる議論が袋小路に入ることを回避するための試みでもある。民族や国家をめぐる問題は、どうしても二項対立的に、あるいは一面的に捉えられがちである。本書はこの複雑な問題を様々な枠組みや見方からアプローチし直し、再考することで、この問題の先を見通せるようにしたいと考えている。そして、このような本書の試みはコーカサスの紛争に対する新しい見方を読者に提示するだけでなく、他の地域の問題を考える際にも役立つことを期待している。

以上のような特徴を本書に持たせた理由は、二つある。

第一に、かつて筆者自身がコーカサスの紛争について学び始めた時に、聞き慣れない地名や人名、複雑な歴史的背景や個々の出来事の難解さに非常に苦労した経験があったのである。コーカサスは日本では決してなじみのある地域でなく、文献も非常に限られている。それでも探せば日本語でも優れた研究や文献があるが、これらの多くは個々の紛争、あるいは民族問題に関する歴史的事実を実証的に記述しているものが多い。その地域について正確に理解しようとすれば、当然きめ細かな視点は欠かせないが、私たちは往々にして初めて聞いた情報に右往左往する。しかも、コーカサスの5つの紛争の特徴や要点を理解しようと思えば、別々の文献を通して得られる事実や情報を自分自身でまとめあげる必要性に直面するのである。

第二に、個々の紛争の複雑さと難解さに立ち往生していると、コーカサス地域の紛争が提起している重要な問題をより大きな文脈で理解することが困難になる。筆者自身、コーカサスの紛争を学んでいた時に「実はこれは普遍的な問題を提起しているのではないか」と直感的に感じることは多々あったが、これを単なる直感に留めないためには、比較や理論を用いたアプローチが必要であった。つまり、比較の視点や理論を用いてコーカサスを理解すること（インプット的作業）、そして、コーカサスから理解できることを理論や比較の視座に落とし込むこと（アウトプット的作業）である。当然、これを実現することは容易ではないが、このような試みがあれば、コーカサスの紛争に対する理解もより豊かになり、同時にこの地域の問題を理解することの意味を読者も強く認識してくれるのではないだろうか。

従って、本書は、ミクロな視点とマクロな視点、その両方を大切にしている。これは、筆者自身がこれまでの研究でも大切にしてきたことである。筆者は、地域研究と国際関係論研究という二つの学問領域を横断して研究をしてきた。筆者がチェチェンを始めとするコーカサスを研究しようと志したのは、18年前だったが、当然、日本語で読める文献はほとんどなかった。当時、大学で国際関係学を専攻していたが、そこにはロシアの専門家も在籍していなかった。このため、筆者は大学入学後、自らNGO関係者やジャーナリストと接点を持ち、NGO活動を通して現地に行くなどして、多くの情報を得ようとした。大学院進学後は仙台に行ったこともあり、NGOやジャーナリストとの接点はほとんどなくなったが、現地や現場の情報（自分が直接現地で調査をするということだけではなく、現地発のメディア情報や論文等）を大切にするのは、こうしたバックグラウンドを持つためでもある。

自分が「学びたい、深く知りたい」と思うことに関する文献や情報が限られている時、読者の皆さんならどうするだろうか。その地域に関する情報を直接入手することは困難な場合、同じような紛争を抱えている他の地域に関する文献、あるいは紛争や民族問題に関する理論的文献から得られる知見を用いて自分が関心を持っている地域を理解しようと試みること、つまり演繹的な類推をするという方法にならざるを得ない。筆者もコーカサスに対しての理解を深めるために最初はこのような方法を採用した。そして、これは結果として、狭いテーマに脇目もふらずに邁進すること――こうしたことも時には非常に重要で価値のあることだと信じているが――に満足するのではなく、地域を飛び越えて他研究者と協働することを意識するといった現在の筆者の研究姿勢にもつながっている。


本書は以上のような問題意識をもつ研究者によって執筆されたものだが、もとよりコーカサスのすべての紛争を一人の研究者のみの力で調べまとめることは容易ではない。近年、日本語や英語で読めるコーカサスに関する入門書の類も増えており、各分野の専門家による優れた研究も多数出てきている。本書もこのような既存研究の成果にその多くを拠っている。日本語や英語で十分な情報がない部分についてはロシア語の文献を読み、また統計や世論調査などのデータは、各種国際機関や各国の公刊資料、メディアの情報を用いた。ただ一般書であるので、参考文献はやや簡略化して章ごとにまとめて記載した。

なお筆者は、これまで新聞や資料の収集を目的とした現地調査を行ってきたものの、インタビューなどの社会的調査を研究手法として用いることには消極的であった。それは、筆者が社会的調査方法についての専門的訓練を受けてきたわけでもなければ、現地に飛び込み要人と会えるほど交渉力や言語能力が優れているわけでも、現地との強いパイプがあるわけでもないからである。ただ、現地の人々と交わしたやりとりについてはメモなどに留めており、今回それらを「コラム」として本文とは別に書くことにした。特に、２０１８年と19年にはこれまで訪問できていなかった北コーカサス地域（チェチェン、イングーシ、北オセティア、ダゲスタン）を訪問できたこともあり、こうした知見も盛り込んでみた。

［追記］
本書の脱稿後、２０２０年9月末にナゴルノ・カラバフ紛争が再発した。今回の紛争は、カラバフをめぐる紛争当事者の関係性を大きく転換させるものであり、極めて重要であるため、補論として巻末に書き加える形とした。この際、煩雑になるため、それ以外の部分については原則として、今回の紛争の結果を反映した記述を新たに書き加えることはしなかった。しかし、今回の紛争に至るまでカラバフがどのような状況にあったのかを理解する上でも、本書の情報は役立つと考えている。

コーカサスの紛争　目次

## 第2部——コーカサスの紛争が投げかけるもの

地図1：ソ連解体直後のコーカサス

1a　シャプスグ自治地区の創設（シャプスグ民族地区（1924～45年）の復活）が宣言された地域
　（シャプスグ人とは、アドィゲ民族の下位民族集団で2010年センサスでは全ロシアに3,000人いる）
1b　クラスノダール地区よりアドィゲ自治州が分離され自治共和国へ格上げ
1c　コサックが多数派を占め、アドィゲからの分離とクラスノダール地方への編入が要求されていたギアギンスキー及びマイコープ地区
2　スタヴロポリ地方よりカラチャイ・チェルケス自治州が分離され自治共和国へ格上げ
2a/b　カラチャイ・チェルケス自治共和国を分離し、別個の共和国を設置する運動で主張されていたカラチャイ共和国（2a）及びチェルケス人共和国（2b）の領域的範囲
2c　コサックが多数派を占めており、カラチャイ・チェルケス自治共和国から分離し、コサック共和国を創設の上、スタブロポリ及びクラスノダール地方への編入が主張されていた地域
2d/e　カラチャイ・チェルケス自治共和国及びスタヴロポリ地方内部でアバジン自治地区創設が主張された地域（カラチャイ・チェルケス共和国には2004年にアバジン地区が創設された）（アバジン人はアブハズ系民族）
3a/b　カバルダ・バルカル自治共和国を分離し、別個の共和国を設置する運動で主張されていたカバルダ共和国（3a）とバルカル共和国（3b）の領域的範囲
3c　コサックが多数派を占め、カバルダ・バルカル共和国からの分離とスタヴロポリ地区への編入が要求されていたプラフラドヌィ地区
4a　イングーシ人によって返還が要求されたプリゴロドヌィ地区とモズドク回廊
4b　カバルダ・バルカルから返還が主張されたモズドク地区の一部
4c　コサックが多数派を占め、北オセティアから分離し、スタヴロポリ地区への編入が主張されたモズドク地区の一部
5a/b　チェチェン・イングーシ共和国の分離により、チェチェン共和国（5a）とイングーシ共和国（5b）になった地域
5c　チェチェンとイングーシの間で領有権対立のあるスンジャ地区（2018年9月に境界画定）。コサック自治管区復活の要求もある
5d　チェチェンからの分離とコサック及びノガイ人の自治地域を創設するか、あるいはスタヴロポリへの編入を主張していた地域
6a/b　ダゲスタンを民族別に分離する運動で主張されていたクムク共和国（6a）及びレズギン共和国（6b）の領域
6c　ダゲスタンから分離し、スタヴロポリ地方内においてキズリャル管区の復活を主張したキズリャル及びノガイ地区（キズリャル管区は、1938～44年まで現在のスタヴロポリ地方の一部であった）
6d　アウホフ地区の復活とチェチェンへの編入が要求されたノヴォラクスキー地区（かつてチェチェン人が多数住んでいた地区だったが1944年の強制移住後、ラク人が入植した）
6e　ダゲスタンからの分離とアゼルバイジャンへの編入が主張されたデルベンド地区
7a　ジョージアからの分離（あるいはロシアへの編入）を主張したアブハジア自治共和国
7b　自治共和国への格上げ・ジョージアからの分離・ロシアへの統合を主張した南オセティア自治州
7c　アルメニア人の自治単位創設が主張されたジャヴァヘティ地域
7d　アゼリ人の自治単位創設が主張されたボルチャリ地域
8a　アゼルバイジャンからの分離（あるいはアルメニアへの編入）を主張したナゴルノ・カラバフ自治州
8b　ナゴルノ・カラバフへの編入を主張するシャウミャン地区
8c　アゼルバイジャン内部においてタリシュ共和国創設を主張した地域（1993年にエルチベイ政権に反旗を翻したフセイノフ大佐などが中心に一時、タリシュ・ムガン自治共和国が主張された。タリシュ人はイラン系民族）
8d　アゼルバイジャンからの分離とダゲスタン（ロシア）への編入を主張する南部レズギン人地域

〔付記〕□は各共和国・民族自治単位の首都を指す。
出典：Цуциев(2006) を一部編集の上、作成

ザカフカース民主主義連邦共和国(1918年4-5月)

アブハジア(1918年6月からジョージアの支配下)

1917年11月から18年7月までバクー・コミューンの支配下

南コーカサス諸国の領域紛争

1918年7-8月にジョージアにより、1918年9月から19年2月までデニーキン軍により占領された地域

ボリシェヴィキの主張するソヴィエト共和国

非ソヴィエトの民族的な政治体

山岳民連合共和国の主張する境界

ロシア帝国の境界線(1914年)

ブレスト=リトフスク条約によるロシアとトルコの国境(1918年3月)

バトゥーミ条約(1918年6月)によりジョージア・アルメニアからトルコに割譲された地域

出典:Цуциев(2006) を一部編集の上、作成

# コーカサスの紛争

ゆれ動く国家と民族

# 序章

コーカサスは、東西をカスピ海と黒海に挟まれ、南はイラン、トルコ、北はロシアと接する地域である（**地図1**参照）。豊かな自然、様々な言語、民族、そして宗教を擁し多様性に富む。ロシア語では、この地域をカフカースと呼ぶが、近年、日本では英語のコーカサスという用語の方が定着しているので、本書ではこちらを用いる（ただし、歴史的な名称については、ロシア語の方を用いる場合もあるので注意してほしい）。

コーカサス地域は、大コーカサス山脈によって南北に分断され、ロシア連邦の一部である北コーカサスと、ソ連解体後に独立した3つの共和国が位置する南コーカサス（ロシア語ではザカフカース）に分けられる。さらに南コーカサスには、中央政府からの独立を主張し、中央政府が統制できていない3つの地域（いわゆる「未承認国家」）がある。

一応はこのように述べたが、実は、北コーカサス地域が地理的にどこからどこまでを指すのかにはぶれがある。たとえば、ロシアの行政区分（連邦管区制）では「北コーカサス管区」がこの地域をカバーする。ここにはアドィゲ共和国を除く、6つの民族共和国とスタヴロポリ地方が入っている。「北コーカサス管区」は、2010年に新設された管区で、それまではクラスノダール地方、ロストフ州やアドィゲ共和国とあわせて「南部連邦管区」を形成していた。他方、「経済地区」という区分で「北コーカサス地区」を見てみると、そこにはクラスノダール地方、ロストフ州やアドィゲ共和国が入ったままになっているのである。また軍事の地域区分である「軍管区」で見ると、２０１０年に、これまでの「北コーカサス管区」から逆に「南部管区」に再編・統合されている。結果、ここには上記地域（7つの民族共和国、２つの地方、１つの州）に加え、アストラハン州やヴォルゴグラード州、カルムイク共和国、そして編入されたクリミアのセヴァストーポリ市までもが含まれている。それぞれの管区は行政、経済、軍

| 人口（人）*2 | 民族構成（%）*3 |
|---|---|
| ①1,270,429 | ①チェチェン（57.8）、イングーシ（12.9）、ロシア（23.1）、アルメニア（1.2）、ウクライナ（1.0） |
| ②1,103,686<br>③1,269,100 | ②チェチェン（93.5）、ロシア（3.7）<br>③チェチェン（95.3）、ロシア（1.9）、イングーシ（1.0） |
| ②467,294<br>③413,100 | ②イングーシ（77.3）、チェチェン（20.4）、ロシア（1.2）<br>③イングーシ（94.1）、チェチェン（4.6） |
| ①1,802,188<br>②2,576,531<br>③2,977,400 | ①アヴァル（27.5）、ダルギン（15.6）、クムク（12.9）、レズギン（11.3）、ラク（5.1）、タバサラン（4.3）、ノガイ（1.6）、ロシア（9.2）、アゼリ（4.2）、チェチェン（3.2）<br>③アヴァル（29.4）、ダルギン（17.0）、クムク（14.9）、レズギン（13.3）、ラク（5.6）、タバサラン（4.1）、ノガイ（1.4）、ロシア（3.6）、アゼリ（4.5）、チェチェン（3.2）、ルトゥリ（1.0）、アグル（1.0） |
| ①753,531<br>②901,494<br>③859,800 | ①カバルダ（48.2）、バルカル（11.6）、ロシア（32.0）、ウクライナ（1.7）、オセット（1.3）、ドイツ（1.1）<br>②カバルダ（55.3）、バルカル（9.4）、ロシア（25.1）、オセット（1.1）<br>③カバルダ（57.1）、バルカル（12.7）、ロシア（22.5）、トルコ（1.6）、オセット（1.1） |
| ①414,970<br>②439,470<br>③478,500 | ①カラチャイ（31.2）、チェルケス（9.7）、ロシア（42.4）、アバジン（6.6）、ノガイ（3.2）、ウクライナ（1.5）、②カラチャイ（38.5）、チェルケス（11.3）、ロシア（33.6）、アバジン（7.4）、ノガイ（3.4）、③カラチャイ（41.0）、チェルケス（11.9）、ロシア（31.6）、アバジン（7.8）、ノガイ（3.3） |
| ①632,428<br>②710,275<br>③912,900 | ①オセット（53.0）、ロシア（29.9）、イングーシ（5.2）、アルメニア（2.2）、ジョージア（1.9）、ウクライナ（1.6）、クムク（1.5）<br>③オセット（65.1）、ロシア（20.8）、イングーシ（4.0）、アルメニア（2.3）、クムク（2.3）、ジョージア（1.3） |

名詞はチェチニャ（英語Chechnya、露語Чечня）である（チェチェン語ではノフチィチョ）。だが、日本では前者が定着しているので、本書でもチェチェンを固有名詞として用いる。*5:RSFSR＝РСФСР:ロシア・ソヴィエト社会主義連邦共和国、なお90年代に新生ロシア連邦では、自治共和国は共和国に、また近年、共和国の長は、「大統領」から「首長」に名称変更された。

事上の必要性から別々に運用されている側面もあるだろうが、このように北コーカサスという地理的空間には一定の幅があるのである。

　まとめると、北コーカサス地域は、狭義には6つの民族共和国とスタヴロポリ地方を指し、広義には8つの民族共和国と2つの地方、1つの州が含まれることとなる。

　本書では、以上のような北コーカサス

**表1：北コーカサスの基礎情報**

| 行政単位（面積）<br>元首（就任年） | 行政区分の法的地位の変遷*1 | 首都 |
|---|---|---|
| チェチェン*4（16,100㎢）<br>R. カドィロフ（2007） | 1922年11月にRSFSR*5内にチェチェン自治州、イングーシ自治州が創設。34年に統合。36年に自治共和国へ。44年に強制移住で自治共和国廃止。57年に復活。91年にチェチェンが独立宣言、94年に紛争へ〔第一次紛争〕。97年に平和条約締結も、99年に再度紛争へ〔第二次紛争〕。イングーシは92年6月にチェチェンと分離、10月に北オセティアと領土問題から紛争勃発。11月に停戦。 | グローズヌィ |
| イングーシ*4（3,100㎢）<br>カリマトフ（2019） | | ナズラニ<br>→マガス<br>（2000年～） |
| ダゲスタン（50,300㎢）<br>ヴァシリエフ（2018） | 1921年1月にRSFSR内の自治共和国として創設。92年にロシア連邦ダゲスタン共和国へ。 | マハチカラ |
| カバルダ・バルカル<br>（12,500㎢）<br>ココフ（2018） | 1921年9月にRSFSR内にカバルダ自治州創設。22年にカバルダ・バルカル自治州に。36年に自治共和国へ。44年にバルカル人の強制移住でカバルダ自治共和国のみ存続。57年にカバルダ・バルカル自治共和国復活。92年に共和国へ。 | ナリチク |
| カラチャイ・チェルケス<br>（14,100㎢）<br>テムレゾフ（2011） | 1922年1月にRSFSR内にカラチャイ・チェルケス自治州が創設。26年にカラチャイ自治州とチェルケス民族管区に分離。28年に再び統合。43年にカラチャイ自治州廃止、翌年に同民族は強制移住。57年に自治州復活。92年に共和国へ。 | チェルケスク |
| 北オセティア（8,000㎢）<br>ビタロフ（2016） | 1924年7月にRSFSR内に北オセティア自治州が創設。36年に自治共和国へ。92年に共和国へ。92年10月にイングーシと紛争が勃発。モスクワの介入ですぐに停戦。 | ヴラディ<br>カフカス |

出典：筆者作成
*1：行政区分の変更はソ連時代から現在までのもの。*2：①がソ連の1989年センサス、②はロシアの2002年センサス、③は2010年センサス。*3：*2と同じ。ただし1％以下の民族は掲載せず。チェチェン・イングーシは分離以後、別に掲載。紙面の関係で②を一部割愛。*4：チェチェンとイングーシは分離後、境界未画定地域があったが、2018年に境界を画定した。なおチェチェン（英語Chechen、露語Чеченский）は正式には形容詞で、固有↗

の空間的な広がりを認識したうえで、おもに紛争やテロをテーマとすることから、北コーカサス地域については6つの民族共和国（「北コーカサス連邦管区」からスタヴロポリ地方を除いた枠組み）のみを取り上げ（**表1**）、その中でも、第1部では、紛争が勃発した3つの共和国（チェチェン、イン

| 人口（人）*2 | 民族構成（%）*3 |
|---|---|
| ①3,305,000<br>②3,213,011<br>③3,018,854 | ①アルメニア（93.3）、アゼリ（2.6）、クルド（1.7）、ロシア（1.6）<br>②アルメニア（97.9）、ヤズディ（1.3）<br>③アルメニア（98.1）、ヤズディ（1.2） |
| ①5,400,841<br>②4,371,535<br>③3,713,804 | ①ジョージア（70.1）、アゼリ（5.7）、ロシア（6.3）、アルメニア（8.1）、オセット（3.0）、ギリシア（1.9）、アブハズ（1.8）<br>②ジョージア（83.8）、アゼリ（6.5）、ロシア（1.5）、アルメニア（5.7）<br>③ジョージア（86.8）、アゼリ（6.3）、アルメニア（4.5） |
| ①392,432<br>②376,016<br>③333,953 | ①ジョージア（82.8）、ロシア（7.7）、アルメニア（4.0）、ギリシア（1.9）、ウクライナ（1.5）<br>②ジョージア（93.4）、ロシア（2.5）、アルメニア（2.4）<br>③ジョージア（96.0）、アルメニア（1.6）、ロシア（1.1） |
| ①7,021,178<br>②9,047,000 | ①アゼリ（82.7）、ロシア（5.6）、アルメニア（5.6）、レズギン（2.4）<br>②アゼリ（91.6）、レズギン（2.0）、ロシア（1.3）、アルメニア（1.3）、タルィシ（1.3） |
| ①293,875<br>②398,323 | ①アゼリ（95.9）、ロシア（1.3）、クルド（1.0）<br>②アゼリ（99.6） |
| ①98,527<br>②53,532 | ①オセット（66.2）、ジョージア（29.0）、ロシア（2.2）<br>②オセット（89.9）、ジョージア（7.4）、ロシア（1.1） |
| ①525,061<br>②215,972<br>③240,705 | ①アブハズ（17.8）、ジョージア（45.7）、アルメニア（14.6）、ロシア（14.3）、ギリシア（2.8）、ウクライナ（2.2）<br>③アブハズ（50.7）、アルメニア（17.4）、ジョージア（17.9）、ロシア（10.8）、メグレル（1.7） |
| ①189,085<br>②137,737<br>③145,053 | ①アルメニア（76.9）、アゼリ（21.5）、ロシア（1.0）<br>②アルメニア（99.7）<br>③アルメニア（99.7） |

主義連邦共和国。*6:統制できていない地域（＝分離独立を掲げる地域）も含む国際的に承認されている領域。*7:⑴はソ連時代の行政区分領域、⑵は紛争後（2020年9月まで）の実効支配領域。*8:露語表記ではアルチュニアン。

### 表2：南コーカサスの基礎情報

| | 共和国(面積)<br>元首(就任年) | 行政区分の法的地位の変遷*1 | 首都 |
|---|---|---|---|
| | アルメニア(29,743㎢)<br>A. サルキスィアン(2018) | 1918年4月にZDFR*4に参加、5月にZDFRが解体、アルメニア共和国として分離独立し、アゼルバイジャン・ジョージアと領土問題から戦争に至る。20年11月に赤軍の進駐によってソヴィエト社会主義共和国となる。22〜36年はZSFSR*5に参加。91年9月独立。 | エレヴァン |
| | ジョージア(グルジア)<br>(69,700㎢)*6<br>ズラビシュヴィリ(2018) | 1918年4月にZDFRに参加、5月にZDFRが解体、ジョージア民主共和国として分離独立、アルメニアと戦争に。1921年2月に赤軍進駐によってソヴィエト社会主義共和国に。22〜36年はZSFSRに参加。91年4月独立。 | トビリシ |
| | アジャリア(2,900㎢) | 1921年6月にジョージア内の自治共和国として創設。90年代にジョージア中央の混乱を利用し、アバシゼ政権が同地を実効支配。中央の統制が及ばない地域だったが、2004年にサーカシュヴィリ政権が支配を回復した。 | バトゥーミ |
| | アゼルバイジャン<br>(86,600㎢)*6<br>I. アリエフ(2003) | 1918年4月にZDFRに参加、5月に同連邦が解体、アゼルバイジャン共和国として独立、アルメニアと戦争へ。20年4月赤軍進駐によりソヴィエト社会主義共和国に。22〜36年までZSFSRに参加。91年8月に独立。 | バクー |
| | ナヒチェヴァン<br>(5,363㎢) | 地理的にはアルメニアと隣接するが、1924年2月にアゼルバイジャンの自治共和国として創設。ソ連解体後もアゼルバイジャンの自治共和国(飛び地)。 | ナヒチェヴァン |
| 分離独立を掲げる地域 ジョージア内部 | 南オセティア<br>(3,900㎢)<br>ビビロフ(2017) | 1922年4月にジョージア内の自治州として創設。91年9月に将来的な北オセティアとの統合を主張し、ジョージアからの分離独立を宣言し紛争へ。92年に停戦。2008年に第二次紛争が勃発の後、ロシアが独立を承認する。 | ツヒンヴァリ |
| 分離独立を掲げる地域 ジョージア内部 | アブハジア<br>(8,600㎢)<br>ブジャニア<br>(2020) | 1921年3月にソヴィエト社会主義共和国として創設。21年にジョージアと同盟条約締結、ジョージアの一部としてZSFSRに参加。31年にジョージアの自治共和国へ。90年にジョージアから独立を宣言。92年から紛争、94年に停戦。2008年の戦争後、ロシアが南オセティア共に独立承認。 | スフーミ |
| 分離独立を掲げる地域 アゼル内部 | ナゴルノ・カラバフ*7<br>((1)4,400㎢<br>(2)11,432㎢)<br>ハルチュニアン*8<br>(2020) | 1923年7月にアゼルバイジャンの自治州として創設。91年9月に独立を宣言、翌年から紛争、94年に停戦へ。アルメニア軍が実効支配。国家を主張するも、アルメニアも独立承認はしていない。2020年9月に大規模紛争が再発。11月に停戦合意。アゼルバイジャンがカラバフと周辺地域の大部分を奪還した。 | ハンケンディ／ステパナケルト |

出典:筆者作成
*1:行政区分の変更はソ連時代から現在までのもの。*2:①がソ連の1989年センサス、②、③は各国センサス調査(アゼルバイジャンは09年、アルメニアは01年と11年、カラバフは05年と15年、グルジアは02年と14年、アブハジアは03年と11年、南オセティアは2015年センサス)。分離独立を掲げる地域の人口は含まず。*3:*2と同じ。*4:ZDFR=ЗДФР:ザカフカース民主主義連邦共和国。*5:ZSFSR=ЗСФСР:ザカフカース・ソヴィエト社会↗

グーシ、北オセティア）に焦点をあてて見ていく。第2部では、近年、イスラーム過激派の動向が活性化しているダゲスタン、カバルダ・バルカルなどにも言及する。

南コーカサス諸国についても、本書では南オセティア、アブハジア、ナゴルノ・カラバフという3つの紛争について焦点を絞りつつ、第1部では、これらの紛争を抱えている独立国であるアゼルバイジャン、アルメニア、ジョージアの3カ国を中心に取り上げる。第1部でも分離主義紛争の起源・経緯・結果等は取り上げるものの、分離主義地域（南オセティア、アブハジア、ナゴルノ・カラバフ）の現状や内実については、おもに第2部で触れることとする。つまり、第1部では主に南コーカサスの独立国が抱える紛争の歴史という観点からまとめ、第2部では主に分離主義地域の現状と同地域が抱える問題という観点からまとめる。

なお、呼称について2014年4月、日本政府はかねてよりのジョージア政府の要請に基づき日本語での国名表記をグルジアからジョージアに改めた。現在、この国名がどれほど定着しているかは分からないが、報道等でもグルジアではなくジョージアとして情報に接する機会が増えてきているように思われる。そのため、本書でもグルジアはジョージアと表記する。

ただ、この際に問題となるのが、ソ連時代の表記である。ソ連時代のジョージアの正式名称は、ロシア語表記のグルジアであったので、それをジョージアとするのは不自然かつ人為的である。他方で、ソ連時代のみをグルジアと表記する場合、本書では原則として紛争との関係からソ連形成期とソ連末期を記述するので、ジョージアとグルジアの二表記が乱立しかねない。混乱回避のためにはグルジアに名称統一することが便宜上好ましいが、今後グルジアという名称は、少なくとも公的文書や報道では一層減少していくと思われる。そこで、止むを得ず、ソ連時代についてもジョージアとして言及する。

さて本書のねらいは、コーカサス地域の紛争やテロリズムなどに焦点を当て、この地域が国際社会にどのような問題を提起しているのかを明らかにすることである。

コーカサス地域は、欧州とアジア、中東を結びつけるユーラシア地域の戦略的要衝に位置する。それゆえに、歴史的に大国間の勢力争いが展開された地域である。民族・宗教的な多様性に富み、諸文明が交錯するコーカサス地域の安定は、周辺地域の安定のバロメーターであるといえるが、ソ連解体後、多くの紛争が発生してきた。たとえば、２００８年のロシア・グルジア戦争やその後のロシアによる南オセティアやアブハジアの独立承認などが国際的にも注目を集めてきた。また、２０１１年以降、「イスラーム国」の義勇兵を出身国別で見ると、旧ソ連地域は最大規模だと報じられたが、実は、その多くはコーカサス地域からシリアへと向かっていた。２０２０年9月末に発生したナゴルノ・カラバフ紛争は国際的な注目を集めたが、それは紛争への対応をめぐって各国の利害が対立し、欧米とロシア、トルコの足並みが揃わなかったため深刻化した。

このようにコーカサス地域、特にこの地域の主要な課題である民族問題や紛争を理解することは、単にこの地域の安定だけではなく、現下の国際問題を理解する上でも重要な視座を提供すると筆者は考える。

本書は、2部で構成されている。第1部では、コーカサスに存在する5つの紛争について「比較」という観点に重点を置き、それぞれの起源・経緯・結果をコンパクトにまとめた。第2部では、特に現在国際政治の重要な課題となっているイスラーム過激主義や未承認国家問題との関係性を意識しながら、コーカサスの紛争やテロが国際社会に提起している問題を理解していきたい。

なお本書の第1部は、2012年に東洋書店から出版したユーラシア・ブックレット171号『コーカサス』を土台とし、全面的な情報更新と加筆・修正を行なったもので、第2部は既存論文の着想を大幅に発展させて書き下ろしたものである。

次章からの第1部では、コーカサスの5つの紛争について詳細に取り上げていくが、本題に入る前に基礎知識として、コーカサス地域がその一部をなしたソ連という連邦がどのようなものだったのか、簡単に触れたい。紛争の構図とおおいに関わってくるからである。

ソ連は、法的には等しい権利を持つ共和国による連邦国家で、さらに共和国の内部には民族に基盤を置き形成された大小様々な自治単位（自治共和国・自治州など）が存在した（なお、自治単位の名称となっている民族を「基幹民族」という――たとえば、アルメニア共和国ではアルメニア人）。こうした連邦の形成過程で争点となったのは、どの民族までどの程度の自治を獲得できるのか、自治の領域をどのように区切るのかという問題である。では、この問題、法的な自治権の違いは、何を意味するのだろうか。

ソ連を構成する共和国――ロシアやジョージア、アルメニア、アゼルバイジャンなど――は、ソ連憲法によって連邦から脱退する権利（離脱権）を認められていた。現実には、この権利は行使できない統治体制が敷かれていたが、法的には、彼らは主権国家であり、外交権も認められていた。ソ連が解体した際も国際的に独立が認められたのは、この連邦構成共和国のみであり、それ以下の自治単位は独立を求めても承認されることはなかった。自治共和国や自治州は、連邦構成共和国に所属するのであり、直接ソ連邦を形成しておらず、連邦からの離脱権を持たなかったためである。

しかし、自治共和国も国家としての機能を備えていた。つまり、独自の憲法や立法行政府（最高会議や閣僚会議）を持ち、予算の策定や閣僚の任命権も認められていた。また、独自の大学やメディアなども持ち、共産党や大学教員などインテリ・エリート層に基幹民族が積極的に採用された。それに対し自治州は、独自の国家行政的な機関や憲法、大学などを持たず、自治権も基本的には文化面に限定されていた。自治州当局（州ソヴィエト）は、中央政府が決定した政策の執行を担う機関であった。

このような自治権の相違は、当該地域の基幹民族が行使できる権力の差を明らかにしており、これは、ソ連末期に各地で民族運動が展開されるようになると大きな問題として認識されるようになった。民族間の権力関係が、紛争の構図を決めることになったからである。

では、複雑なコーカサスの紛争と、それが国際社会に提起している問題について読者とともに紐解いていきたい。

# 第1部

# 南北コーカサスの紛争

# 第1章——コーカサスの概観

## [1] 北コーカサス地域と民族の現状
### ——ロシアの経済後発地域が抱えるテロなどの難問

北コーカサスの紛争を理解する上で、この地域の歴史を押さえることは欠かせないが、同時に読者の中には現状の方に強い関心をお持ちの方もいるだろう。そこで、まず現状の特徴を先にまとめて紹介したい。

北コーカサス地域には大きく分けて4つの特徴がある。第一の特徴は、テロの発生などによって多くの共和国では情勢が不安定だという点である。

米メリーランド大学のテロリズムに関するデータベース（Global Terrorism Database）によれば、過去10年間でロシア連邦におけるテロの約9割が北コーカサスで発生している（２００６～16年）。加えて、モスクワなど主要都市で発生したテロが北コーカサスの分離独立派の犯行だとされることも少なくない（**表3**）。ロシアにとって北コーカサスは最も安全保障が脆弱な地域であり、それゆえに警戒するべき地域なのである。ただし、北コーカサスにおけるテロの発生については、これが比較的

**表3：北コーカサス出身者による主要テロ**（2000年以降、北コーカサスの都市を除く）

| 年 | 出来事 | 犠牲者 |
|---|---|---|
| 2002 | モスクワ劇場占拠事件 | 130人死亡* |
| 2004 | モスクワ地下鉄爆破事件（2月と8月の2回）<br>航空機爆破事件（2機） | 51人死亡（2月が41人）<br>89人死亡 |
| 2006 | モスクワ市場爆破事件 | 13人死亡 |
| 2009 | ネフスキーエクスプレス爆破事件 | 28人死亡 |
| 2010 | モスクワ地下鉄爆破事件 | 41人死亡 |
| 2011 | ドモジェドヴォ空港爆破事件 | 37人死亡 |

出典：筆者作成。*当局が使用したガスによる死者が多数

頻発している東部（チェチェン、イングーシ、ダゲスタン）と比較的安定している西部（北オセティア、カラチャイ・チェルケス、カバルダ・バルカル）に分類できる（**表4**）。また、この地域内部でも濃淡があって、テロの頻度・発生地点・標的などには相違がある。

２００７年以降、北西地域でもテロの増加が伝えられていたが、近年、北コーカサス全体で見てもテロの件数は減少傾向にある（詳細は第2部で後述する）。２０１１年と２０１３年に各共和国で５００〜１０００人を対象に行われた世論調査でも治安状況の改善を評価する世論がやや増えている（**表5**）。なお本調査の実施者は、調査結果について北コーカサスでは表現の自由が十分に保証されておらず、公的に共和国指導部や当局を批判することは危険であることに留意する必要性（特にチェチェンやイングーシでは顕著である）を指摘するが、同時に生活に関わる質問に関しては調査対象者が現実的な評価を下しているとも付け加えている（以下でも世論を紹介する際にはこの点

**表4：北コーカサスにおけるテロの発生件数**

| 年 | 2006 | 2007 | 2008 | 2009 | 2010 | 2011 | 2012 | 2013 | 2014 | 2015 | 2016 |
|---|---|---|---|---|---|---|---|---|---|---|---|
| 東部 | 36 | 46 | 132 | 129 | 158 | 116 | 129 | 110 | 34 | 16 | 40 |
| 西部 | 3 | 1 | 18 | 10 | 66 | 53 | 17 | 14 | 3 | 0 | 3 |

出典：GTDより筆者作成

**表5：世論調査「この1、2年におけるテロ対策の結果をどう評価するか？」**(%)

| | ダゲスタン | | イングーシ | | カバルダ・バルカル | | カラチャイ・チェルケス | | 北オセティア | | チェチェン | |
|---|---|---|---|---|---|---|---|---|---|---|---|---|
| （年） | 2011 | 2013 | 2011 | 2013 | 2011 | 2013 | 2011 | 2013 | 2011 | 2013 | 2011 | 2013 |
| 状況は改善 | 15 | 31 | 35 | 41 | 47 | 46 | 29 | 40 | 27 | 43 | 70 | 90 |
| 変化なし | 46 | 45 | 48 | 45 | 28 | 40 | 58 | 46 | 56 | 50 | 22 | 9 |
| 状況は悪化 | 33 | 14 | 13 | 13 | 20 | 12 | 7 | 5 | 16 | 4 | 4 | 0 |

出典：Н.П. Попов, С.Р. Хайкин (2014)より筆者作成。調査は2013年7〜9月に各500〜1000人を対象に実施。

に留意してほしい）。

それでも**表5**を見ると、「治安状況は改善されていない（変化なし）」、「悪化した」と考える世論が2013年当時でもチェチェンを除く全ての共和国で過半数を超えている。また国際的な評価でも、たとえばロンドンに拠点を置き駐在員や旅行者の安全対策に従事する民間企業International SOSの「Travel Risk Map」（2019年版）では、北コーカサス地域は、北オセティアを除き、5段階のうち2番目に高いリスク評価を付けられている。日本の外務省による「海外安全情報」（2019年現在）でもロシア連邦のなかで北コーカサス地域のみ4段階のうち2番目に高い「渡航中止勧告」が出ているなど、情勢が不安定な地域であるという国際評価は現状も変化していないのである。では、なぜこのような反乱やテロが起きているのであろうか。

第二の特徴として、この地域は、共和国ごとに濃淡はあるものの、ソ連解体後から現在に至るまで民族対立やイスラーム過激派の台頭、分離主義運動などの問題を抱えてきたという点があげられる。

ただし、民族問題が武力紛争へと繋がったのは、イングーシ・北オセティアの領土問題とチェチェンの分離主義運動のみである。それ以外の民族主義運動に関しても一定の影響力を有していたのは、1990年代という限られた時期の中であった。ロシアの新憲法や新連邦条約、連邦と地方の権限区分条約が制定されると、94年の第一次チェチェン紛争発生までに他のコーカサスの民族運動はかなり衰退した。また90年代の民族主義は、領域的分離ではなく、政治的権力の分離を求めるものであった。つまり、連邦中央に対する共和国側の権限拡大を目的とし

**表6：世論調査「共和国の主権宣言は民族の政治的利益にどのような影響を与えたか?」**(%)

| | ダゲスタン | イングーシ | カバルダ・バルカル | カラチャイ・チェルケス | 北オセティア |
|---|---|---|---|---|---|
| 改善させた | 40.17 | 47.24 | 40.30 | 38.13 | 34.97 |
| 悪化させた | 28.61 | 24.41 | 21.39 | 28.13 | 25.17 |
| 変わらない | 30.35 | 22.05 | 30.35 | 32.50 | 30.77 |
| わからない | 0.87 | 6.30 | 7.96 | 1.25 | 9.09 |

**表7：世論調査「民族国家建設に賛成か?」**(%)

| | ダゲスタン | イングーシ | カバルダ・バルカル | カラチャイ・チェルケス | 北オセティア |
|---|---|---|---|---|---|
| はい | 0.00 | 3.85 | 11.36 | 2.86 | 16.67 |
| いいえ | 74.19 | 82.69 | 59.09 | 82.86 | 72.22 |
| わからない | 25.81 | 13.46 | 29.54 | 14.29 | 11.12 |

出典：Khoperskaya（1998, pp.48-49）からアドィゲ及びロストフ州を削除し掲載。調査はアドィゲ共和国、ロストフ州も対象とし、1995〜96年にかけて合計1,484人に対して行ったもの。

た共和国指導部の主導する政治運動という傾向も強かったのである。この時期には、共和国の主権宣言が乱発されたが、体制移行過程で社会・経済的混乱に直面していた住民は必ずしも民族主義に熱狂していたわけではないことが**表6**、**7**からもわかる。これは北コーカサスの各共和国内部には様々な民族が混住しているため、民族間の緊張を生みやすい急進的な民族主義を住民が必ずしも支持していなかったことを示している。

継続して強い運動を展開した点で例外的なチェチェンも、現在までに有力な独立派指導者のほとんどがロシアによって殺害され、イスラーム国家樹立を掲げる運動へと変質している。ソ連末期からの民族運動は、現在までに下火となり、ロシアからの分離や独立国家の樹立などを掲げる勢力の主張は、住民の大多数にはほとんど支持されていない（**表8**）。しかし、多くの住民から賛同が得られないからこそ、運動が急進化・過激化しやすいという側面もある。また民族が混住し、領土問題などに関する潜在的な争点は存在し続けており（**地図1**）、90年代は民族間の緊張が高まり分離主義的な集団も少なからず存在したという歴史的な前提もある。2000年代に入っても頻発したテロ

**表8：世論調査「いかなる国家形態で最も良い経済・社会・宗教的発展が可能だと思うか?」**（%）

| | ダゲスタン | | イングーシ | | カバルダ・バルカル | | カラチャイ・チェルケス | | 北オセティア | | チェチェン | |
|---|---|---|---|---|---|---|---|---|---|---|---|---|
| （年） | 2011 | 2013 | 2011 | 2013 | 2011 | 2013 | 2011 | 2013 | 2011 | 2013 | 2011 | 2013 |
| ロシアの一部 | 85 | 85 | 67 | 68 | 89 | 89 | 85 | 95 | 98 | 94 | 68 | 84 |
| 独立国 | 2 | 2 | 17 | 17 | 3 | 2 | 6 | 1 | 1 | 0 | 15 | 8 |
| コーカサス諸民族連邦 | 3 | 2 | 15 | 13 | 4 | 2 | 2 | 2 | 1 | 2 | 8 | 6 |
| 回答困難 | 10 | 11 | 1 | 3 | 5 | 8 | 8 | 2 | 1 | 4 | 9 | 2 |

出典：Н.П. Попов, С.Р. Хайкин (2014)

**表9：北コーカサス地域の経済・社会指標**（2016年）

| | ダゲスタン | イングーシ | カバルダ・バルカル | カラチャイ・チェルケス | 北オセティア | チェチェン | 連邦平均 |
|---|---|---|---|---|---|---|---|
| 域内総生産 | 197,141 | 106,756 | 153,710 | 156,602 | 178,390 | 118,696 | 472,161 |
| 平均賃金 | 28,287 | 15,000 | 19,826 | 16,867 | 22,231 | 22,817 | 30,744 |
| 失業率(%) | 10.9 | 30.2 | 10.3 | 14.4 | 9.9 | 15.8 | 5.5 |

出典：ロシア連邦国家統計局データより筆者作成。域内総生産と平均賃金（名目賃金）の単位はルーブル。

が体制側（連邦や共和国）に大きな脅威と認識されてきたのはこのようなことのためである。加えて、大多数の住民も決して現在の政治・経済・社会状況に満足しているわけではない。

すなわち北コーカサス地域の第三の特徴として、若者の失業や経済的困窮など経済・社会問題を抱えている点があげられる。

ロシア連邦全体から見れば、この地域は長年、種々の経済指標で最下層に位置づけられてきたが、その状況は現在も同じである。たとえば、共和国の経済活動を示す一人あたりの域内総生産（GDPに相当）を見てみると、北コーカサス地域の平均値は連邦平均の3割程度と非常に低い（**表9**）。平均賃金は、連邦平均の7割近い水準ではあるが、失業者は連邦平均の2倍（11％）となっている。もちろん、各共和国のおかれた経済状況には違いもある。たとえば、一人当たりの域内総生産を見てみると、最も高いダゲスタンが約20万ルーブル（約3000ドル）なのに対し、最も低いイングーシは約10万ルーブル（約1500ドル）となっている（2016年）。同様に、この地域で失業率が最も低い北オセティアは10％程度だが、最も高いイングーシでは約30％にもなる（2016年）。ただ、これでも失業率は大幅に改善している。たとえば2005年の北コーカサスにおける平均失業率は3割で、チェチェンやイングーシは半数以上（前者74％、後者65％）が失業状態にあったのである。コーカサス地域の特徴として失業者に占める若年層（30歳以下）の割合が多いことも挙げられる。北オセティアとカラチャイ・チェルケスを除き、連邦平均よりも3割ほど若年層の割合が多いが、チェチェンでは失業者の8割が30歳以下という異様な数値が見て取れる（**表10**）。

失業問題は、各共和国が自立した経済基盤を持たず、共和国内に十分な雇用を創出できないことが理由である。北コーカサスの各共和国の域内総生産に占める製造業の割合は平均して10％程度で、農業・狩猟・林業が15％、公共事業的色彩の強い分野（行政・防衛・社会保障、建設業、教育業）が34％、卸売・小売業等が15％となっている。そして経済の中心を占める公共事業は、連邦からの補助金無くして実施できない。このように財源面で連邦補助金に依存する経済体質（**表11**）は失業や汚職、貧困などの問題の改善を困難にしている。世論調査でも失業・汚職・貧困が北コーカサスの各共和国

**表10：失業者の年齢区分**（％、2016年）

| | 30歳以下 | 30歳以上 |
|---|---|---|
| 連邦平均 | 39.8 | 60.2 |
| 北コーカサス平均 | 55.7 | 44.4 |
| ダゲスタン | 52.6 | 47.5 |
| イングーシ | 59.3 | 40.8 |
| カバルダ・バルカル | 52.8 | 47.1 |
| カラチャイ・チェルケス | 37.6 | 62.5 |
| 北オセティア | 42.1 | 57.8 |
| チェチェン | 79.2 | 20.8 |

**表11：財源面における連邦補助金への依存度**（％、2017年）

| | |
|---|---|
| ダゲスタン | 69.71 |
| イングーシ | 81.30 |
| カバルダ・バルカル | 52.23 |
| カラチャイ・チェルケス | 65.47 |
| 北オセティア | 48.75 |
| チェチェン | 80.38 |

出典：ロシア国家統計局より筆者作成

**表12：世論調査「当局が早急に解決するべき最も深刻な問題は何か?」**(%)

| (年) | ダゲスタン 2011 | ダゲスタン 2013 | イングーシ 2011 | イングーシ 2013 | カバルダ・バルカル 2011 | カバルダ・バルカル 2013 | カラチャイ・チェルケス 2011 | カラチャイ・チェルケス 2013 | 北オセティア 2011 | 北オセティア 2013 | チェチェン 2011 | チェチェン 2013 |
|---|---|---|---|---|---|---|---|---|---|---|---|---|
| 失　業 | 33 | 31 | 38 | 27 | 44 | 31 | 31 | 23 | 32 | 29 | 46 | 39 |
| 汚　職 | 18 | 19 | 14 | 15 | 13 | 11 | 9 | 7 | 5 | 8 | 7 | 9 |
| 貧　困 | 3 | 8 | 6 | 4 | 5 | 11 | 12 | 16 | 6 | 10 | 3 | 5 |
| テロリズム | 29 | 10 | 2 | 14 | 8 | 14 | 1 | 1 | 3 | 2 | 2 | 1 |
| 住宅問題・高い賃料 | 2 | 2 | 2 | 1 | 2 | 6 | 5 | 13 | 4 | 10 | 1 | 8 |

出典：Н.П. Попов, С.Р. Хайкин (2014)

において深刻な問題だと住民に認識されていることがわかる（**表12**）。しかし、なぜ共和国当局は、このような問題に積極的に取り組み、改善することができないのであろうか。

その理由でもあるのが、第四の特徴、北コーカサスの多くの共和国は、権威主義的な統治体制を敷き、エリートの汚職、政治的腐敗が進んでいるという点である。

たとえば、プーチン体制成立後（2000年代以降）の連邦下院選・大統領選挙の投票率、そして与党（大統領選挙では与党候補）の得票率を北コーカサスと全国平均で比較すると、前者が非常に高いことがわかる。下院選挙では、過去4回の投票率・与党得票率共に全国平均より28%程度高く、大統領選挙でも全国平均より投票率で22%、与党候補者の得票率で18%も高くなっている（**表13**、**14**）。もちろん、これも濃淡があって、北オセティアの投票率・与党得票率は、他の共和国ほど異常なものではない。北オセティアは、過去4回の下院選挙及び大統領選挙における投票率では13～16%、与党得票率では8

表13：2000年代の連邦下院選挙における北コーカサスの投票率等

| | 2003年 | | 2007年 | | 2011年 | | 2016年 | |
|---|---|---|---|---|---|---|---|---|
| | 投票率 | 与党得票率 | 投票率 | 与党得票率 | 投票率 | 与党得票率 | 投票率 | 与党得票率 |
| 連邦全体 | 55.75% | 37.56% | 63.78% | 64.30% | 60.21% | 49.31% | 47.88% | 54.20% |
| 北コーカサス | 69.59% | 63.17% | 89.85% | 91.32% | 92.40% | 86.92% | 88.92% | 80.68% |
| 投票者全体に占める割合 | 4.29% | 7.71% | 4.47% | 6.36% | 5.37% | 9.64% | 6.68% | 10.42% |

表14：2000年代の連邦大統領選挙における北コーカサスの投票率等

| | 2004年 | | 2008年 | | 2012年 | | 2018年 | |
|---|---|---|---|---|---|---|---|---|
| | 投票率 | プーチン得票率 | 投票率 | メドヴェージェフ得票率 | 投票率 | プーチン得票率 | 投票率 | プーチン得票率 |
| 連邦全体 | 64.39% | 71.31% | 69.81% | 70.28% | 65.34% | 63.60% | 67.54% | 76.69% |
| 北コーカサス | 92.12% | 92.52% | 88.52% | 87.46% | 87.06% | 87.26% | 88.36% | 87.98% |
| 投票者全体に占める割合 | 4.61% | 6.03% | 4.13% | 5.22% | 4.59% | 5.87% | 4.70% | 5.48% |

出典：ロシア連邦選挙管理委員会データより筆者作成

～13％、全国平均を上回っているが、他の北コーカサスの民族共和国と比較すればその数値は決して高くない。北オセティアを除くと、２００７年の下院選及び２００４年・２００８年の大統領選挙では、90％を超える異様な投票率・与党（候補）得票率が共通して見られたのである。

この中にはチェチェンのように２０１１年下院選挙・２０１２年大統領選挙で投票率・与党（候補）の得票率が99％を記録している共和国もある。これが実際の投票行動の結果なのかには当然大きな疑問があるものの、数字の上では有権者の多くが与党に投票するため、共和国側から連邦中央への大きなアピールにはなる。実際に、北コーカサスの有権者数は連邦全体の3％前後しか占めていないが、投票者全体及び与党投票者に占める割合は実際の有権者数よりも大きくなっている。連邦全体の投票率・与党得票率が伸び悩むほど、必然的にこの数値は大きくなるため、全国的に与党・統一ロシアが低迷した2011年の下院選挙、また投票率が過去最低だった2016年の下院選挙ではこの傾向が顕著に表れた。

共和国の議会選挙も連邦選挙と一定の相関関係がある。つまり、連邦選挙で投票率・与党得票率ともに極めて高いチェチェンは共和国選挙でも同様の傾向が見られ、2016年の共和国首長選挙及び議会選挙は投票率が94％、与党得票率が87％、カディロフ大統領得票率が97％となっている。これに対して北オセティアでは、2012年の議会選挙で投票率が43％、与党得票率が44％、2017年にはいずれも60％と他の共和国ほどは高くない。

共和国が「集票マシーン」と化し、選挙を通して連邦中央に忠誠を示す形は、2000年代に入り特に顕著になっている。それまで共和国の元首は、「地方のボス」として連邦の制御や介入をさほど受けなかった。これがプーチン政権時代になり地方との権限区分の見直し、連邦管区制や地方首長の任命制の導入、政党条件の見直し（地方政党の原則禁止）などに伴い、連邦側の統制が強く及ぶようになる。北コーカサス各共和国の元首の最長在職期間（平均年数）を見ても、90年代に就任した元首が10・6年と最も長く、2010年代に就任した元首が4・8年と最も短い（**表15**、なおチェチェンは紛争があったため、この表には含めていない）。

**表15：北コーカサスの各共和国における元首の最長在職期間**（年代平均値）

| 就任年 | 最長在職年数 |
|---|---|
| 1990年代 | 10.6 |
| 2000年代 | 7.6 |
| 2010年代 | 4.8 |

出典：筆者作成（在職期間は月単位まで算入。2020年現在）

もともと予算面でも連邦への依存度が高かったことに加え、この政治改革で連邦側からの統制が強まり、政策の失敗の責任を問われる環境が生じたこともあり、共和国当局は連邦中央へのアピールを重視しがちになっている。しかしながら、共和国内には上述した治安・安全保障上の問題や経済・社会問題も山積しており、連邦の顔色を伺いつつ、共和国内では権威主義的な政治運営をする当局に、住民の不満や不信は蓄積されている。それでも、住民世論よりも連邦の期待に応えることができれば、現在でも長期政権を実現することは可能なのである（チェチェンのカディロフ―在任期間13年、2019年に退任したイングーシのエフクロフ―在任期間11年）。連邦は、長期間安定的統治を行える指導者を重視しており、これはかつて元首を務めていた者の親族、あるいは連邦中央で要職を務めた信頼できる人物が元首に選ばれていることからも明らかである（ダゲスタン、チェチェン、カバルダ・バルカル）。

## ［2］北コーカサスの概略史――ソ連形成期から解体まで

以上を踏まえた上で、次にソ連解体後に発生した紛争を学ぶ上で見逃すことのできないソ連形成期からの歴史をみていこう。

ロシアで1917年に2月革命が発生し、ロシア帝国の支配が揺らいでいた時期、北コーカサスにおいても様々な政治勢力が入り乱れ、また外部からの支援や干渉を受けつつ、理想の国家建設に取り組もうとした。北コーカサスの諸民族は、２月革命を受けて各々世俗的指導者・宗教的指導者・知識人等が参加する民族大会を開催していたが、それは１９１７年5月の第1回山岳民大会へと結実する。大会の結果、北カフカース（コーカサス）・ダゲスタン山岳民連合を設立、暫定憲法を制定した。

民族大会には、イスラーム宗教指導者も参加していたが、主導権を握ったのは、民主的国家建設を主張するグループであった。首班に指名されたタパ・チェルモエフは、帝政ロシアの著名なチェチェン人軍人アルツゥ・チェルモエフの息子で、１９１０年代の石油ブームで沸くグローズヌィで財をなした指導者であった。

山岳民大会は、チェルモエフの財政的支援を受けて開催されたため、指導部にはチェルモエフと近い世俗的な知識人等が多かったが、イスラーム宗務評議会も置き、宗教指導者を組織に抱え込んだ。山岳民連合は、山岳民の領域的自治や民主的統治を掲げていたが、必ずしも独立を主張していたわけではなく、ロシアで革命後に誕生した臨時政府には支持を表明していた。第１回山岳民大会でもロシア民主連邦共和国の枠組みの中でコーカサス山岳民の自治的連邦制度を構築することに重要な意義があるとの言及がされたほどである。他方で、19世紀のコーカサス戦争後に占領された山岳民の土地の返還要求は、コーカサスの守備隊としての役割を果たしていたテレク・コサックはもとより入植した農民からも強い反発を引き起こし、民族間の関係も悪化した。

その後、10月革命によってロシアにソヴィエト政権が樹立されると、山岳民連合は、山岳民共和国政府を設置し、チェルモエフを代表に選出した。しかし、徐々にソヴィエト勢力などから圧迫を受けるようになり、拠点としていたヴラディカフカスを追われ、1918年1月までにはチェチェン、そしてダゲスタンへと逃れることになった。山岳民共和国指導部は、国家の存続のため3月に代表団を引き連れ、コーカサス山脈を越えて現在のトビリシに渡り、ザカフカース民主連邦共和国と進駐していたトルコ軍の支援を求めた。これらの支援を受け、5月には黒海沿岸の都市バトゥーミにおいて北カフカース山岳民連合共和国として独立を宣言した。この独立は、トルコと同盟国（ドイツ、オーストリア・ハンガリー）からは承認され、トルコとは友好平和条約を締結した。さらに山岳民共和国政府は、モスクワへ代表団を送り、ロシアからの離脱と独立について文書を手交しようと試みたが、ソヴィエト政権によって拒否された。その後、テレク・ソヴィエト共和国に抵抗するコサックとも連携し、ダゲスタンへと拠点を移す。しかし、トルコからの支援に頼っていたため、ソヴィエト勢力や反革命軍など群雄割拠の様相を呈する北コーカサスにおいて次第に勢力を維持することができなくなった。そして、1919年5月頃には、デニーキン軍（旧ロシア帝国軍残党やコサック部隊など反ソヴィエト義勇軍）の攻撃を受け消滅した。

山岳民連合共和国は、国家としての内実を十分に伴っておらず、しかもトルコ等の外部勢力の支援に依存していた側面がある。確かに革命期の混乱と諸勢力の対立の中で支配領域を確立し、国家を運営できていなかったことは明白であろう。また当初は臨時政府（ロシア）の掲げる民主的な連邦制度の枠内での領域的自治、その後は独立を掲げながらもムスリム同胞の長兄的な位置付けにあるトルコの庇護下でそれを主張していたため、実際は独立ではなく、むしろ領域的自治を求めていた側面もあろう。しかし、山岳民連合共和国は、ロシア革命後の列強の介入を逆手に取り、トルコや英国の支援を要請したり、あるいは北コーカサスにおいても対立の火種を抱えていたコサックと同盟関係を構築し均衡を維持したりするなど強かな一面も合わせ持っていた。領域的支配や国家機能が不十分だとの指摘も、それは当時北コーカサスにいた他の勢力（ソヴィエト勢力やデニーキンの軍隊等）も同様であるという事実を踏まえる必要があろう（**地図2**）。

さて、山岳民連合共和国の後、ダゲスタン、チェチェンを中心にイスラーム指導者の下でまとまり、デニーキンに抵抗する勢力が現れた。その首班にはダゲスタンのアヴァール人宗教指導者ウズン・ハッジが就任、首都をチェチェンのヴェデノとし北カフカース首長国の建設を宣言した（１９１９年９月）。ウズン・ハッジは、長年シベリアに抑留されており、前年に北コーカサスに戻ったが、すでに当時70歳で山岳民連合共和国にも参加していなかった。他方で、山岳民連合共和国の内部にはイスラーム聖職者も一定数おり、ウズン・ハッジ自身も１９１９年４月に山岳民連合共和国の議会で講演をしたと言われている。北コーカサス諸民族の世俗的勢力が挫折した国家運営は、シャリーア（イスラーム法）に基づく宗教的国家運営を掲げる北カフカース首長国へと引き継がれることとなった。

１９１９年当時、テレク・ソヴィエト共和国はすでにデニーキン軍らの攻撃で消滅していた。こうした状況からデニーキン軍と闘う北カフカース首長国は、ボリシェヴィキ勢力にとって同盟者になりうる相手であった。現地ボリシェヴィキ勢力は、首長国を支持し、赤軍も対デニーキン軍戦線で協力体制を構築した。しかし、１９２０年３月までに赤軍が北コーカサスを支配下におさめると、首長国は廃止、指導部も排除された。その後も首長国の支持者が抵抗を続けたが、徐々に制圧されていった。

１９２１年２月、赤軍の支配下となった北コーカサスでは、山岳自治共和国とダゲスタン自治共和国がロシア共和国内に設立された。前者は、6つの管区地域（チェチェン、ナズラニ、ヴラディカフカス、カバルダ、バルカル、カラチャイ）によって構成され、ヴラディカフカス市を首都とした。

北コーカサスの諸民族による自治共和国の創設は、スターリンが主導したといわれている。しかし、創設の8カ月後にはカバルダ民族管区が山岳自治共和国からの離脱と民族自治州の創設を主張することとなる。カバルダ革命委員会委員長であったカルムイコフは、スターリンの信任が厚く、カバルダ管区の山岳自治共和国からの離脱に対するスターリンの支持を取り付けた。しかし、北コーカサスでは、土地の領有をめぐる民族間の対立が残存しており、これは山岳自治共和国からの離脱のドミノを引き起こした。1922年1月にはバルカル民族管区とカラチャイ民族管区が、11月にはチェチェン民族管区が山岳自治共和国から離脱し、それぞれ自治州となった。1924年まで山岳自治共和国を構成したオセティア（ヴラディカフカス民族管区）とイングーシ（ナズラニ民族管区）もそれぞれ民族自治州を形成すると、山岳自治共和国はわずか3年で解体した。

北コーカサス地域では、この後、行政単位の法的地位や境界にたびたび変更が加えられた（**表16**）。各民族が極めて複雑に混住する北コーカサス地域で民族自治単位を形成し、その法的地位を確定するのは、そもそも非常に困難であった。このため、自治単位の法的地位や境界線の策定に関しては、必ずしも納得できる明確で一貫した根拠があったわけではなかった。また、法的地位や境界線の変更については、隣接する民族自治単位にも影響を与えたため、潜在的な対立を抱えている地元の相反する主張を十分に反映させることも難しかった。

こうして北コーカサスでは50年代後半まで多くの場合、地元の意向を無視するような形で法的地位や境界線の変更（分割・合併・廃止・復活・帰属変更）が行われた。こうした政策は、イングーシ・北オセティア紛争の直接的起源となっただけではなく、他の民族間の対立、あるいはチェチェンの連邦中央への反発を醸成した。

北コーカサス諸民族の歴史で見逃せない事実は、第二次世界大戦の際にドイツに協力したとされ、1943年頃からカラチャイ人（約7万）、チェチェン人、イングーシ人（両民族で約50万）、バルカル人（約4万）などが中央アジアやシベリアに強制移住させられたことである。強制移住そのものは、北コーカサスの諸民族に対してのみ行われたものではなく、1937年には極東の朝鮮人、41年にはヴォルガ・ドイツ人に対して行われていた。また北コーカサス諸民族の強制移住と前後してカルムィク人（43年）、クリミア・タタール（44年）、メスヘティ・トルコ人（44年）などが強制移住の憂き目に遭っている。

この際、自治単位を持つ民族に関しては、その民族自治体が廃止され、周辺地域に分割された。カラチャイ自治州は廃止され、ジョージア（グルジア）共和国、チェルケス自治州、クラスノダール及びスタヴロポリ地方に分割された。チェチェン・イングーシ自治共和国は廃止後、ジョージア、ダゲスタン、北オセティアに分割され、残りの部分はグローズヌィ州として新設された。カバルダ・バルカル自治共和国は、バルカル人の移住に伴いジョージアと北オセティアに一部領域が編入され、カバルダ自治共和国と名称変更された。新たに編入された土地には、強制移住に伴い新たな居住者が必要だったため、入植が奨励された（プリスターフキンの自伝的小説『コーカサスの金色の雲』（群像社）に孤児たちがこの地域に入植し、生活する模様が描かれている）。

<table>
<tr><th colspan="5">ソヴィエト体制下(ロシア共和国)</th><th>ロシア連邦</th></tr>
<tr><td rowspan="7">北カフカース地方(1924.10~1937.3)</td><td>カバルダ・バルカル自治州(1934.1)</td><td>カバルダ・バルカル・ソヴィエト社会主義自治共和国(1936.12)</td><td>カバルダ・ソヴィエト社会主義自治共和国(1944.4)(バルカル人は強制移住)</td><td>カバルダ・バルカル・ソヴィエト社会主義自治共和国(1957.2)</td><td>カバルダ・バルカル共和国</td></tr>
<tr><td colspan="2">カラチャイ自治(1926.4)(37年からオルジョニキッゼ地方、44年からスタヴロポリ地方に編入)</td><td>強制移住で廃止(1943.10)</td><td rowspan="2">カラチャイ・チェルケス自治州(1957.2)(スタヴロポリ地方に所属)</td><td rowspan="2">カラチャイ・チェルケス共和国</td></tr>
<tr><td colspan="3">チェルケス民族管区(1926.4)→自治州(1928.4)(37年からオルジョニキッゼ地方、44年からスタヴロポリ地方に編入)</td></tr>
<tr><td>北オセティア自治州(1934.1)</td><td colspan="3">北オセティア・ソヴィエト社会主義自治共和国(1936.12)</td><td>北オセティア共和国</td></tr>
<tr><td rowspan="2">チェチェン・イングーシ自治州(1934.1)</td><td rowspan="2">チェチェン・イングーシ・ソヴィエト社会主義自治共和国(1936.12)</td><td rowspan="2">強制移住で廃止(1944.3)→グローズヌィ管区・州へ</td><td rowspan="2">チェチェン・イングーシ・ソヴィエト社会主義自治共和国(1957.1)</td><td>イングーシ共和国(1992.6)</td></tr>
<tr><td>チェチェン共和国(1992.12)</td></tr>
<tr><td>ダゲスタン・ソヴィエト社会主義自治共和国(1931.9)</td><td colspan="3">ダゲスタン・ソヴィエト社会主義自治共和国(1937.3)</td><td>ダゲスタン共和国(1993.5)</td></tr>
</table>

〔補足〕訳語は慣例に従っている。たとえば、チェチェン・イングーシ・ソヴィエト社会主義自治共和国は、Чечено-Ингушская Автономная Советская Социалистическая Республикаであり、語順通りに翻訳すれば、「チェチェン・イングーシ自治ソヴィエト社会主義共和国」になるが、慣例に従い上記の通りとした。なお、山岳社会主義ソヴィエト自治共和国は、Горская Автономная Социалистическая Советская Республикаで、上記チェチェンの訳と「ソヴィエト」と「社会主義」の語順が違うのはこのためである。また同自治共和国の民族管区には、上記では割愛したが、他にもイングーシと隣接するスンジャ・コサック管区が1921年頃に創設され、1924年の解体まで存続した。

**表16：北コーカサスの行政区分の変遷**

<table>
<tr><th>帝政ロシア</th><th>革命期</th><th colspan="6">ソヴィエト体制下(ロシア共和国)</th></tr>
<tr><td rowspan="6">テレク州<br>(1860.2～)</td><td rowspan="7">テレク・ソヴィエト共和国<br>(1918.3～1919.2)<br><br>北カフカース・ダゲスタン山岳民連合<br>(1917.5～11)<br>→北カフカース山岳民連合共和国<br>(1917.11～1919.5)<br><br>北カフカース首長国<br>(1919.9～1920.3)</td><td rowspan="6">山岳社会主義ソヴィエト自治共和国(1921.1~1924.7)*</td><td>カバルダ民族管区<br>(1921.1)</td><td>カバルダ自治州<br>(1921.9)</td><td rowspan="2">カバルダ・バルカル自治州<br>(1922.1)</td><td rowspan="6">南東部州(1924.2~10)</td><td rowspan="2">カバルダ・バルカル自治州</td></tr>
<tr><td colspan="2">バルカル民族管区<br>(1921.1)</td></tr>
<tr><td colspan="2">カラチャイ民族管区<br>(1921.1)</td><td>カラチャイ・チェルケス自治州<br>(1922.1)</td><td>カラチャイ・チェルケス自治州</td></tr>
<tr><td colspan="3">ヴラディカフカス民族管区(1921.1)<br>ディゴルスク民族管区<br>(1921.3～22.4)</td><td>北オセティア自治州<br>(1924.7)</td></tr>
<tr><td colspan="3">ナズラニ民族管区(1921.1)<br>(ヴィラディカフカス管区と共に24年7月まで山岳自治共和国を構成)</td><td>イングーシ自治州<br>(1924.7)</td></tr>
<tr><td colspan="2">チェチェン民族管区<br>(1921.1)</td><td>チェチェン自治州<br>(1922.11)</td><td>チェチェン自治州</td></tr>
<tr><td>ダゲスタン州<br>(1860.7～)</td><td colspan="6">ダゲスタン・ソヴィエト社会主義自治共和国(1921.1)</td></tr>
</table>

出典:野田(2012, p.313, 表11-2)を元に編集し作成
〔説明〕(　)は各行政単位・自治単位の創設年月、あるいは行政区分上の帰属変更の年月。一時的に存在したものについては解体(消滅)年月も記載している。
══線は体制転換や政権交代に伴い、新しい国家が誕生したことを意味する。------線は右記自治単位が左記行政単位に属していることを意味する。──線は左記自治単位とは別の自治単位に変化したことを意味する(その際に名称は変更されたものの左記行政単位に属している場合は------線表示)。━━線は行政単位の名称変化や自治単位の法的地位の変化を意味する。

強制移住は、何の前触れもなく実施され、人々は着の身着のまま列車に詰め込まれ、これを拒否する者（動くことのできない病人、妊婦、故郷を離れるのを拒む老人など）は殺害された。中央アジアやシベリアに移送する最中も食糧補給や休憩の時間はほとんど与えられず、多くの人々が病に倒れ死亡したといわれる。１９５６年にフルシチョフが「スターリン批判」を行い、その中で強制移住についても言及すると、強制移住させられた人々が次々とかつての共和国に戻る動きが見られた。こうした中で翌57年には、北コーカサス地域を中心に「対敵協力民族」との烙印を押された民族の共和国が復活した。しかし、彼らが帰還すると、かつて居住していた場所に入植者が住み着いていたり、居住地域そのものが他の共和国に帰属変更されていたりしたため、以前に住んでいた同じ場所に戻ることは難しかった。

北コーカサス地域の中でソ連解体前後に独立を主張した自治共和国はチェチェンのみで、これは後述する南コーカサス内の自治地域と対照的である。また、イングーシとチェチェンを除き、多くの共和国で共産党指導部が共和国指導部へと横滑りし、大統領が元共産党第一書記、議会も元共産党勢力が多数を占めた。彼らは選挙によって選出されていたが、中には20年間も共和国首長を務めた者もいる。こうした多くの共和国における共産党指導部の首脳ポストへの横滑りは、共産党指導部が民族運動をたくみに体制内に組み込み、大衆の支持獲得や共和国側から連邦中央への権利要求の手段として活用したことに起因する（大衆がソ連解体後の激動の変化の中で安定を求めていたという状況もあった）。こうした事情もあり、北コーカサスで実際に熱戦と化した民族運動は前述の二つのみだった。

ただし、複雑な民族構成を有する北コーカサスでは、ペレストロイカ期に様々な民族が両立しない主張をし、民族間の緊張が全般的に高まったのも事実である。

## ［3］南コーカサス地域と民族の現状
### ——「若い独立国」の抱える分離主義問題と苦悩

南コーカサスには、アルメニア、アゼルバイジャン、ジョージアの3つの独立国と、各国内で分離独立を掲げ中央政府が統制できていない地域が含まれる（**表2**）。だが、分離主義地域については紛争の解決や今後の展望にも関わる話であるので主に第2部で論じることにし、ここでは3つの独立国に絞り特徴をまとめる。まず現状の整理を簡単に行い、概略史を見ていく。

南コーカサス地域の第一の特徴は、非民主主義的な統治や汚職などの問題があるということである。たとえば、NGOのフリーダム・ハウス（本部アメリカ）が旧社会主義国を対象にして行っている民主化指標（Nation in Transit 2018）では、南コーカサス諸国はいずれも総合指数で「民主主義国ではない」と評価されている（**図1**）。ここで審査項目になっているのは、選挙プロセス、市民社会、メディアの独立性、国家／地方レベルでの民主的統治、司法制度と独立性、汚職であり、これらを総合し民主化指数を導き出す（1が最も民主的、7が最も権威主義的。ただし、2020年より評価指数

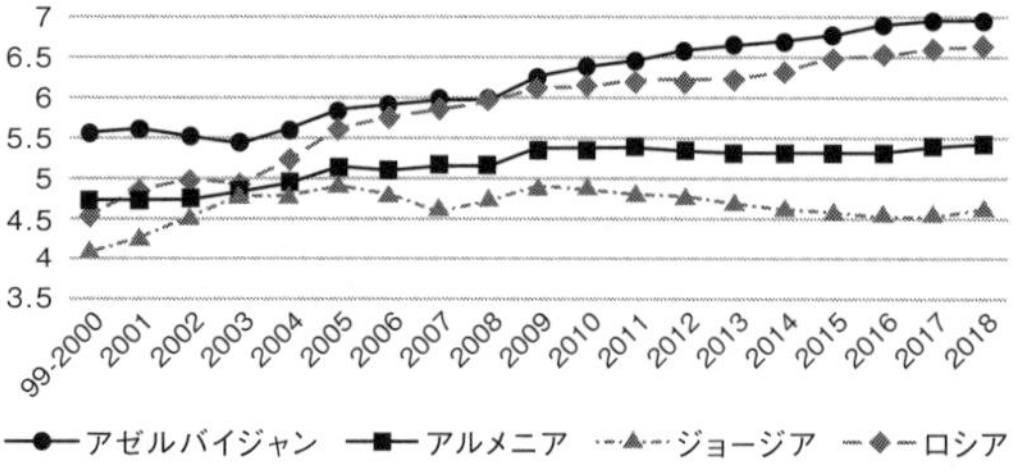


分類

| | |
|---|---|
| 1.0-2.99 | 強固な民主主義 |
| 3.00-3.99 | 準民主主義 |
| 4.00-4.99 | 混合体制 |
| 5.00-5.99 | 準権威主義 |
| 6.00-7.00 | 強固な権威主義 |

出典：Freedom Houseデータ（2018年版まで）より筆者作成

**図1：南コーカサス諸国及びロシアの民主化指数の推移**（1999～2018年）

〔付記〕
2019年は一部の国のスコアのみ公表なので除外。2020年版より、評価指数が変化したため、本表には記載していない。

は百分率に変化したので要注意）。少なくともこの指標では南コーカサス諸国は2000年以降、一度も民主的だと評価されていない。

しかし、アゼルバイジャンが「強固な権威主義」（6・93）、アルメニアが「準権威主義」（5・43）、ジョージアは「混合体制」（4・68）と3カ国の評価は異なっている（2018年版）。たとえば、2000年以降、ジョージアでは二度（2003年及び2012年）、アルメニアでは一度（2018年）、政権交代が生じているが、アゼルバイジャンでは一度も生じていない（フリーダム・ハウスの指標は政権交代を民主化と捉える傾向が強く、最新の2020年版では、アルメニア〔評価指数33〕はジョージア〔同38〕と共に「混合体制」と評価されているが、アゼルバイジャン〔同2〕は「強固な権威主義体制」のままである）。

2000年以降の各国の大統領・議会選挙を見てみると（**表17、18**）、「強固な権威主義」とされるアゼルバイジャンでは、大統領選挙で4選を果たしているアリエフが圧倒的な得票率を誇るが、議会選挙の与党得票率は決

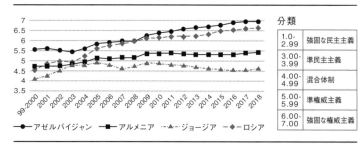

**表17：南コーカサス諸国の議会選挙（投票率（%）・与党得票率（%）・獲得議席）（2000年代以降）**

| | | | | | | | | | | | | |
|---|---|---|---|---|---|---|---|---|---|---|---|---|
| アゼルバイジャン | 2000 | | 2005 | | 2010 | | 2015 | | 2020 | | | |
| | 投票率 | 与党 | 投票率 | 与党 | 投票率 | 与党 | 投票率 | 与党 | 投票率 | 与党 | | |
| | 71.3 | 62.3 | 46.4 | | 49.6 | 46.5 | 55.7 | 47.2 | 46.8 | | | |
| | 与党議席（%） | | 与党議席（%） | | 与党議席（%） | | 与党議席（%） | | 与党議席（%） | | | |
| | 75（60.0%） | | 61（48.8%） | | 71（56.8%） | | 69（55.2%） | | 72（57.6%） | | | |
| アルメニア | 2003 | | 2007 | | 2012 | | 2017 | | **2018** | | | |
| | 投票率 | 与党 | 投票率 | 与党 | 投票率 | 与党 | 投票率 | 与党 | 投票率 | 与党 | | |
| | 51.5 | 23.7 | 59.4 | 33.9 | 62.4 | 44.0 | 60.9 | 49.2 | 48.6 | ④4.7 | | |
| | 与党議席（%） | | 与党議席（%） | | 与党議席（%） | | 与党議席（%） | | 与党議席（%） | | | |
| | 33（25.2%） | | 64（48.9%） | | 69（52.7%） | | 58（55.2%） | | 88（66.6%） | | | |
| ジョージア | **2003** | | 2004 | | 2008 | | **2012** | | 2016 | | 2020 | |
| | 投票率 | 与党 | 投票率 | 与党 | 投票率 | 与党 | 投票率 | 与党 | 投票率 | 与党 | 投票率 | 与党 |
| | 60.1 | 21.3 | 63.9 | 67.8 | 53.4 | 58.5 | 59.8 | ②40.3 | 51.9 | 48.7 | 56.1 | 48.2 |
| | 与党議席（%） | | 与党議席（%） | | 与党議席（%） | | 与党議席（%） | | 与党議席（%） | | 与党議席（%） | |
| | 38（25.3%） | | 135（57.4%） | | 119（79.3%） | | 85（56.7%） | | 115（76.7%） | | 90（60.0%） | |

出典：筆者作成。選挙結果は各国の中央選管にデータが載っていないケースもあるため、立花（2015）、吉村（2015）に加え、「選挙システム国際基金」（IFES）のデータ及び各種報道を元にした。

〔付記〕

1）与党議席に（ ）で示されているのは、全議席に占める与党議員の議席の割合。

2）アゼルバイジャンは2000年のみ小選挙区・比例代表並立制、以後、小選挙区制。アルメニアは小選挙区・比例代表並立制、ジョージアは2008年まで単独比例代表制、以後、小選挙区・比例代表並立制。

3）与党得票率はアゼルバイジャンの2005年以降が小選挙区のもの、それ以外は比例代表制のみの得票率。なおアゼルバイジャンの2005年選挙の得票率は公開されていない（2020年の選挙についても得票率は入手できなかった）。

4）与党得票率の数字の前に○番号が記載されていない場合は、全政党中最も多くの得票を得たことを意味する。逆に○番号が記載されている場合は、何番目の得票かを意味する。

5）選挙年が太字のものは、その選挙もしくはその後に政権交代が生じたことを意味する。

**表18：南コーカサス諸国の大統領選挙（投票率・与党候補得票率）（%、2000年代以降）**

| | | | | | | | | | | |
|---|---|---|---|---|---|---|---|---|---|---|
| アゼルバイジャン | 2003 | | 2008 | | 2013 | | 2018 | | | |
| | 投票率 | 与党候補 | 投票率 | 与党候補 | 投票率 | 与党候補 | 投票率 | 与党候補 | | |
| | 71.2 | 76.8 | 75.6 | 88.7 | 72.3 | 88.7 | 74.2 | 86.0 | | |
| アルメニア | 2003 | | 2008 | | 2013 | | 2018* | | | |
| | 投票率 | 与党候補 | 投票率 | 与党候補 | 投票率 | 与党候補 | 投票率 | 与党候補 | | |
| | ②67.0 | ②67.5 | 72.1 | 52.8 | 60.1 | 58.6 | 96.2 | 90.0 | | |
| ジョージア | 2000 | | 2004 | | 2008 | | 2013 | | 2018 | |
| | 投票率 | 与党候補 | 投票率 | 与党候補 | 投票率 | 与党候補 | 投票率 | 与党候補 | 投票率 | 与党候補 |
| | 75.9 | 82.0 | 82.8 | 96.0 | 56.2 | 54.7 | 47.0 | 62.1 | ②56.5 | ②59.5 |

出典：筆者作成。データは表17と同じ。

〔付記〕

1）投票率・得票率の数字の前に②が記載されている場合、決選投票の数字を記載している。

2）アルメニアは憲法改正により大統領は議員による投票で選ぶことになったため、2018年（*）の投票率・得票率は議員による投票を意味する。

して高くない。しかしながら、第2党の得票率は1％程度で（2015年）、議会は与党と親与党的な無所属議員が圧倒的多数を占めているのが実情である。2009年の憲法改正で大統領の3選禁止条項が破棄され、2016年の憲法改正では任期延長（5年から7年）と第一副大統領・副大統領職の新設が決まった。この結果、第一副大統領にはアリエフ夫人が就任するなどアゼルバイジャンでは大統領親族（特に夫人の出身であるパシャエフ一族）による支配が一層強まっている。

これに対してジョージアでは、2003年の議会選挙後、与党の不正を主張する抗議活動から政権交代が生じ、翌年の大統領・議会選でも政権を奪取した野党連合が大勝した。しかし、その後、サーカシュヴィリ政権の権威主義化が進んだ。サーカシュヴィリは、3選禁止条項削除や任期の延長ではなく大統領から首相への大幅な権限移行を憲法改定（2010年）によって実現し、首相職への横滑りによる政権維持を画策した。しかし、ロシア・ジョージア戦争（2008年）や国内政策の失敗で急速に支持を失い、2013年の議会選挙で与党は敗北した。長期政権により権威主義化を強める大統領に改革勢力が対峙し、政権交代が生じるというプロセスは、2003年・2012年ともに同じである（なお、2020年10月に行われた選挙では、2012年に政権をとった与党「ジョージアの夢」が90議席を得て勝利した）。

アルメニアでは、ジョージアと同様、2003年に与党得票率が伸び悩み、大規模抗議も展開されたが、与党は政権を維持することに成功した。その後、与党は議会・大統領選挙において勝利を重ねてきたが、2011年にも大規模抗議運動があり、また2012年の議会選挙では第二党（野党）が30％近くの得票を獲得するなど政権基盤は必ずしも強固ではなかった。それにもかかわらず、

２０１８年まで大統領を務めたセルグ・サルキスィアンは、憲法改正（２０１５年）により政治的実権を大統領から首相に移行させ自ら首相に就任した。これは大規模な抗議運動を招き、彼はわずか１週間で首相職を辞したが、その後に任命された首相代行も与党議員だったため、10万人以上を動員する反対デモが連日開催された。最終的に野党指導者パシニアンが首相に指名され、その後の議会選挙（２０１８年12月）で政権交代が実現した。

以上のような各国の政治体制をめぐる問題は、各国がこれまでどのような課題に直面してきたのか、あるいはそもそも政治に動員できる経済的な資源をどれほど保持しているのかという問題とも密接に結びついている。各国が直面してきた課題こそ、南コーカサス諸国の第二の特徴でもある。

南コーカサス諸国の第二の特徴として、３カ国いずれも分離主義地域の問題を抱え、ソ連解体の過程で紛争へと至ったという点が挙げられる。

ソ連末期から１９９０年代初頭は、南コーカサス諸国にとって民族対立と紛争、政治・経済面での体制移行、そして新生国家としての独立という三つの大きな変動を同時に経験した「激動の時代」であった。その中でもペレストロイカ期から展開された民族運動とその後の紛争は、国家の形や政治体制に非常に大きな影響を与えつつ進展した（詳細は第３章で説明する）。

紛争は各国が独立する過程で進展したので、国民意識やナショナリズムとも分かち難く結びつき、戦況の悪化は指導部への厳しい責任追及へと転化した。たとえばアゼルバイジャンでは、カラバフ紛争（１９９２～94年）の停戦までに国家元首が５回も入れ替わり、ジョージアでは南オセティア紛争

（1991～92年）を主導した大統領がクーデタにより失脚（その後、元大統領派による蜂起もあった）、アルメニアではカラバフ停戦後だが、和平交渉姿勢を示した大統領が野党や世論の反発を受けて辞任するなどした。いわば、90年代の民族対立と紛争が独立後まもない国家を左右したのである。

いずれの紛争も90年代に停戦に至ったが、現在も分離主義地域をめぐる問題は、南コーカサス諸国にとって政治的重要性を帯びている。アルメニアでは98年から2018年までの20年間、カラバフ出身者が大統領を務めていた。本来、カラバフは自称・独立国で、アルメニアの一部ではないはずである。それにもかかわらず、2人の大統領がカラバフ出身であるという事実は、アルメニア中央政界において軍や治安関係者と近く、民族主義的な指導者としての正統性も保持するカラバフ出身者が政治的影響力を有することを物語っている。ジョージアは、90年代の政治混乱の中で、アブハジア、南オセティア、アジャリアという3つの地域への統制を失っていたが、サーカシュヴィリ政権下（2004～13年）で分離主義地域への支配を回復する試みが行われた。この中にはアジャリアのように支配を回復できたケースもあるが、南オセティアをめぐるロシア・ジョージア戦争のように大きな代償を払わせられた失敗もある。またアゼルバイジャンでは、現在の大統領イルハム・アリエフの父、ヘイダル・アリエフが中央政界に復帰したのはカラバフ問題をめぐり国内が混乱している時期であった。いわばカラバフ紛争の停戦の道筋を付け、国内の混乱を鎮めたことにアリエフ一族の独立後のアゼルバイジャンにおける最初の「偉業」が見出せるのである。

このように分離主義地域をめぐる問題は、南コーカサス諸国において独立後の国家形成期に生じたため、現在においても国家の形や政治体制と深く結びつき切り離せないものとなっている。分離主義

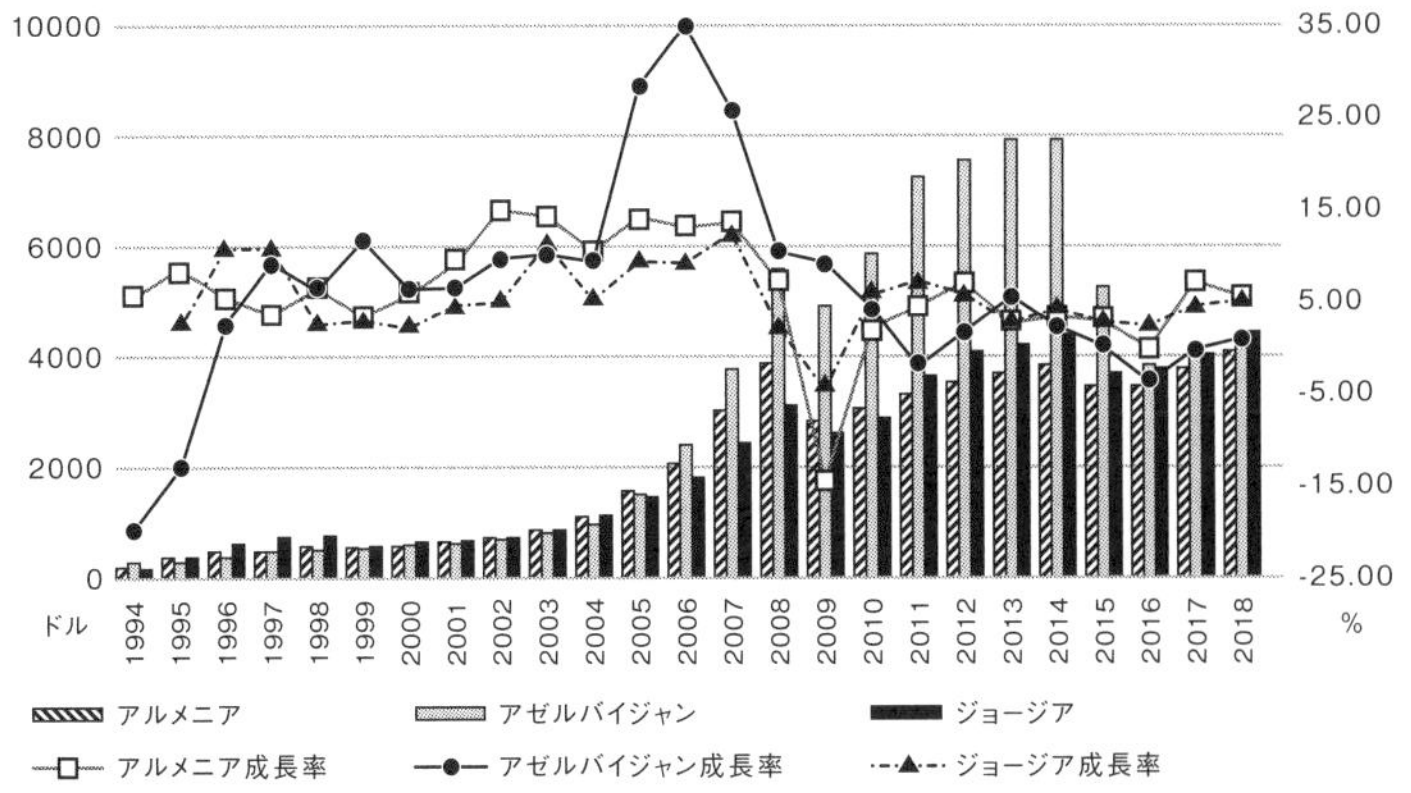


出典：IMF World Outlook 2018より筆者作成。2017年以降のデータは推定値。

**図2：南コーカサス諸国の一人あたりのGDP（左）及びGDP成長率（右）推移**

地域をめぐる紛争は、根本的に解決に至るわけでも大規模に再発をするわけでもなく残存している。解決に至らない政治的争点は、時に体制側によってナショナリズムを高揚させる手段や現体制の正統性の源泉として活用されたり、あるいは逆に反対派によって体制側の失政を追及する手段として利用される。そして、このような動きは上述のように各国の政治において無視できない役割を果たしてきたのである。

南コーカサス諸国の第三の特徴は、独立後にそれぞれ対照的な経済発展を遂げてきたことである。

アゼルバイジャンは、Ｈ・アリエフ体制下で石油を外交資源として活用し、欧米との契約を締結、バクーからトルコのジェイハンを繋ぐ石油パイプライン（ＢＴＣライン）の開通などを推し進めた。２０００年代には石油価格が国際的に高騰したこともあり、輸出の約９割、ＧＤＰの約４割を石油関連産品が占めるアゼルバイジャン（２０１７年、アゼルバイジャン国家統計委員会）は、高度な経済発展を遂げた。年平均15％（２０００〜09年）の実質GDP成長を遂げ、２０１４年にはGDP（名目）が７５０億ドル（アルメニアの４・５倍、ジョージアの６・５倍）、一人当たりのGDP（名目）も８０００ドル（同2倍）を記録した（**図2**）。石油輸出により財源を確保したアゼルバイジャン政府は、インフラ整備などの公共事業支出に加え、軍事費も拡大させた。２０１４年に支出した軍事費はアルメニアの４・５倍にも上った（ＳＩＰＲＩ ２０１８）。だが、２０１４年以降の国際的な油価の下落に伴い、財政・貿易収支が悪化、インフレが進み国民貯蓄も目減りしている。これにより２０１６年には、各種経済指標がジョージアやアルメニアと接近する事態となっている（**表19**）。

石油資源を有するアゼルバイジャンに対してジョージア、アルメニアの経済運営は独立後から困難なものであった。両国は、ソ連解体後から人口が減少しているが、ジョージアは分離主義地域が支配地域から離れた２０００年代以降も継続して大規模な人口流出が続いている。アメリカに本部のある移民政策研究所（ＭＰＩ）によれば、２０００〜15年のジョージアの流出人口は89万５０００人で、これはアゼルバイジャンの10万人、アルメニアの28万を大きく上回る（ＭＰＩ ２０１８）。２００８年のロシア・ジョージア戦争の影響も大きい。サーカシュヴィリ政権になり軍事費の増加が見られていたが、戦争前の２００７年には政府支出の32％、ＧＤＰの９・２％を占めるまでに膨らんだ（ＳＩＰＲＩ ２０１８）。主要産業が農業・畜産業、食品加工業であり、石油ガス等のエネルギー資源を輸入するため、貿易赤字幅も大きいジョージアだが、近年は観光や投資・ビジネス誘致に積極的に取り組み、世界銀行の「ビジネス環境指数」（Doing Business 2018）でも旧ソ連地域で唯一トッ

**表19：南コーカサス諸国の経済データ**

| | GDP（億ドル） | 失業率（%） | 平均月給（ドル） | 国民貯蓄額（対GDP比） | インフレ率（年平均） | 財政収支（対GDP比） | 貿易収支（対GDP比） |
|---|---|---|---|---|---|---|---|
| アゼルバイジャン | 378.1 | 4.96 | 455 | 22.7 | 12.562 | -1.673 | -3.606 |
| アルメニア | 105.5 | 17.8 | 359 | 16.6 | -1.406 | -4.782 | -2.258 |
| ジョージア | 143.8 | 13.9 | 411 | 19.9 | 2.133 | -0.519 | -12.803 |

出典：筆者作成
〔付記〕失業率と平均月給は各国統計委員会より。前者は2017年、後者は2015年のデータ。それ以外はIMF World Economic Outlookより。いずれも2016年のデータだが、財政収支のみ推計値。

プ10入りするなど成果も見え始めている（ジョージア9位、アルメニア47位、アゼルバイジャン57位）。

アルメニアは、南コーカサスで各種経済指標が最も低い。しかも、アゼルバイジャンとはカラバフ紛争をめぐり、トルコとはアルメニア人虐殺問題等で対立し、東西の国境は封鎖されている。このため、陸路での交易は北のジョージア、南のイラン経由で行わなければならずアルメニア経済の足かせとなっている。一方で、世界各国にいるアルメニア離散民からの送金が経済を一定程度支えている。送金額は21億ドルだが、GDPに占める割合は18％とジョージア（GDP比12％／20億ドル）、アゼルバイジャン（同2・5％／18億ドル）よりも高くなっている（MPIの2014年データ）。カラバフをめぐり対立するアゼルバイジャンが原油収入から軍事費を増加させてきた中でアルメニアも対抗してきたが、経済格差もあり、2017年現在アゼルバイジャンの3割程度の軍事費に留まる。しかし、それでも政府支出に占める割合は3カ国の中で最も高く、その負担は大きい（**表20**）。

以上のように南コーカサス諸国の経済発展の水準や軌跡は異なるものの、実は住民が直面している課題は似ている。ジョージアに本部を置くコーカサス研究リソース・センター（CRRC）が2013年に行った世論調査（**表21**）では、「現在国家が直面している最も重要な課題」として失業、貧困、汚職、低賃金、インフレ等の住民生活に直結する社会経済問題をあげる回答者がどの国でも大多数を占めている（アゼルバイジャン54％、アルメニア75％、ジョージア67％）。興味深いのは、紛争で支配領域を失ったアゼルバイジャンとジョージアの世論の違いである。2013年当時は順調な経済発展を遂げていたアゼルバイジャンでは領土問題が最も重要な問題だと回答した者が多かったのに対し、領土奪還のための強硬措置も辞さなかったサーカシヴィリ政権下の政治経済的混乱もあってか、ジョージアでは失業問題の方が領土問題よりも重要だと認識している。ジョージア世論の「領土よりも経済」という姿勢は2017年の調査でも変化がない（失業57％、貧困13％、領土問題6％〔Caucasus Barometer 2017〕）。

**表20：南コーカサス諸国の軍事費**（2017年）

| | 軍事費（百万ドル） | GDPに占める割合（%） | 政府支出に占める割合（%） |
|---|---|---|---|
| アゼルバイジャン | 1,528.9 | 3.9 | 10.4 |
| アルメニア | 443.6 | 4.0 | 15.5 |
| ジョージア | 631.1 | 1.2 | 7.5 |

出典：SIPRI 2018

南コーカサス諸国の最後の特徴は、いずれの国もロシアとの関係が非常に重要だという点である。これは、南コーカサスがロシアと接しているという地理的条件、独立当初は貿易や産業、エネルギー輸送など経済産業面でソ連邦のシステムに依存していたという理由だけによるものではない。いずれの分離独立問題においてもロシアが関与しており、安全保障面からもロシアの影響力や存在は無視しがたいのである。

**表21：世論調査「現在国家が直面している最も重要な課題は何か?」**（%、2013年）

| アルメニア | | アゼルバイジャン | | ジョージア | |
|---|---|---|---|---|---|
| 失業 | 45 | 未解決の領土問題 | 38 | 失業 | 54 |
| 貧困 | 16 | 失業 | 25 | 貧困 | 10 |
| 移民 | 8 | 貧困 | 8 | 未解決の領土問題 | 10 |
| 汚職 | 5 | 汚職 | 7 | ロシアとの関係 | 5 |
| 低賃金 | 5 | 低賃金 | 7 | 医療問題 | 3 |
| インフレ・物価上昇 | 4 | 低年金 | 5 | 低年金 | 3 |
| 未解決の領土問題 | 3 | インフレ・物価上昇 | 2 | 平和の欠如 | 2 |
| 平和の欠如 | 2 | 教育の低水準 | 2 | 政治的な不安定性 | 2 |
| その他 | 11 | その他 | 6 | その他 | 10 |

出典：Caucasus Barometer 2013
〔付記〕2013年10～12月に5953人（アルメニア1832人、アゼルバイジャン1988人、ジョージア2133人）を対象に行った調査。以後もCRRCは調査を継続しているものの、アゼルバイジャンは調査対象から外れたため、比較可能な2013年のデータを用いる。

通常、ロシアとの距離感は、ロシアが主導する地域機構（独立国家共同体〔CIS〕、集団安全保障条約機構〔CSTO〕、上海協力機構〔SCO〕、ユーラシア経済同盟〔EEU〕など）への加盟、対露貿易やロシアからの送金額、在留ロシア人や在ロシアの自民族の規模、あるいは軍の協力関係や駐留ロシア軍の有無などで測られることが多い。これらに加えて、欧米との関係（NATOやEUとの関係、欧米諸国との経済貿易関係）に着目することで、当該国がどれほどロシアから距離を取ろうとしているのかを測る方法も用いられる。これらをまとめたものが**表22**である。

アルメニアは、貿易額に占めるロシアの割合及びロシアからの送金額（GDP比）が他の共和国よりも高く、ロシアが主導する多くの地域機構に加盟し、駐留ロシア軍基地を有するなどロシアへの依存度が最も高い国である。当然、反ロシア的と言われる国際機関（NATOやGUAM〔民主主義と経済発展のための国際機関〕）には接近していない。他方で、貿易相手ではEUの存在感も大きい。2010年にはEUへの輸出が全体の48％を占めロシアの3・2倍だった。その後、2013年にS・サルキスィアン政権がEUとの自由貿易協定を見送り、ユーラシア経済同盟への加盟を表明、貿易に占める対EU取引割合も減少したが、2017年でも輸出先ではトップで（EUは国ではないので、**表22**ではロシアが1位と記載）、同年にはEUとの間で新枠組協定に合意した。また批准には至らなかったものの、2009年にはトルコと国交正常化に合意するなど

**表22：南コーカサス諸国のロシアとの関係性**（2017年）

| | アゼルバイジャン | アルメニア | ジョージア |
|---|---|---|---|
| 貿易総額に占める対露貿易（国別順位） | 9%（3位） | 23.5%（1位） | 11.2%（2位） |
| 輸入割合（〃） | 17.7%（1位） | 28.6%（1位） | 10.0%（2位） |
| 輸出割合（〃） | 4.3%（4位） | 24.9%（1位） | 14.5%（1位） |
| ロシアからの送金額（GDP比） | 8億9000万ドル（2.2%） | 10億6500万ドル（9.2%） | 8億9300万ドル（3.8%） |
| ロシア主導の国際組織 | CIS加盟、SCO対話パートナー | CIS･CSTO･EEU加盟、SCO対話パートナー | 非加盟 |
| GUAM | 加盟 | 非加盟 | 加盟 |
| NATO加盟 | 希望表明なし | 希望表明なし | 希望表明あり |
| ロシア軍基地 | なし | あり | なし |
| 分離主義地域にロシア軍駐留 | なし | なし | あり |

出典：筆者作成。貿易は各国統計局･委員会、送金額はロシア中央銀行、GDPはIMFのデータ。いずれも2017年のデータ。

対露依存をしつつも全方位外交に取り組んでいる。

これに対してジョージアは、ロシアが主導する地域機構には一切加盟せず、NATOへの加盟希望を表明し、GUAMの創設国であるなど、反ロシア的な国だと見なされることが多い。これは分離主義を掲げるアブハジアや南オセティアをロシアが国家承認し、これらの地域に軍を駐留し、安全保障を提供しているためでもある。ロシアとの貿易取引は、戦争や経済制裁等によってサーカシュヴィリ政権下の9年間（2004〜13年）では、それ以前（1995〜2003年）と比べて輸出で18％、輸入で4％減少した。2008年の戦争後には、輸出はわずか1・9％、輸入も5・5％まで下落したが、関係の正常化も進み、現在では国別では貿易総額で第2位の取引先となっている（なおEUは貿易総額でロシアの2倍を占める）。

アゼルバイジャンは、CISやSCOには関わっているが、GUAMにも加盟をしており、経済面ではEU諸国との繋がりが強いなどロシアから一定の距離をとっている。1990年代にはカラバフ紛争や国内におけるクーデタ等の政治変動にロシアが一定の関与をしたこともあり、強い警戒感を抱いていた。2000年代には、ロシアからの自立化傾向を強めていくが、これは既述のようにエネルギー部門を中心とした西側諸国との経済協力、そして油価高騰による安定的外貨収入の確保によって可能になった。現在も国別の輸入先でこそロシアは1位だが輸出先は4位で、EU諸国をまとめると輸出入ともに1位である（輸出先では全体の47％でロシアの9倍規模）。ただ、アゼルバイジャンは政治面では西側から人権や民主主義、法の支配という文脈で批判されることも多く、ロシアとの間に類似点も多い。加えて、カラバフ紛争の和平ではロシアの仲介を受けており、西側とロシアの間でバランスを取ることが重要になっている。

世論調査において、これらの国の住民が認識している友好国や敵対国に目を向けると（**表23**、**24**）、各国の立ち位置が分かる。アルメニア住民は、カラバフで対立するアゼルバイジャンと虐殺問題を抱えるトルコを敵対国と見なし、経済・軍事面で依存するロシアを主要な友好国と見なしている（ただし、２０１７年調査では回答者は63％とやや減少）。アゼルバイジャン住民は、アルメニアを主要な敵対国、トルコを主要な友好国を見ている。ジョージア住民は、約4割がロシアを敵国と認識し、約3割がアメリカを友好国と認識している。これは２０１７年の調査でも同様である（前者40％、後者25％）。

**表23：世論調査「あなたの国の主要な敵国はどこですか？」**（%、2013年）

| | アルメニア | ロシア | アゼルバイジャン | トルコ | その他 | いずれも違う | 無回答 |
|---|---|---|---|---|---|---|---|
| アルメニア | 0 | 1 | 66 | 28 | 2 | 1 | 2 |
| アゼルバイジャン | 90 | 7 | 0 | 0 | 2 | 0 | 1 |
| ジョージア | 0 | 44 | 0 | 3 | 4 | 17 | 32 |

**表24：世論調査「あなたの国の主要な友好国はどこですか？」**（%、2013年）

| | トルコ | ロシア | アメリカ | アゼルバイジャン | その他 | いずれも違う | 無回答 |
|---|---|---|---|---|---|---|---|
| アルメニア | 0 | 83 | 0 | 0 | 9 | 4 | 4 |
| アゼルバイジャン | 91 | 1 | 0 | 0 | 2 | 1 | 5 |
| ジョージア | 3 | 7 | 31 | 8 | 11 | 16 | 24 |

出典：Caucasus Barometer 2013

## ［4］南コーカサスの概略史――ソ連形成期から解体まで

以上のような現状に対する理解を踏まえつつ、以下では、北コーカサスと同様、南コーカサスのソ連形成期から解体までの概略史をまとめる。

なお各共和国の歴史、あるいは領土紛争をめぐる歴史は、ソ連形成期よりも古く遡ることができ、近年各国の歴史に関する論文や書籍も多くなっている。しかし、それらを紹介することは筆者の手には余り紙面も足りないため、ここではソ連形成期から紹介する。民族国家建設と境界の画定という問題に初めて直面したのが、ソ連形成期であるので、この区分にも一定の妥当性があるだろう。

ロシア帝国の版図内にあった現在の南コーカサス諸国は、１９１７年2月革命から10月革命へと至る中で、ジョージアのメンシェヴィキ、アゼルバイジャンのミュサヴァト党、アルメニアのダシュナク党がそれぞれ権力を掌握し、彼らは合同して１９１８年2月までに現在のトビリシでザカフカース議会（セイム）などを設立した。当時、南コーカサスにおいてボリシェヴィキ勢力は十分な支持基盤を持たず、１９１８年4月になってアゼルバイジャンのバクーにバクー・コミューンが設立されたに過ぎなかった。

しかし、ザカフカース議会の方もロシアからの独立を掲げているわけではなかった。ジョージアのメンシェヴィキは、ザカフカース共和国の組織化を主張していたが、同勢力がロシア社会民主党の一部であることからも分かるように独立した国家を意識しているわけではなかった。ダシュナク党は、オスマン帝国への警戒感が強く、もともと臨時政府によるロシア民主連邦共和国内での自治を求めていた。これに対してミュサヴァト党はトルコに近かったが、それでも文化的・民族的自治による連邦制を主張していた。

このように形成されたザカフカース議会が独立へと舵を切ったのは、オスマン帝国の南コーカサスへの侵攻と講和の必要性による。1918年3月にオスマン帝国は、ソヴィエト・ロシアとの平和条約（ブレスト＝リトフスク条約）によってジョージアやアルメニアの重視する地域（バトゥーミ、カルス両地方）の接収に成功していた。この合意を形成する際にソヴィエト・ロシアはザカフカース議会側に何ら承諾を得ず、一方的に領土を割譲した。オスマン帝国は接収した土地のみならず、その後も南コーカサスに侵攻してきた。ザカフカース議会側はトルコに話合いを求めたが、トルコ側は独立国家ではない彼らの交渉権を認めなかった。こうしてザカフカース議会は、翌4月にザカフカース民主主義連邦を創設し、ロシアからの独立を宣言した。しかし、講和は妥結せずトルコの進撃も止まず、ザカフカース連邦側は対応を迫られた。

ジョージアのメンシェヴィキは、トルコの行動を警戒していたドイツに支援を求め、ドイツは条件としてジョージアの独立を要求した。1918年5月26日、ジョージアのメンシェヴィキは、一方的にザカフカース議会解体の審議を求め、ザカフカース民主連邦の解体を議決すると、同国に進駐してきたドイツの庇護下で独立した（ジョージア民主共和国）。オスマン帝国との友好を主張したミュサヴァト党は、同28日にトルコの庇護下でギンジャへ移動し、国民議会の名でアゼルバイジャンの独立を宣言した（アゼルバイジャン民主共和国）。またアルメニアも同日にアルメニア民主共和国として独立したが、バクーやトビリシなど他の共和国の都市に多くのアルメニア人を抱え、トルコとの交戦状況下での独立は、決して十分に準備されたものではなかった。

いずれの国も政治制度としては民主的政体を掲げ国家運営に取り組もうとしたが、相互に主張する国家領域が重なり対立していたため、ザカフカース民主連邦の解体は3カ国による領土紛争を招いた。帝政ロシア体制下で混住状態にあった民族がそれぞれ独自の国家を建設し境界を画定するという問題に、革命期の混沌とする政治・経済・社会情勢の中で、しかも列強の干渉を受けつつ取り組むという困難な状況が当時の南コーカサスで生じていたのである。

各共和国は1918年6月までにトルコと講和条約を締結し、トルコも第一次大戦の交戦国（連合国側）とムロドス停戦協定を締結し、1918年11月までには南コーカサスから部隊を撤退させた。しかし、同時にブレスト＝リトフスク条約で接収した土地及びジョージアやアルメニアのムスリム系住民がいる地域への関与は維持した。これは、カルス及びバトゥーミ地方に南西カフカース民主共和国（カルス共和国）、あるいは現在のナヒチェヴァン周辺地域にアラス・トルコ共和国を設置したことを指す。前者の地域では、ジョージアとムスリム少数派の間の対立、後者の地域ではアルメニアとアゼルバイジャンの間での領土紛争が生じていた。トルコは、ムスリム地域に影響力を行使しようと試みたが、本来、ブレスト＝リトフスク条約で接収した以外の土地はムロドス協定に基づき返還しなければならなかった。トルコはそれでも関与を継続しようとしたが、これらの共和国は情勢が目まぐるしく変わる南コーカサスにおいて、また第一次大戦後のトルコ内の混乱もあって、1919年6月までに消滅した。

トルコの撤退後、ジョージアとアゼルバイジャンにはイギリス軍が駐留し保護を提供していたが、列強によるロシアへの干渉戦争も終焉に近づく1919年9月頃までには撤退した。だが、1年以上前に独立を宣言していたにもかかわらず、南コーカサス諸国に対する連合国（協商国）側からの事実上の独立承認は、1920年1月のロンドン会議まで待たねばならなかった。当然、連合国側はロシア革命の趨勢とデニーキンなどの反革命軍の動きを重視し、南コーカサス諸国の動向は自らの権益に役立つ場合に利用する対応に終始していた。ボリシェヴィキ勢力が北コーカサスのソヴィエト化に成功し、連合国側が南コーカサス諸国の独立に利益を見出し、承認した時にはすでに遅かったのである。早くも同年4月には、赤軍がアゼルバイジャンに南下し、ソヴィエト政権が打ち立てられた。

ジョージアでもボリシェヴィキの蜂起が各地で生じ、赤軍の脅威もあり、1920年5月にはソヴィエト・ロシアと平和条約の締結に至る。この条約によりソヴィエト・ロシアは、ジョージアの独立を認めたが、引き換えにボリシェヴィキを合法化することを求めた。アルメニアでは、1920年9月からトルコ（カラベルキ率いる大国民議会軍）と交戦状態に至り、敗戦濃厚の時期にアゼルバイジャンから赤軍が侵入し、12月末にはソヴィエト政権が樹立された。残るジョージアにおいても1921年2月にボリシェヴィキ勢力による蜂起を受けて赤軍が侵攻し、ソヴィエト政権が樹立された。

こうしてバクー、トビリシ、エレヴァンではソヴィエト政権が誕生したが、1921年3月には、革命期に北カフカース山岳民連合共和国の一部として独立を主張していたアブハジアにおいてもソヴィエト社会主義共和国の樹立が宣言された。同じ時期にソヴィエト・ロシアとトルコ（大国民議会）は友好条約を締結し、11月には南コーカサス諸国とトルコの間でも国境画定に関する条約（カルス条

**表25：南コーカサスの領域的帰属をめぐる対立**

| 係争地 | 独立共和国期の係争主体 | ソヴィエト体制下での帰属先 |
|---|---|---|
| ボルチャリ地域 | アルメニア、ジョージア、アゼルバイジャン | 北部はジョージア（現在のクヴェモ・カルトリ等）、南部（ロリ地域等）は アルメニアへ |
| ジャヴァヘティ地域 | アルメニア、ジョージア | ジョージア共和国 |
| ザカタリ地域 | アゼルバイジャン、ジョージア、山岳民連合共和国 | アゼルバイジャン共和国 |
| ナゴルノ・カラバフ地域 | アゼルバイジャン、アルメニア | アゼルバイジャンの自治州へ |
| ナヒチェヴァン地域 | アゼルバイジャン、アルメニア、トルコ（アラス・トルコ共和国） | アゼルバイジャンの自治共和国へ |
| ザンゲズル地域 | アゼルバイジャン、アルメニア | 東部はアルメニア共和国、西部はアゼルバイジャン共和国 |
| ソチ地域 | ジョージア、デニーキン軍 | ロシア共和国 |
| ツヒンヴァリ地域 | オセット人、ジョージア | ジョージアの南オセティア自治州へ |
| アブハジア地域 | 山岳民連合共和国、ジョージア | ジョージアのアブハジア自治共和国へ |
| バトゥーミ地域 | ジョージア、トルコ（南西カフカース主共和国） | ジョージアのアジャリア自治共和国へ |
| メスヘティ地域 | | ジョージア共和国（ただし、メスヘティ・トルコ人は44年強制移住させられる） |

出典：筆者作成。**地図2**とあわせて参照されたい。

約）を締結した。これらの条約では、ジョージアがバトゥーミの住民（ムスリム）に広範な自治を与えること、ナヒチェヴァンはアゼルバイジャン領にすることが含まれていた。後にこれらはジョージアのアジャリア自治共和国、アゼルバイジャンのナヒチェヴァン自治共和国となった。

1921年の12月にはジョージアとアブハジアの間で同盟条約が締結された（3章で説明）。また、1922年3月にはザカフカース・ソヴィエト社会主義連邦が形成され、南コーカサス諸国は同連邦を通してソ連に加入した。なお、この過程で連邦制度と民族自治のあり方を問う激しい論争（いわゆる「グルジア問題」）が出現した。そして、1923年までには南コーカサス内の自治単位の法的地位も決まった。以上のようにして各共和国が独立時代（1918～20年）に対立や紛争を抱えていた領土（**表25、地図2**）の帰属先、そして各共和国の境界が画定したが、ここに至るまでの過程は容易ならざるものであった。

またソ連体制下での民族自治単位の法的地位の相違は、それらの民族集団が行使できる権力の差異を意味したので、それぞれの少数民族に一定の不満を蓄積した。特に1936年にザカフカース・ソヴィエト社会主義連邦が解消され、再び各共和国に分離されると、共和国が主導する民族政策に少数派（共和国内の民族少数派）からの反発も生まれ始めた。これらはすぐに表面化することはなかったが、後にマジョリティとマイノリティの間で表面化することになる潜在的な対立軸はこのように形成されたのである。

1980年代後半に始まるペレストロイカから91年のソ連解体までは、ソ連全土で政治・経済・社会の急激な変化が生じていたが、南コーカサスでは民族問題がこの中核にあった。既述のように、ソ連を構成するロシアも、アゼルバイジャンやジョージアも、その内部にさらに自治共和国や自治州などを抱える入れ子の構造（マトリョーシカ構造）を有していた。ペレストロイカの時期には、各共和国が連邦に様々な要求を突きつけていたが、これらの共和国自身も、その内部にある自治単位から同様に要求を突きつけられていた。これがどのように紛争に発展したのかは後述するが、ソ連邦中央が民族問題に対して有効な対応をとれず、バクーやトビリシでは武力によって要求を弾圧したことから、南コーカサスでは人々や政治勢力の脱共産党化（脱ソ連化）が急速に進んだ。

ジョージアとアルメニアでは、民族運動で主導的な立場にあったガムサフルディアとテル＝ペトロスィアンが最高会議議長（前者は１９９０年11月、後者は８月）、ついで初代大統領（同91年４月、同10月）となった。アゼルバイジャンでは、連邦による軍事介入（90年１月）の後、共産党指導者のムタリボフが初代大統領になった（５月）が、次第に民族運動を主導する人民戦線の強い影響力に抗することができなくなり、独立へと向かっていく。こうしてソ連解体（91年12月）以前に南コーカサス３カ国は、独立を宣言することとなった（ジョージア 91年４月、アゼルバイジャン 同８月、アルメニア 同９月――なお、ソ連解体以前に主権宣言や独立宣言をしているという状況は、多くのソ連構成国で見られた現象である）。

前述のように、その後の南コーカサス諸国の政治は、分離主義地域をめぐる紛争と強く結びついてきた。紛争への対応を発端とする失脚やクーデタなどが各国で見られ、独立と社会・経済変動という多難を極める中で困難な国家運営を求められた。このような状況は、ある意味で１９１８年の各共和国の独立期に直面した様々な問題が形を変えて再び表出したような印象すら与える。

次章以降では、このようにして表出した南北コーカサス地域の紛争について、その起源・経緯・結果をまとめたい。なお各紛争の紹介に当たり、紛争の要点を冒頭に数行で記載しているので参考にして欲しい。

# 第2章——北コーカサスの紛争

## [1] イングーシ・北オセティア紛争（1992年10月～11月）

1992年にロシア連邦イングーシ共和国と同北オセティア共和国の間で発生した武力紛争は、プリゴロドヌィ地区の帰属をめぐる対立の結果生じた紛争である。

### ❶紛争の起源——イングーシ民族の強制移住と「失われた領土」

この対立の直接の起源は、ソ連による民族の強制移住とそれに伴う境界の再編にみいだすことができる。しかし、両民族の領有権をめぐる対立は、ソ連体制下でも比較的初期に表面化していた。このため、以下ではロシア革命後のイングーシ人とオセット人の間に表出した問題を振り返りたい。

ロシア革命の際にイングーシ人は、入植したコサックとの間に土地をめぐる対立を抱えていたこともあり、ボリシェヴィキの民族政策に期待し、彼らを支持する者も多数いた。実際に、ソヴィエト政権下で山岳自治共和国が創設されると、コサックの立ち退きを通じて、イングーシ人たちが要求していた土地の大部分は返還された。山岳自治共和国は、オセット人やイングーシ人、チェチェン人など北コーカサスの諸民族を内包し設立された自治共和国であったが、その首都はヴラディカフカスと定められた。当時、ヴラディカフカスは、北コーカサスの諸民族にとって文化的・工業的な中心地であった。

　山岳自治共和国では発足当初から土地をめぐる対立が表面化した。たとえば、カバルダ民族管区が山岳自治共和国から離脱すると、他の民族管区と境界をめぐる対立が激化した。カラチャイ人とカバルダ人の間には早くも衝突が生じていた。既述のように山岳自治共和国からは、その後、カラチャイ管区、チェチェン管区と離脱が続くが、イングーシ人（ナズラニ管区）とオセット人（ヴラディカフカス管区）は最後まで残った。それは、両民族が首都ヴラディカフカスの領有をめぐって対立していたためでもあった。

　ソ連共産党中央委員会組織局は、同都市をめぐりオセット人とイングーシ人は常に緊張を抱えており、いずれか一方を利する決断を下すのは危険だとみなした。そこで、1924年7月に山岳自治共和国から北オセティア、イングーシ両自治州が分離された際も、ヴラディカフカスを両自治州に属さない独立した行政単位としつつ、両自治州の州都に定めた。1928年には共産党北カフカース地方委員会がヴラディカフカスを北オセティアに移管するよう決定を下したが、これも中央委員会組織局によって止められた。カフカース地方委員会の決定が、両民族の間に緊張を生み、イングーシの党組織が激しく抗議したためである。

　ところが、1934年にイングーシ自治州とチェチェン自治州の統合が決定されると、イングーシの州都は、チェチェンのグローズヌィへと変更されることとなった。これに伴い、ヴラディカフカスは、北オセティアのみの首都となった（なお、北オセティアは、1934年までは自治州、36年以降は自治共和国に変更）。このようにしてイングーシと北オセティアは、州都をめぐって対立していたが、イングーシ人の強制移住によって、ヴラディカフカスに隣接するプリゴロドヌィという地域の帰属問題も生じることになる。

イングーシ領プリゴロドヌィ地区（**図3**のA）は、北オセティアの首都ヴラディカフカスの右岸に接し、イングーシ人とオセット人が居住する地区だった。しかし、1944年の強制移住に伴いチェチェン・イングーシ自治共和国が廃止されると、現在のイングーシの領土は北オセティア、ジョージア、そしてスタヴロポリ地方に新設されたグローズヌィ管区に分割された。この際にプリゴロドヌィ地区なども北オセティアに編入された。あわせて、北オセティアは、カバルダ・バルカル自治共和国からバルカル人の強制移住に伴いクルプスキー地区、またスタヴロポリ地方からモズドク地区を編入した。

1956年2月にフルシチョフがスターリン批判を行い、強制移住を過ちだったと認めると、強制移住させられた民族の名誉回復と民族自治単位の復活が大きな問題となった。同11月にはソ連共産党中央委員会において北コーカサスの追放諸民族の民族自治単位を復活させることが決まったが、一度分割した領域をどのように再編し、自治単位を復活させるのかは困難な課題だった。他方で、12月時点で当局の許可を得ず、追放された民族が次々と自主的に故郷へ戻り始めていた。ソ連指導部の調整に対し、旧チェチェン・イングーシ自治共和国の領域を編入した隣接共和国の多くは、その返還に同意したが、北オセティアはすでに定住者がいることなどから難色を示した。議論の末、57年1月にチェチェン・イングーシ自治共和国の領域に関するソ連共産党中央委員会幹部会決定が採択されるが、そこにはプリゴロドヌィ地区が含まれていなかったのである。

さて、上記決定を受けて、チェチェン・イングーシ自治共和国に帰属する地域を明示したロシア最

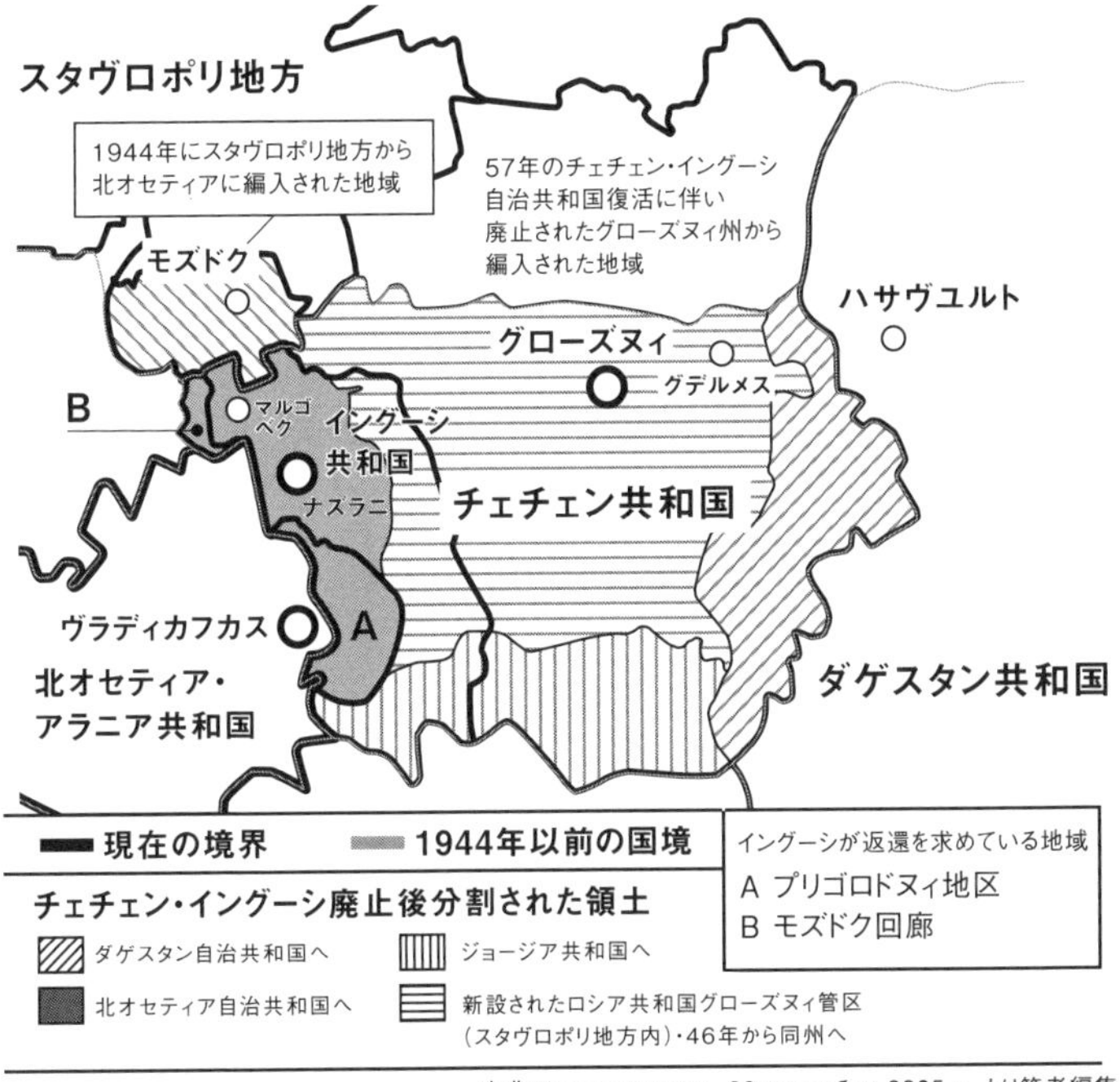


出典：*Коммерсантъ*, 23 сентября 2005 г. より筆者編集

**図3：チェチェン・イングーシの領土問題**

高会議幹部会決定には、北オセティアからはマルゴベク市とその近郊地域などが返還されたことが記載されている。しかし、実はこのマルゴベク地区も全て返還されたわけではなかった。北オセティアは、1944年にモズドク地区をスタヴロポリ地方から編入していたため、イングーシにマルゴベク地区をそのまま返還するとモズドク地区は飛び地になってしまう。このため、モズドク地区と繋がる回廊は北オセティアに編入されたままとなったのである（**図3**のB）。

なお、プリゴロドヌィ地区とモズドクの回廊の代わりに、チェチェン・イングーシ自治共和国には、自治共和国廃止後に創設されたグローズヌィ州（当初はスタヴロポリ地方内部に作られた郡）から旧自治共和国領には含まれていなかったナウル地区、カルガリンスキー（現在のシェルコフスキー）地区が編入された。これにより、新設されたチェチェン・イングーシ自治共和国は、旧自治共和国時代よりも面積的には拡大した——ただし、１９９２年にチェチェンとイングーシが分離されると、これら編入された地域は全てチェチェン領土となった。

１９５６年のスターリン批判以後、イングーシ人たちは当局の許可を得ずにプリゴロドヌィ地区への帰還を始めたが、当局が帰還を認めた後も予想（計画）を超えるスピードで帰還し続けた。だが、彼らが戻った土地や家にはすでに多くの入植者が住んでいたため、帰還者（イングーシ人など）と入植者（オセット人など）の間には対立や緊張が走った。当局は、帰還した人々にコルホーズを形成させ、馬や羊などを購入する融資を提供し、経済的に支援したが、強制移住に伴い故郷を追われ、生家や土地を失ったことへの補償としては決して十分なものではなかった。

イングーシ側は、ヴラディカフカスとプリゴロドヌィはイングーシ民族の歴史的な故地であり、１９３４年まで州都としていたこと、またそれ以後も１９４４年までプリゴロドヌィ地区を領有していたことを強調する。１９４４年の強制移住と自治共和国廃止が撤回され、自治共和国が復活した以上、北オセティアがプリゴロドヌィ地区等を領有する法的根拠はないとの主張である。これに対し、北オセティアは、そもそもヴラディカフカスやプリゴロドヌィは、オセット人も多数加わっていたコサックの歴史的故地であり、イングーシ人は１９２１年から44年までの23年間だけ州都とその周辺に住んでいたに過ぎないと述べる。またプリゴロドヌィ地区は、復活した自治共和国の領土に含まれておらず、このソ連及びロシア当局の決定こそ北オセティアが同地区を領有する法的根拠だとする。

## ❷紛争発生までの経緯――「失われた領土」の奪還運動とその加熱

イングーシ人のプリゴロドヌィ地区の返還要求は、強制移住からの帰還後すぐにイングーシ人社会で展開されていたが、１９７０年代から大きなものとなっていった。72年の春には27人のイングーシ共産党員がソ連共産党中央委員会宛の書簡を公開したが、そこでは「イングーシ民族の復権」（プリゴロドヌィ地区の返還を含む）について訴え、イングーシ人が教育や専門職就業で差別を被っていると主張した。しかし、この訴えはソ連共産党チェチェン・イングーシ州委員会の政策を「レーニンの民族政策から逸脱している」と批判したため、自治共和国当局から「民族主義的主張」だとして退けられた。このため、イングーシのインテリ集団は、イングーシ民族の自決とプリゴロドヌィを含む領土回収の正当性を主張する文書の作成に取り掛かり、72年12月に80ページにわたるブレジネフ宛の公開書簡を提出した。ここでは、ヴラディカフカス右岸を首都とするイングーシ自治共和国の創設、もしくはヴラディカフカスを首都とするオセティア・イングーシ自治共和国の創設を要求した。

続いて73年1月にはグローズヌィの共産党本部前でイングーシ人の大規模なデモが行われた。参加者は、北オセティアでイングーシ人が被っている差別をなくすこと、プリゴロドヌィ地区の回収について審議をすることを求めた。このデモは、レーニンやブレジネフの写真、赤旗、「諸民族の友好」

などのスローガンが掲げられ、体制を支持する体裁で展開された。ロシア閣僚会議は、彼らの要求を審議することを約束したが、その後、要求を掲げたイングーシ人インテリたちは弾圧され、北オセティアでも、イングーシ人へのハラスメント（職場での採用や昇進においての差別）が行われるようになった。

その後も、イングーシ人たちはプリゴロドヌィ地区の返還を訴えデモを行うなどしたため、オセット人との対立が顕著となった。北オセティア領内では、イングーシ人とオセット人の間で暴力事件がたびたび生じた。こうした衝突の後は、夜間外出禁止令が出され、北オセティアに居住するイングーシ人への管理が強まった。他方で、公式・非公式の対応策としてイングーシ人への宥和政策（住宅の割当や仕事の提供）も行われ、体制側は不満を抑えようと努めた。だが、1981年8月にイングーシ人乗客がオセット人タクシードライバーを殺害するという事件が発生すると、対立は暴力衝突へ拡大し、北オセティア側によるイングーシ人の追放にまで拡大する。この時は、ソ連指導部の決定により200人の内務省及び軍の部隊が現地に送られ、紛争を予防した。

82年3月にはソ連閣僚会議がプリゴロドヌィ地区に住む人々の居住許可を制限する決議を採択した。これにより入植は減るはずだったが、それでもイングーシ人による非合法の移住は続いた。オセット人も対抗して入植を加速させたため、プリゴロドヌィは、ソ連有数の人口過密地区となった（最も多い時はわずか1440㎢に7万5000人が住んでいた）。このため、90年3月には北オセティア最高会議幹部会が入植者への居住許可及び住居の販売を制限し、自治共和国内の人口増加を抑制する決議を採択した。

イングーシの失地回復運動は、ペレストロイカ期にはさらに加速することとなる。1989年には第2回イングーシ民族会議が開催されていたが、同会議ではプリゴロドヌィは分かつことのできない領土の一部であり、イングーシの領土的一体性の回復が必要だと主張された。当時イングーシは、チェチェン独立の動きに一定の理解を示しつつも、プリゴロドヌィ地区の問題改善を第一に掲げており、ロシア連邦からの脱退には消極的であった。これに加え、91年3月と9月にイングーシを訪問したエリツィンがイングーシの失地回復要求に理解を示し、また4月にはモスクワで「被抑圧民族復権法」（強制移住させられた民族等に領土的一体性や廃止された国家の回復、損害補償等を要求する権利を認める法律）が採択されたことからイングーシ人の期待は高まった。こうした状況で再びプリゴロドヌィでイングーシ人とオセット人の武力衝突が発生、北オセティア当局は非常事態を発令し、内務省部隊を駐留させた。

1991年11月にイングーシは、住民投票でチェチェンと分離し、ロシア連邦内で共和国を創設すること（首都はヴラディカフカスとし、プリゴロドヌィを領有）を決定した（投票率73・7%、賛成92・5%）。だが、ロシア政府は、チェチェンの独立を阻止するため、チェチェン・イングーシの領域的枠組みを維持したいと考え、分離を92年6月まで認めなかった。加えてロシア政府は、イングーシの分離を認めた翌月（92年7月）に「国家領域の境界変更に関する移行期間法」を採択した。この法律は、境界変更に関しては当事者双方の利益を反映した形での解決を目指す関係諸法や手続きを95年までに定めるとし、それまでは「被抑圧民族」の領土回復等の実現にもモラトリアムを設けるというものであった。つまり、イングーシ側の領域的要求に対するゼロ回答に等しかった。

北オセティア側では、自分たちの領土を含有する形でイングーシ側が共和国の創設を宣言したことで急速に危機意識が高まった。この背景には以下のような事情もあった。第一に、91年1月に南オセティア紛争（第3章）が発生し、大量のオセット人難民（6万人）が北オセティアへと流れ込み、同地で民族意識が急速に高まったこと。第二に、プリゴロドヌィ問題に対するイングーシ側の民族運動の高まりによって領土喪失への警戒感が北オセティア側で高まったこと。最後に、一般的傾向として当時の自治共和国は、ソ連体制の継続を求める声が強かったが、中でも北オセティアは特に連邦支持度が強かった（1991年3月の住民投票でも約86％がソ連存続を支持していた）。このため、北オセティアは、ソ連中央のプリゴロドヌィ問題への仲介を期待していたが、そもそもソ連の存続も当時は危ぶまれており、こうした期待の実現は難しかったことである。

このような中で、北オセティア領内では、イングーシ人へのハラスメントが悪化し、両民族の暴力衝突も相次いだ。1992年10月20日には、北オセティア内務省の装甲兵輸送車の下敷きとなり13歳のイングーシ人少女が死亡した。また22日には、プリゴロドヌィ地区でイングーシ人の死体が2体見つかった。当初、殺害容疑で北オセティアの交通警察職員が逮捕されたが、オセット人群衆の抗議が強くなり、当局は解放に転じた。すると、イングーシ人の若者たちが激しく反発し、オセット人警察との間で衝突が発生、双方で7人が死傷した。死亡した北オセティア警察官の葬儀には北オセティアの大統領と首相が参列したため、北オセティア当局へのイングーシ人の疑念は一層強まった。プリゴロドヌィ地区のイングーシ住民は自衛のために武装し自警団を創設したが、北オセティア最高会議は、完全な武装解除を要求し、最後通告をした。こうして両民族の衝突が続発した。

### ❸紛争の経緯――短期的な武力衝突とイングーシ側の満たされない要求

10月29日までに暴力衝突は、大規模なものとなり、ヴラディカフカスでもイングーシ人とオセット人の衝突が激化し、両共和国間の紛争へと進んでいった。10月31日早朝、プリゴロドヌィのイングーシ居住民が内務省詰所を襲撃し、装甲兵輸送車や武器を入手すると、事態は大きく変化する。同日、北オセティア当局は、事態掌握のためヴラディカフカスを訪問していたヒージャ・ロシア副首相とショイグ非常事態相に武器の供与を要請し、結果的に約600の銃火器などの供与を受けた。11月1日、イングーシ人に対して武器の面で優位にある北オセティア側は、プリゴロドヌィ地区に対する大規模攻撃を迅速に実施した。

紛争発生直後、ロシア連邦は、内務省部隊や特殊部隊をヴラディカフカスに派遣し、さらに11月2日には北オセティアとイングーシに非常事態令を発布した。これにより両共和国の最高権力は、連邦による暫定行政府に委譲された。またプリゴロドヌィ地区では、ロシア軍の空挺部隊が事実上の平和維持部隊として展開し、同地区を支配下に置いた。しかし、それのみならず、イングーシ内部へも流入し、当時独立を主張していたチェチェンとの境界付近まで進んだため、チェチェンの独立派政権が強く反発し、非常事態宣言を出す事態となった。また、この平和維持部隊は、プリゴロドヌィにおいて北オセティアの内務省部隊を支援し、イングーシ人の抵抗に備え合同で作戦を展開した。こうした活動の結果、11月5日までに両民族の暴力衝突は止み、北オセティアがプリゴロドヌィの支配を回復した。

一方で、紛争の過程で北オセティアから4万～6万人程度のイングーシ人避難民がイングーシ共和国へ流出、また約5000人のオセット人避難民がプリゴロドヌィ地区から北オセティアの他地域へ流出した。当時、イングーシの人口は約16万人であるため、流入した避難民は人口の3分の1規模となる。これは、イングーシにとって非常に大きな負担となった。北オセティアは、避難民の流入では大きな影響は受けなかったが、避難民問題が顕在化する中でイングーシ側がイングーシ人避難民のプリゴロドヌィへの帰還を求めたことに強く反発した。北オセティアでは、イングーシ人との共存は不可能だと主張し、避難民の帰還を妨害する民族主義者も現れた。

当初、ロシア政府は、イングーシの失地回復に理解を示していたが、実際に彼らがチェチェンと分離（ロシア連邦に残留）し、失地回復要求を掲げるとそれを認めず、北オセティア側に立った政策で応じた。エリツィン・ロシア大統領は、紛争後、イングーシが領土的要求を取り下げれば避難民の帰還を認めるとしたが、これはイングーシ側の反発を招いた。ただ1992年に前述の境界変更のモラトリアムが設けられていたため、イングーシもこれに同意せざるを得なかった。こうして正常化に向けた動きが加速し、1993年3月に両政府は、避難民の自主的な帰還に合意、同8月には連邦が統治していた暫定政府から両共和国に権限が委譲された。

94年4月から両政府は避難民の帰還条件について話し合い合意に至ったが、実際にはイングーシ人避難民の帰還は、北オセティア当局やオセット人住民には受け入れられず、帰還できてもハラスメントを受けたり、失踪・行方不明になったりした。イングーシは、北オセティアによる合意の不履行を問題にしながらも、1995年7月にはプリゴロドヌィを返還するのではなく、連邦管轄地にするよう要求を変更した。しかし、これも北オセティアには拒否され、イングーシ政府は97年までに6000人程度の避難民しか帰還できなかったと北オセティアを批判した。

紛争直後は、避難民の帰還を含む両共和国の話し合いは一定程度行われたが、90年代末から2000年代にはこれがやや停滞することになる。1990年代にイングーシ大統領を務めたアーウシェフは、チェチェン独立派政権と強いパイプを持ち、第二次チェチェン紛争発生後も独立派側に一定の理解を示していた。このため、次第に連邦中央と軋轢が生じ、2001年末に自ら大統領職を辞任する事態となった。その後、大統領に就任したジャジコフは、元KGB出身で南部連邦管区副代表を務めるなど連邦中央と政治的距離も近かった。ジャジコフは、2002年に北オセティアとの間で善隣協力発展合意を締結したが、ここでは係争地をめぐる問題も避難民の帰還や権利保護も一切触れられていなかった。

しかし、連邦側も紛争後に生じた問題、すなわち避難民の帰還や住居の提供、定住許可等に北オセティアがイングーシと協力して取り組む必要があると考えていた。南部連邦管区大統領全権代表のカザークは、2005年に北オセティアのザソホフ大統領にこうした合意への署名を迫ったが、ザソホフはイングーシ人避難民受け入れの財政的基盤の欠如などから帰還は困難だと拒否した。彼の判断の背景には、前年に北オセティアで発生したベスラン学校占拠事件への反発があったのではないかとも指摘されている。同事件は、チェチェン独立派のバサーエフ司令官が主導したとされ、戦闘員はイングーシ領内を経由したとみられる。事件に北オセティア世論は衝撃を受け、強く反発した。こうしたこともあり、ザソホフは、連邦の提案を拒否したのではないかという理解である。彼は結局、同年に大統領を退任した。

連邦は、翌年にも再度話し合いを提案した。イングーシ側はカザークの提案がイングーシ憲法に違反すると反発してみせたが（理由は後述）、実際には避難民がプリゴロドヌィ地区で、もともと住んでいた場所に戻れるように求めていた。これに対して、北オセティア側は、帰還を認めるが、そもそも避難民が住居等の所有権を証明する法的書類を持っていなければ対応が困難であり、たとえ文書を持っていたとしても、避難民の住居にはすでにジョージア国民（南オセティアからの避難民、つまりオセット人）が居住しているため、明け渡しが困難だと回答した。

連邦は、さらに交渉を加速させようとしたようだが、そこに待ち受けていたのがイングーシの政治的混乱であった。すなわちイングーシでは、２００６年以降、テロが増加し、２００８年までにそれはピークに達した。連邦政府は、同年10月にこれらの責任を問いジャジコフ大統領を更迭し、エフクロフ大統領を任命した。エフクロフは、プリゴロドヌィ出身で、第二次チェチェン紛争にも参加した軍人だったが、権威主義的な政治運営を行っていたジャジコフ政権の運営方法を見直し、改革路線を取ろうとした。しかし、これがジャジコフ支持派や守旧派の抵抗を受け、また同時期にはイスラーム過激派のイングーシ内での活動も活発化した。この結果、大統領自身が暗殺未遂に遭い、閣僚が殺害されるなどイングーシは政治混乱に陥ったのである。

エフクロフ大統領は、就任直後から前政権よりもプリゴロドヌィ問題に積極的に取組む姿勢を見せた。彼は、現状ではプリゴロドヌィを回収するという選択肢は現実的ではなく、何よりも避難民の帰還と居住権や財産権の回復が必要であるという柔軟な立場に立った。２００８年の政治的危機を乗り越えると、エフクロフは２００９年12月には紛争避難民の帰還や住居の提供、失踪者の捜索等を含む善隣発展行動計画に北オセティア側と署名した。だが、こうした合意形成も大きな成果には結びつい

**表26：イングーシ・北オセティア関連年表**

| 年／月 | 出来事 |
|---|---|
| 1921～24 | 山岳社会主義ソヴィエト自治共和国を形成 |
| 1924/7 | イングーシと北オセティアが山岳自治共和国から分離、それぞれ自治州を形成するもヴラディカフカスは両自治州の首都に |
| 1934/1 | イングーシがチェチェンと統合（首都はグローズヌィへ） |
| 1944/3 | 強制移住（チェチェン・イングーシ自治共和国は廃止） |
| 1957/1 | チェチェン・イングーシ自治共和国復活（ただし、プリゴロドヌィ及びモズドク回廊は北オセティアから返還されず） |
| 1972/4 | イングーシ共産党員がソ連共産党中央委員会に公開書簡 |
| 12 | イングーシのインテリ集団がブレジネフ書記長への公開書簡（イングーシの領土回復を請願） |
| 1973/1 | グローズヌィでイングーシ人による領土回復のデモ |
| 1981/8 | プリゴロドヌィ地区でイングーシ人とオセット人の衝突 |
| 1989/9 | 第2回イングーシ民族大会（イングーシの領土的一体性の回復を求める決議） |
| 1991/1 | 南オセティア紛争発生（北オセティアに避難民流入） |
| 3 | エリツィン大統領（ロシア共和国）のイングーシ訪問（9月も） |
| 4 | 被抑圧民族復権法が採択される |
| 11 | イングーシ共和国（首都ウラディカフカス）設立の住民投票 |
| 12 | ソ連解体 |
| 1992/7 | ロシア政府によるイングーシ共和国設立承認 |
| 10 | イングーシ・北オセティア紛争発生 |
| 11 | 連邦による介入（非常事態宣言・暫定行政府設置） |
| 1993/8 | 連邦が暫定行政府を解除 |
| 1994/4 | イングーシと北オセティアが避難民の帰還条件合意（履行されず） |
| 2004/9 | 北オセティアのベスラン学校占拠事件（386名死亡） |

出典：筆者作成

ていない。たとえば、2008年までに約1万8000人の避難民が帰還したと言われているが、同時に同数以上の避難民がイングーシにはまだ残っていた。このような状況の中で2009年の合意は締結されたわけだが、当然、帰還をめぐる問題は、直ちに改善に向かったとは言い難い。

イングーシ側の要求は本来、避難民の帰還等紛争の結果生じた問題への対応だけではなく、紛争を生み出した領有権の問題への対応を迫っている。たとえば、イングーシ共和国の憲法にはプリゴロドヌィなど「不法に奪われた領土を回復し、共和国の領土的一体性を保全することが国家の最重要課題である」（第11条）と明記されている。また2005年にはイングーシのナズラニ地方裁判所がプリゴロドヌィ地区を領内に含んでいた強制移住以前のイングーシと北オセティアの境界線を復活させるべきだとの判決を下したように、イングーシ側は「被抑圧民族復権法」の文脈で権利の回復を要求しているのである。

しかし、ナズラニ地裁の決定を、そもそも連邦構成主体の境界変更は地裁管轄ではないと最高（連邦）裁判所が却下したように、連邦構成主体間の境界画定は双方の同意に基づいてなされるとロシア憲法（第67条3項）に定められている。被抑圧民族復権法の実現についても影響を受ける連邦構成主体間での合意が必要だと、北オセティア議会の照会に対してロシア最高裁判所が回答している。したがって、イングーシ側が要求を強めたところで北オセティアが応じなければ解決の糸口は見えないのである。

なお、こうした状況の中で、イングーシが北オセティアと並び帰属問題を抱えていたチェチェンと

２０１８年9月に境界画定に合意したことは注目に値する。この合意は、面積で言えば、チェチェン側による一方的な領土の編入に近い合意で、イングーシでは連日反対デモや集会が開催された。この問題の起源は、１９３４年のチェチェン自治州との合併の後、イングーシが１９２４年の自治州時代は領有していなかったスンジャ地区北部を領内に抱えたことに発する。チェチェン側からすれば、この一部が返還されたことを意味するわけだが、イングーシ住民はこの合意に強く反発した。この騒動は、最終的にエフクロフ大統領がその責任を取り、辞任する事態になるなど、イングーシ共和国に政治的危機を生み出した。そして、チェチェンとの境界画定によって、むしろイングーシ住民は、このようなソ連時代の民族自治単位の境界をめぐる問題――その象徴的問題がプリゴロドヌィ問題であるが――を再認識することになってしまったのである。

コラム 1

## 目の前にある「失われた土地」――プリゴロドヌィ地区とイングーシ人

イングーシ共和国の首都マガスには、首都全域を見渡すことのできる高さ100メートルの塔がある。この塔は、イングーシ人が山岳地において敵の襲来に備え作った塔をモチーフに、2003年頃に観光名所として建設されたものである。エレベーターは設置されておらず、徒歩で塔内部に設置された円形スロープをひたすら登るのは骨が折れるが、最上階には、強化ガラスによる360度展望バルコニーが設置されており、なかなか壮大である。

正面に目を向けると人口わずか1万人だが、整備された首都の街並みが見える。反対側へ向かうと、平野が眼下に広がり、彼方に集落のようなものが何となく目視できる。実は、この眼下に広がる地域こそイングーシ人が求めるプリゴロドヌィ地区なのである。イングーシの首都マガスと北オセティア共和国のプリゴロドヌィ地区の距離は直線にして400m足らずである。むろん、これは地図上の話でマガスからプリゴロドヌィへ向かおうとすれば、幹線道路を経由し、迂回しなければならない。しかし、塔からはすぐそこに見えるのである。

この距離感を実感して、それまでにも通過したことはあっても視察したことはなかったプリゴロドヌィ地区を、ぜひイングーシ側からイングーシ人研究者と共に訪問してみたいと思い、尋ねてみた。それまでイングーシの歴史、あるいはモスクワやら北コーカサスやらの政治情勢について朗々と語っていた彼の顔はさっと曇り、「いいけれども、細心の注意が必要だ。彼らはイングーシ側からの越境に敏感だし、多分、尋問もあるだろう。観光と言ってもあそこには何もないし、訪問理由を不思議がる」と不安そうに言った。一度は、「とりあえず行ってみよう」となったが、昼食時に再び心配そうに語る彼を見て、迷惑はかけられないと訪問を断念した。このやりとりを通して、直線距離にして、

塔から見下ろすマガス市街

たった400mの隣接地域に行くのに容易には越えられない心理的壁が現地の人々にはあると感じた。

その後、プリゴロドヌィ領有問題を生み出した強制移住や北オセティアとの紛争の資料館などが一体化した「追憶と栄光の記念碑」を訪問した。この施設では、強制移住の際の列車のレプリカ、紛争の写真などが展示され、コラム2で言及するチェチェンとは違い、民族の窮状を訴える内容になっている。国立図書館も訪問したが、非常に小さく利用者も極めて少なかった。館長は、日本からの来訪者に驚きつつも、全資料を自由に使用して良いと歓迎してくれたが、時間の関係から所蔵資料の確認だけすることとした。図書館を出る私にどこか悲しそうな笑顔を向けた館長を見て、帰路の車中で「プリゴロドヌィ問題に関心を示し、この図書館を訪ねた外国人は過去に何人いたのだろうか」という疑問がもたげてきた。

## ［2］第一次チェチェン紛争（1994年12月～96年8月）

1994年にロシア連邦とチェチェン共和国の間で発生した武力紛争は、チェチェンの分離独立をめぐる対立の結果生じた紛争である。

### ❶紛争の起源――ロシア連邦における唯一の「民族独立闘争」の発端

ソ連解体から新生ロシア連邦成立に至る過程で、民族自治単位が連邦中央から得られる自治権の拡大や支配領域の法的地位をめぐって対立したことは前に述べたが、この中で唯一、武力紛争へと発展したものがチェチェン紛争であった。つまり、チェチェン紛争とはロシア連邦内で唯一発生した分離独立紛争であった。ソ連時代にロシア共和国には16の民族自治共和国や自治州などが存在したが、なぜチェチェン以外は民族運動が分離独立紛争へと発展しなかったのだろうか。

この疑問に対しては、チェチェンの歴史的・民族文化的・政治的特殊性が挙げられてきた。第一に、チェチェンはロシアとの間に「侵略と抵抗」の長い歴史を有しており、これが1990年代の独立闘争に繋がったという理解である。ロシアとの対立は、しばしば400年（もしくは200年）の歴史的起源を持つといわれる。それは、ロシアのコーカサスへの進出（16世紀）、その後のコーカサス諸民族の抵抗（最も激しい抵抗は19世紀のカフカース戦争として有名）、革命・内戦期におけるコーカサス諸民族の独立闘争、ソ連体制下での強制移住など苦難の歴史を経て、ソ連解体後の紛争に行き着くという見方である。

第二に、チェチェンは氏族や部族等の地縁血縁組織、そして慣習法やイスラームを基盤とした組織など独自の民族文化基盤があり、これがロシアからの独立を推進したという理解である。チェチェンの氏族・部族構造は、14～19世紀の間に存在したと言われるが、これに加え「血の復讐」と言われる同害報復等を含む慣習法、そしてイスラーム神秘主義教団の存在などチェチェンの民族文化が、ロシアからの独立性を担保し続けたという見方である。実際にこれらはカフカース戦争などの際にチェチェン社会の団結や抵抗の源泉にもなった。

第三に、チェチェンではソ連体制が十分に根付かず、チェチェン人も体制に十分に組み込まれていなかったため、独立を求めたという見方である。たとえば、チェチェン人の共産党加入率、あるいは共和国の指導部におけるチェチェン人の割合は、他の民族自治共和国と比較して低いと指摘されてきた。加えてチェチェンでは、ペレストロイカの時期まで共産党第一書記、内務大臣、KGB議長、検事総長などの重要ポストに就任したチェチェン人が一人もいなかったのである。このようにソ連、あるいはロシアがチェチェン人たちを共産党体制に組み込むことができなかったことがソ連解体後の独立に繋がったという見方である。

さらに、チェチェン人が経済的に疎外され貧しかったこともロシアからの離反に繋がったと指摘されることもある。たとえば、チェチェンはソ連時代の初期、アゼルバイジャンのバクーに次ぐ油田で栄えたが、首都のグローズヌィに居住し、石油関連工業など専門職に従事していたのはロシア人やアルメニア人などだった。石油の枯渇から生産ではなく精製・加工へと役割が移行して以降も、グローズヌィに生産手段の8割が集中した歪な経済構造で、チェチェン人の大多数が居住する農村部では失業率が高く、共和国外に出稼ぎ労働等に出向かざるを得なかった。

以上のような理解から紛争発生当初、チェチェン人は常にロシアの中で異質な存在だったとか、ロシアに怨念を抱いている、あるいは独立はチェチェン人の宿願だったとセンセーショナルに報じるメディアも少なくなかった。確かに、チェチェンの歴史、文化、政治、経済は、チェチェンがロシア国家に十分に統合され恩恵を受けてきたわけではないことを示しているが、留意するべきこともあるというのが筆者の考えである。たとえば、16世紀からの「侵略と抵抗の歴史」では、チェチェン人のみならず他の北コーカサス諸民族も同じようにロシアに抵抗したはずだがソ連解体時にこれらの地域では民族運動が紛争へと発展していないのである。またチェチェン人の民族文化は16世紀から現在まで変わらず、そして固定的に捉えることができるものなのだろうか。

つまり、チェチェン人の歴史、文化、政治・経済環境を90年代の紛争と直接結び付ける議論には少々無理がある。しかし、チェチェンを取り巻く上記のような環境は、ペレストロイカ期の民族運動の発展やそこで取り上げられる要求とは強い結びつきがあった。なぜならば、少なくともソ連末期の民族運動はチェチェン人を取り巻く環境、当事者や第三者の歴史認識を基盤にしつつ、自分たちが直面している問題の改善を迫った側面があるからである。ただ、このような民族運動は、程度の差こそあれ、他の自治共和国でも生じていたはずである。したがってなぜチェチェンでは民族運動が急進化し、連邦中央との交渉で妥結せず、そして武力紛争の発生まで至ってしまったかについては、紛争の経緯を深く掘り下げて見ていかなくてはならない。

## ❷紛争発生までの経緯
## ――ドゥダーエフという「民族的指導者」の登場と民族運動の分裂

１９８５年、ゴルバチョフがソ連共産党書記長に就任し改革を行うと、数年間でソ連、ロシアを取り囲む状況は激変した。

チェチェン・イングーシ自治共和国でも、85年には、第二の都市グデルメスで有害物質リシンを排出すると噂された工場建設に反対する運動が展開され、これが88年には数千人規模のデモを開催するまでに拡大した。ソ連体制下で政治活動が制限される中で環境保護運動を母体として非公認社会運動、実質的な政治運動が展開されるのは、他の地域でも見られたが、チェチェンでもこれがその草分け的なものだった。

その後、１９８９～90年にかけて様々な政治団体が創設され、共和国における民族運動が活性化した。89年には、チェチェンで初めて第一書記にチェチェン人のザヴガエフが就任し、翌年に彼は共和国最高会議議長となった。彼の就任後、指導部の基幹民族化――より厳密にはチェチェン人化――が進むことになる。ペレストロイカはチェチェン人を取り巻く環境を大きく変えた。それは、自治共和国内部の政治変化だけではなく、ハッジエフ・ソ連石油産業相、ハズブラートフ・ロシア最高会議第一副議長、そしてチェチェン人初のソ連軍少将・ドゥダーエフ（後に共和国大統領となり、独立を掲げる）など連邦レベルで活躍するチェチェン人を増やした。

１９９０年11月には「チェチェン民族大会」が開催され、チェチェン民族の再興やチェチェン共和国の主権決議が採択された。また12月に開催された民族大会の執行委員会では、ソ連軍将校のドゥダーエフが議長に選ばれたが、それ以下の役職は、穏健派と急進派のバランスがとられた。

　ドゥダーエフは、91年3月にソ連軍を辞しチェチェンに戻り、急速に影響力を拡大した。彼は、経済人・知識人・武闘派との繋がりを確保し、権力基盤を構築した。民族派は、91年6月に第2回「チェチェン民族大会」で「チェチェン主権共和国」を宣言し、今後はソ連にもロシアにも属さないと主張して独立路線を鮮明にした。さらにザヴガエフ議長の退任と共和国最高会議の廃止を求め、今後のチェチェンにおける権力は「チェチェン国民全民族議会」の執行委員会が担うとした。これにより共和国は、いわば二重権力状態に陥った。

　こうした最中、91年8月にモスクワでソ連共産党保守派のクーデタが発生した。このクーデタはゴルバチョフの改革に反発するヤナエフ副大統領らによる権力掌握の試みだったが、軟禁されたゴルバチョフに代わって「改革派」のリーダーとしてクーデタに抵抗したのがエリツィンであった。当時、各連邦構成共和国やその自治単位においてもクーデタに対してどのような対応をとるのかが問題になったが、チェチェンではザヴガエフ共和国最高会議議長は明確な態度を示せなかった。そこでドゥダーエフはザヴガエフを非難し、実力によって共和国の施設を管理下に置いた。なお、以上のような経緯からチェチェンにおけるドゥダーエフの行動は、モスクワでクーデタに対抗するエリツィンやその盟主ハズブラートフ（ロシア最高会議第一副議長）に後押しされたか、少なくとも好意的に受け取られたのではないかと見られている。

　ドゥダーエフは、その後、10月に大統領選挙・議会選挙を挙行し、90・1％（投票率72％）の得票を得て初代大統領に就任すると、改めて独立を主張した。この選挙結果に疑問を呈する論者もおり、またドゥダーエフのやり方に反発する民主派やインテリがこれにより一部政権から離反した。ロシアは、独立を主張するチェチェンに非常事態令を発布、治安維持のために内務省部隊を派遣したが、ソ連が存在し、その最高司令官がゴルバチョフである以上、軍を派遣することはできなかった。グローズヌィに到着した600人の内務省部隊は、ドゥダーエフ政権の自警団や熱狂的支持者に拘束され何もできず、後日ロシアに送り返された。

当初、ドゥダーエフらは、ソ連邦体制下では必ずしも独立ではなく主権共和国への格上げを要求していたが、ソ連邦の存在自体が揺らぐ中で明確に独立を主張するようになった。同時にロシアとの交渉は排除するものではないとしていたが、91年12月にソ連が解体した後も、連邦条約など新生ロシア連邦を形作る法的合意を拒否したので、92年以降もチェチェンの法的地位やロシアとの関係は不明瞭なままだった。ロシアが独立状態にあるチェチェンへの財政支出を92年に止めると、チェチェン共和国内では石油資源等をめぐる政治対立の激化と治安の悪化、そして経済問題が深刻化した。

このような中で、チェチェンからは住民の流出が相次いだ。1991～92年に約8万5000人のロシア人（もとの人口は**表1**を参照）が流出したとされる。連邦移民局の調査では、1993～94年にさらに約10万人のロシア人が、また連邦統計局によれば1989～95年の間に合計27万5000人の住民（ロシア人に限らない）がチェチェンを去った。住民の流出は、経済問題を一層深刻化させた。ロシア系住民が流出したことで、石油関連産業の労働者、技術者も減少し、石油の生産効率も産出量も大きく低下・減少した。以上の結果、紛争前（94年）までに共和国の生産力は、約80％低下し、20

万人以上が失業したとされる。

チェチェンでは、こうした状況を改善しようと、92年3月頃にはロシアとの交渉に積極的に取り組もうとする勢力（議会と副首相）が現れた。同年11月に開始された交渉では、ロシアとの関係を規定する連邦条約と権限区分条約の調印が問題となった。ドゥダーエフ大統領は、ロシアとの交渉そのものには賛成していたが、次第に主導権をめぐって議会と対立するようになり、最終的に議会側が調整した合意内容を受け入れなかった。この決定に議会側と副首相などは反発し、反ドゥダーエフ派へと転向した——ただし、ドゥダーエフ自身はその後もロシアとの交渉を模索した。議会と対立するようになったドゥダーエフは、部族間の代表者会議などを利用し、自らの正統性を確保した上で、議会を無効にし、大統領直轄統治を導入した。ドゥダーエフに対して議会側も首相を任命し、議会主導の政治を導入しようとするが、対立は武力衝突へと発展した。

チェチェン内部での大統領と議会の対立は、ロシアとの交渉や国内政策等をめぐって92年秋頃に生じ、93年夏頃にピークを迎えるが、ほぼこれと前後する時期（92年夏から93年秋）にロシア連邦中央においても大統領と議会の対立が激化していた。連邦中央における対立は、新憲法制定をめぐるエリツィン大統領とハズブラートフ最高会議議長（チェチェン人）を中心とする対立であったが、エリツィン大統領は、議会の解体や新議会の設置、あるいは非常事態令発布によって大統領への権力の一極集中を目指し、実力（武力）で敵対勢力を排除する方法を採用した。これは、ドゥダーエフがチェチェンで採った行動と全く同じであった。

エリツィン大統領がハズブラートフら議会側を排除する93年10月まで、当然のことながら連邦中央はチェチェン問題に本腰を入れて関与する余裕はなかった。そのおかげで、チェチェン内部において対立を抱えながらもドゥダーエフを中心としたチェチェン独立派政権は、ロシアからの介入を受けずに独立状態を維持できていた。しかし、連邦中央における政治対立も終焉を迎え、新憲法制定へと至る93年12月に、ロシアはチェチェンに本格的に介入する。

まず、チェチェンをロシア連邦の共和国と定め、ザヴガエフ元議長の庇護下にある親露派チェチェン勢力による暫定評議会を設立した。ドゥダーエフ政権は、彼らをロシアの傀儡と批判し、有力な主体と見なさなかったが、ロシアは同勢力を基盤に反ドゥダーエフ派諸勢力を糾合させ、財政・軍事的支援を行なった。この間にチェチェンと同様に分離主義的傾向を見せていたタタールスタンが連邦中央と権限区分条約の合意に至る（94年2月）と、ロシアに残された問題はチェチェンだけになった。94年8月にロシアは暫定評議会を中心とする暫定政府を発足させ、これがチェチェンにおける唯一正統な政治機構だとした。同政府は、近々選挙を行うとしていたので、ドゥダーエフ政権の排除は既定路線となった。

そして94年11月、暫定政府や反ドゥダーエフ派諸勢力は、ロシア軍の支援を受け、首都グローズヌィへの総攻撃を開始した。この作戦は、大規模なものとなったが失敗し、反ドゥダーエフ派とロシア軍に多くの死傷者、そして捕虜を生んだ。その後、ロシア（安全保障会議）は、ドゥダーエフに48時間以内の武装解除と捕虜の解放を求めたが、ドゥダーエフは、捕虜解放を受諾したものの、武装解除には応じなかった。こうしてロシアは、憲法秩序の回復、領土の保全、ロシア市民の保護などを主張し、チェチェンに連邦軍と内務省部隊を投入、第一次チェチェン紛争が始まったのである（94年12月11日）。

## ❸紛争の経緯——チェチェン側の激しい抵抗と苦悩するロシアの軍と政府

開戦時、エリツィン大統領は、手術のために入院しており紛争の説明をすることもなく、チェチェンに進軍した軍のもとへも1年半もの間、訪ねることはなかった。「グローズヌィを2時間で攻略できる」というグラチョフ国防相のものとされる発言が独り歩きしたように、ロシア政権・軍部共に紛争の早期終結を予想していた。ロシア国土の0・1％程度しか占めない最も貧しい地域の一つが連邦中央に軍事的に抵抗することなどできるはずがないとロシア指導部が考えるのも無理からぬことだった。しかし、現実にはチェチェン側の抵抗は激しく、攻略は容易ではなかった。

2時間で陥落すると言われた首都グローズヌィ陥落には3カ月を要した。しかも、94年12月31日から1月1日にかけて行われたグローズヌィ攻略作戦は、民間人にも多数の犠牲を生み出した。空爆やロケット攻撃が開始された時、まだそこには15～20万人の一般市民（チェチェン人のみならず、身寄りのないロシア人の年金生活者等を含む）が留まっていたのである。元旦にかけての無計画な攻略作戦は、グラチョフ国防相の誕生祝い（元旦は国防相の誕生日）のためではないかと噂されたが、その後も無計画な作戦によって民間人のみならず、ロシア軍側の死者や捕虜も増えた。当時、急激な資本主義化によって経済危機を経験していたロシアは、兵士に十分な訓練や装備を与えることができず、

表27：第一次チェチェン紛争関連年表

| 年／月 | 出来事 |
|---|---|
| 1557 | ロシアのコーカサスへの進出（ダゲスタンで武力衝突） |
| 1817〜64 | カフカース戦争 |
| 1917/3 | ロシア2月革命、チェチェン民族大会開催 |
| 5 | 第1回山岳民大会（北カフカース・ダゲスタン山岳民連合） |
| 1918/5 | 北カフカース山岳民連合共和国独立（1919年5月に消滅） |
| 1919/9 | 北カフカース首長国独立（1920年3月に消滅） |
| 1921/1 | 山岳ソヴィエト自治共和国設立（22年11月にチェチェン自治州が分離） |
| 1934/1 | チェチェン・イングーシ自治共和国設立 |
| 1937〜39 | スターリン体制下の大粛清（チェチェン・イングーシ共和国でも数千人の逮捕・銃殺・強制収容所送りが発生） |
| 1944/3 | 強制移住（チェチェン・イングーシ自治共和国廃止） |
| 1956/2 | フルシチョフによるスターリン批判 |
| 1957/1 | チェチェン・イングーシ自治共和国復活 |
| 1989/7 | チェチェンで初めて共産党第一書記にチェチェン人（ザヴガエフ）が就任 |
| 1990/11 | チェチェン民族大会（チェチェン共和国の主権宣言） |
| 1991/6 | チェチェンの主権独立宣言（第2回チェチェン民族大会） |
| 8 | ドゥダーエフによるクーデタ（急進民族派政権誕生） |
| 10 | チェチェン大統領選挙でドゥダーエフ大統領選出 |
| 11 | チェチェン独立宣言 |
| 12 | ソ連解体 |
| 1992/11 | チェチェンとロシアの連邦条約交渉（93年1月に破談） |
| 1993/5 | ドゥダーエフ大統領が議会の機能停止（内紛へ） |
| 12 | ロシアが親露派勢力（暫定評議会・暫定政府）を設立 |
| 1994/11 | 親露派勢力とロシア軍による大規模な首都攻撃 |
| 12 | 第一次チェチェン紛争開始 |

出典：筆者作成

軍務経験のない若い徴集兵が次々と犠牲となったのである。

チェチェン側がロシア軍に抵抗できたのは、①ソ連軍から引き継いだ武器があったこと（チェチェンにもともと駐留していた旧ソ連軍は、撤退までにほとんどの武器をチェチェン側に不法に横流ししたとされる）、②ソ連退役軍人がチェチェン指導部におり、抵抗作戦の立案や計画に携わっていたこと（ソ連軍少将のドゥダーエフ大統領、同大佐のマスハドフ参謀総長など）、③住民の武装化のレベルが元々高かったこと（チェチェンに限らずコーカサスの山岳民は短刀や猟銃を保持する風習がある）、④治安の悪化に伴い財産や家族を守るために住民の武装化が進んだこと（当時のチェチェンでは市場でマカロフやカラシニコフなど銃器が流通していた）、⑤ロシア軍の侵攻によってチェチェン住民や独立派指導部がドゥダーエフのもとに団結したこと（民間人を巻き込み犠牲を生むロシア軍の行為への反発は住民の間で特に強まった）など、様々な要因があるだろう。

ロシア軍がグローズヌィを陥落させた後、紛争は山岳戦・ゲリラ戦へと進み、泥沼化していった。また、これによってロシア軍によるチェチェン人への人権侵害行為の増加、特に武装勢力と市民を選別する収容所の存在が大きな問題となった。これは、拷問などによって武装勢力かどうか、武装勢力に関する情報を有しているかどうかの判断をする場所で、人権団体（Amnesty International）の報告書に登場する悪名高い施設である。また95年4月にはサマーシキ村でロシア内務省特殊部隊による掃討作戦が行われ、非武装の住民、少なくとも１０３名が殺害された。翌5月には、バサーエフ野戦司令官の出身地が空爆され、同司令官の親族も死傷した。

ロシア政府は、あくまでも独立派を反乱勢力として武力によって排除しようと試みていた。彼らにとってチェチェンの合法的な政府は、親露派勢力による政府（暫定政府との名称は開戦後しばらくして民族復興政府に改称された）だった。しかし、１９９５年6月、チェチェン共和国北部にあるロシアのスタヴロポリ地方でバサーエフ野戦司令官が病院を占拠する事件を起こすことでロシア政府は独立派との交渉を余儀なくされる。当初、ロシア側は、特殊部隊によってバサーエフの部隊を排除しようと攻撃を試みたが、人質に死傷者が出るなど作戦は失敗した。このような犠牲が出る中で、ロシア側とバサーエフの交渉が始まり、バサーエフはチェチェン紛争の停戦と和平交渉を要求したのである。

この事件の後、ロシアとチェチェンは、ＯＳＣＥ（欧州安全保障協力機構）の仲介を受け、停戦とロシア軍の段階的撤退に関する合意に至る。だが合意は、双方によってたびたび破られ進展しなかった。ロシア側は、独立派と交渉しつつも、親露派勢力の基盤強化に取り組むという二律背反する政策を継続していた。95年10月には、民族復興政府の首長に元自治共和国最高会議議長であったザヴガエフが任命され、12月にはザヴガエフとロシアが一方的に権限区分に関する合意を締結するなどした。このような強引な政策は、親露派勢力のロシア離れを引き起こし、むしろチェチェン国内の政治勢力の和解（独立派と親露派の協力）をもたらした。そして、１９９６年4月までにはチェチェン内部の政治諸勢力の対話の窓口が常設化された。

チェチェン政策が暗礁に乗り上げていたロシア政権は、国内外で戦争責任を問う圧力にも直面していた。そもそも国内世論は、チェチェン紛争に当初から反対であり、山積する国内課題を無視して戦争を行う政権への批判が強まった。しかもロシア兵士の母親たちがこの世論の先頭に立っていた。また、軍人たちも戦争への不満を述べ、政権の無策を批判した。野党も大統領の開戦決定が憲法違反に当たるのではないかと弾劾手続きを模索する状況だった。

1996年6月のロシア連邦大統領選挙で再選を目指すエリツィンは、国内世論に加え、チェチェン紛争をめぐる国際的な圧力も無視できなかった。たとえば、ロシアが加盟申請していた欧州評議会はチェチェンにおけるロシアの人権侵害を問題視し加盟手続きを停止していた。しかし、西側は、エリツィンの有力な対抗馬がロシア共産党のジュガーノフであったこともあり、人権侵害の是正や紛争の平和的解決のためにエリツィン政権を支援するという立場をとっていた。このため、経済制裁などによる強い圧力を行使することはしなかった。

ロシア側の変化を受け、チェチェン独立派も交渉による解決を模索する最中、ドゥダーエフ大統領がロシア軍による攻撃で96年4月に殺害された。彼はロシアとの交渉のために衛星電話を使用していたが、これによって場所を特定され攻撃を受けたと言われている。ドゥダーエフ殺害という戦果を得たロシア政府は、後任のヤンダルビエフ暫定大統領と翌5月に停戦合意を結んだ。大統領選挙の決選投票を控え、再選を目指していたエリツィン陣営は、チェチェン紛争を激しく批判し、第1回投票で3位に付けていたレベジ将軍を閣内（安全保障会議書記）に登用し、チェチェンとの交渉に当たらせた。レベジ票の獲得によりエリツィンは、ジュガーノフとの決選投票で勝利し、大統領に再選される。96年8月、レベジは、マスハドフ参謀総長との間で「双方の法的・政治的関係性については5年間で決着する」としたハサヴユルト合意（共同声明）に署名する。こうして紛争は終結した。

## [3] 第二次チェチェン紛争（1999年9月～2002年4月／2009年4月）

1999年9月にロシア連邦とチェチェン独立派の間で発生（再発）した紛争は、ロシアとチェチェンが平和条約締結後もその法的・政治的地位について合意することができず、またチェチェンが破綻国家へと至った結果、生じた紛争である。なお、紛争の直接の要因となるロシアにおいて頻発したアパート爆破事件（後述）は、未だに解明されておらず、チェチェン人が犯人である証拠は出ていない。

### ❶紛争の起源――紛争後の地域が抱える構造的課題とマスハドフ政権のディレンマ

ロシアとチェチェンは、全ての勢力が参加した自由で公正な選挙を実施することに合意していたが、それまでにロシア軍がチェチェンから撤退することとなっていた。1996年末までにロシア軍が撤退すると、97年1月にはチェチェンの大統領選挙・議会選挙が実施された。大統領選挙には、16名が立候補したが、独立派の主要な指導者や野戦司令官が中心で、親露派の指導者は立候補しなかった。しかし、これは最後まで独立派との和解を拒否したザヴガエフを除く元親露派指導者がマスハドフ支持へと回ったからであった。

OSCEなど国際的な選挙監視がある中で、約51万の有権者（投票率79・3％）が選んだのは、著名な野戦司令官のバサーエフ（得票率23・5％）でも、ドゥダーエフ亡き後に暫定大統領となったヤンダルビエフ（同10・1％）でもなく、ロシアとの和平を主導したマスハドフ（同59・3％）であった。大統領に選出されたマスハドフは、独立派の軍人や文民指導者のみならず、親露派や実務経験者も起用した内閣を組閣した。そして、97年5月にエリツィン大統領との間で平和条約に署名した。だが、ここでもチェチェンとロシアの法的・政治的関係については触れられず、この問題をどのように解決するのかは不透明なままであった。

他方で、チェチェンは、紛争前とは異なる課題も抱えることになった（**表28**）。紛争後の課題は、紛争の結果生じた被害や問題にどう対応するのかというものである。たとえば、紛争の結果、多くの人が死傷し、病人や身体障害者、孤児などが多数生まれた。障害を持った新生児も生まれ、身寄りのない老人もいた。住居や畑、公共施設や工場なども破壊された。紛争による人的・物的被害に対しては、チェチェン政府がロシアから戦後補償を、あるいはそれ以外の国からも国際的支援を得つつ取組むはずのものだが、ここでチェチェンの法的・政治的地位が問題となった。すなわち、チェチェンとの関係があいまいな状態では、ロシア側は進んでチェチェンを支援するインセンティブを持たなかった。チェチェン側もまた、ロシアとの関係（独立した主体なのか、一地方自治体にすぎないのか）が不透明である以上、ロシア以外の第三国と対外的関係を構築することが困難であった。

経済的課題も多数あった。紛争前のチェチェンは、連邦からの補助金に依存し、主要産業の石油精製もロシアやアゼルバイジャンなどから輸送される石油に依存していた。戦後復興と健全な経済運営のためには、第一次紛争に至る過程で表出した利権をめぐる内紛をもたらす石油関連産業への過度な経済依存は避けたいが、紛争によって産業インフラは著しく破壊され、耕地面積も低下しており、そもそも正常な経済運営は困難であった。ここでも鉄道や石油パイプラインなどがロシアとの協力なくしては再開できないという意味では、ロシアとの合意形成が必要だが、他方でロシアに依存することは経済運営上のリスクもあった。このリスクを軽減するためには、南コーカサス諸国や諸外国と一定の経済的関係を構築する必要に迫られたが、ここでもロシアとの関係が問題になった。

政治面では、直前の紛争をいかに顧み、国家の運営するのかという問題に直面した。紛争がチェチェン内部で分断を生み出し、ロシアとの対立を先鋭化させ、そして甚大な被害を生み出したのであれば、紛争に至る経緯を検証し、政治の責任を考え、和解や融和のために国家運営に生かしていく必要がある。しかし、独立派の中でも急進派や過激派は、紛争の終結をチェチェン側の勝利と見なしていた。当然、屈服したのはロシアであり、ロシア側がチェチェン側の主張を認めるのならば和解も排除されないと考えた。政治運営は独立闘争に従事した者（野戦軍司令官）が担うべきであり、ロシアに協力した親露派は排除するべきだと考えていた。紛争は勝利したのであり、それを顧み、政治責任の有無を検証する必要性もない。急進派のこのような考えは、紛争後の政治運営の困難さを如実に示している。

社会面でも、先に触れた紛争被害以外の主要な課題は、やはりチェチェン独立闘争を支えた戦闘員や彼らのイデオロギーをめぐる問題であった。チェチェンは、紛争以前に近代的で垂直的に統制された軍事組織を有しておらず、独立派兵士を「野戦軍」と形容することからも明らかなように各地で自主的

**表28：第一次チェチェン紛争後のチェチェンにおける主要な課題**

| 政治的課題 | 経済的課題 | 社会的課題 |
|---|---|---|
| (1) 国内及びロシアとの和解<br>(2) 戦争の検証と政治責任<br>(3) 国家（司法・立法・行政）の再構築<br>(4) ロシアとの法的・政治的関係 | (1) 戦後復興と健全な経済運営<br>(2) ロシアからの自立性の確保<br>(3) 地域・対外的関係の構築<br>(4) 石油資源の管理と利益分配 | (1) 軍員の武装・動員解除・社会復帰及び警察・軍・司法改革<br>(2) イスラーム過激派の影響力拡大への対処<br>(3) 住民の紛争被害への補償 |

出典：富樫（2015a, p.158）を一部変更

に編成された部隊を中心とした構成だった。戦時には、ロシアという共通の敵を前にして最高司令官たるドゥダーエフや参謀総長のマスハドフに統率されていたが、戦後の動員解除や社会復帰、彼らの国家への統合（警察と軍の再編）には部隊の司令官が反発した。彼らは、支配下地域を統制する軍閥と化し、利益分配を求める圧力集団となったのである。

紛争時に拡大したイスラーム過激派への対処も大きな課題となった。チェチェン独立派は、もともと世俗的なチェチェン民族主義に基盤を持つ組織であったが、ロシアとの武力紛争を控え、ドゥダーエフ大統領は、動員可能な政治資源は全て利用しようとした。この中には、チェチェンの氏族・部族構造、慣習法などに加え、19世紀のカフカース戦争や山岳民の抵抗という歴史、そしてイスラームなどがあったが、特に急進的イスラームは野戦軍の抵抗のイデオロギーと一体化することで紛争後に無視できない影響力を持つこととなった。たとえば、紛争の過程でアラブ諸国からの義勇兵（ハッターブ司令官）が戦線で成果を上げ、また戦乱の中で彼らが若者により所となる急進的な思想を広めることで、急進的イスラームの社会への浸透は進んだのである。中東からの義勇兵の規模や数は、アメリカ同時多発テロ後に一部の論者が誇張気味に指摘するほど多くはない（ハッターブの部隊も300人程度）が、彼らは訓練キャンプを設置し、紛争後もチェチェンに残るなど和平の障害となった。

なお、チェチェンの急進的イスラームを指す際に用いられるワッハーブ（あるいは、サラフィー）主義とは、本来サウジアラビアで国教とされている宗派だが、ロシアやチェチェンでは、伝統的なイスラームと異なる、急進主義・過激主義・原理主義的なイスラーム勢力などを総称する言葉（時には政権に抗する勢力に対するレッテル）として用いられる。チェチェンでは、土着的なイスラームとしてスーフィズムがあるが、これは伝統文化とも結合している。ワッハーブ主義者は、この伝統的イスラームを間違ったものと批判・攻撃したことから、紛争後のチェチェンでは、伝統的イスラームを信仰する父親世代と、急進的なイスラーム思想を信仰する息子世代の対立も形成された。これは紛争後のチェチェン内部を分断する新たな要素となった。

## ❷紛争発生までの経緯――マスハドフ政権の合理的な政策路線とその挫折

マスハドフは、大統領選挙の公約でチェチェンを独立国家とした上で、将来、ロシアとの間に共通の経済・軍事空間を形成するとした。上述のチェチェンの課題を考えれば、これは現実的な路線であり、独立国家でありながら統一の経済・防衛圏を形成するというのは、主権が制限された名目的独立とも、主権独立国家間の同盟とも理解できる興味深い構想である。あえてあいまいさを残しつつ、難問に取組むという発想は、当時のロシア・チェチェン関係を考えると斬新である。こうした構想に沿って、97年6月にロシアとチェチェンは銀行・関税・石油事業における協力合意を締結、翌月には関税協定の調印に至り、9月にはカスピ海石油輸送協定に合意、10月には石油輸送が再開した。

他方で、マスハドフは、経済の脱ロシア化も進めた。それが欧米諸国への働きかけであり、98年10月頃まで積極的な「外交」を展開した。当然、独立国家ではないチェチェンの「元首」の訪問は、私的訪問として扱われ、滞在先の査証を代理人が在モスクワ各国大使館で申請するなどしていた。チェチェンの旅券は国際的に認められていないため、マスハドフはソ連時代の旅券を使用した。約1年半で14カ国を訪問し、政府高官級と会談を重ねた。ロンドンでは、サッチャー元首相と会談し、議会へ表明訪問した。アメリカでは国防省で講演し、ブレジンスキー元国務長官やセスタノヴィッチ国務長官特別顧問と会談した。在外代表部も25の国と地域に設置し、チェチェンを経由する石油パイプラインへの投資を積極的に呼びかけた。

しかし、こうしたマスハドフ政権の働きかけは失敗し、紛争再発へと向かっていく。紛争後の平和定着が失敗した理由は様々あるが、一つは経済破綻である。紛争後の課題を改善するためには、多くの資金が必要だが、国内の経済社会インフラが壊滅的なダメージを受けたチェチェンでは、経済活動を再開することが難しかった。政府は、ロシアからの補償と石油産業への欧米の投資を期待していたが、経済が破綻し、失業者が溢れ治安が悪化するチェチェンに投資は集まらなかった。こうして野戦司令官の配下にある部隊が外国人らを拉致、身代金を得るビジネスを始めるようになった。治安が悪化すれば、さらに投資や支援は引いていくが、改善しようにも政府には財源がなく、この悪循環を止めることはできなかった。

ロシアが約束した予算を支給しなかったことも大きな問題となった。当初、チェチェンとロシアは、その法的・政治的地位に関する交渉に積極的に取り組んでいたが、97年末に双方から合意の素案が提示されると、両者には埋めがたい溝があることが判明した。以後、両者の間では経済協力と治安・安全保障面での協力が主要な課題となったが、どちらを優先するのかが争点となった。ロシア政府は、自らが懸念している治安や安全保障面での課題をチェチェンが改善しない限り、合意した経済支援はできないという立場だった。逆にチェチェン政府側は、ロシアが経済協力の合意を履行しなければ、治安や安全保障面での問題に取り組むことはできないと主張した。双方の疑心暗鬼や交渉をめぐる足並みの不一致、さらには1998年8月のロシア金融危機の影響もあり、チェチェンへの予算は十分に支給されず、これがチェチェンの混迷を促進した。

チェチェン経済の破綻やロシアの合意不履行などと同様に大きな問題となったのは、反マスハドフ派勢力の政権への圧力の高まりとそれに伴う政治混乱であった。彼らは当初、選挙で選ばれたマスハドフを正面から批判することは避けていたが、ロシアとの間で次々と合意に至る政権に反感を強めた。またマスハドフは、国内での融和や和解を掲げ、親露派や実務経験者を閣内起用したが、これも急進派の反発を招いた。1998年4月には、急進派はダゲスタンのイスラーム過激派との連携を強化し、10月には反マスハドフ派を結集する急進派・過激派の組織を形成し、バサーエフ、ヤンダルビエフらがマスハドフの退陣を訴えるまでになった。

急進派や過激派は、ダゲスタンのイスラーム過激派との軍事同盟を締結し、彼らをチェチェン領内に引き込むだけではなく、合同で周辺地域のロシア軍基地への攻撃を行うようになる。マスハドフは、それまで反対派に対する対応を使い分けていた。すなわち、独立派の闘士として住民からの一定の支持を得ており配下の部隊の規模も大きかったバサーエフには対話姿勢を示し、閣内起用もした（1997年4月、98年1月）。他方で、故ドゥダーエフ初代大統領の権威を借りて政権に挑戦するラドゥーエフ、地方に拠点を持ち犯罪行為に手を染めるイスラーム過激派の野戦司令官は政治的のみならず軍事的にも排除しようと試みた。しかし、有力な野戦司令官との対話を排除しないマスハドフの姿勢は98年10月の反マスハドフ派の結集に対して政権側が有効な対応策を持たないことを意味した。

その後、過激派がマスハドフの暗殺を試みる（1998年7月と99年3月）など、チェチェンはより一層混迷を深めた。さらに過激派は、マスハドフ政権を支援している英国人有力者がチェチェンから手を引かざるを得ない事件（英国人技師の拉致・殺害事件）を起こす。マスハドフは、急進派や過激派に対抗する有力な手立てを失い、彼らの中心的思想である急進的イスラームを国家運営に導入することで、自らの正統性を担保しようとする。1999年2月、チェチェンはクルアーン（イスラーム聖典）、シャリーア（イスラーム法）に基づく国家運営へと移行した。ただ、これはますます、急進派の行動に正統性を与える結果となり、99年8月、バサーエフとハッタープに率いられた部隊がダゲスタンのイスラーム過激派と共に一部村落を制圧し、「イスラーム共和国」の樹立を宣言する事態に至る。

これに対し、ロシア軍とダゲスタン内務省軍が応戦し、数日後、バサーエフらは逃亡する。その後、9月にダゲスタンでのアパート爆破事件を皮切りに、立て続けにモスクワでも爆破事件が発生する（計212名死亡、656名負傷）。就任したばかりのプーチン首相は、この事件をチェチェン武装勢力による犯行と断定し、チェチェンとの間で締結したハサヴユルト合意等を破棄、9月22日、チェチェンへの攻撃を開始する。なお、モスクワにおけるアパート爆破事件については不可解な点もあり、特にＦＳＢ（連邦保安庁）が訓練だったと弁明した爆破未遂事件（リャザン事件）の翌日、チェチェンへの攻撃が開始されているため、陰謀論を主張する者も多い。

## ❸紛争の経緯――ロシアによるチェチェン政策と消えゆくチェチェンの独立派指導者

前回の反省を生かしたロシア軍の攻撃は、まず空爆によって主要都市を徹底破壊した後に、FSB・国防省・内務省の圧倒的な軍事力によって一挙にチェチェンを制圧するというものであった。こうした作戦の結果、チェチェンの一般市民に甚大な被害が出たが、99年11月には、チェチェンの第二都市、グデルメスの制圧に成功する。

翌月には引退を表明したエリツィンに代わり、プーチン首相が大統領代行に就任した。彼は、2000年1月と3月にチェチェンを訪問の上、ロシア軍の作戦の成功をアピールし、大統領選挙でも圧勝する。6月にはマスハドフと袂を分った宗教指導者のカディロフをチェチェン行政府長官に任命し、チェチェンの復興政策を開始する。プーチン政権は、ゲリラ戦を続ける独立派との交渉も一時模索した（2001年11月にはロシアのカザンツォフ南部連邦管区全権代表とチェチェンのザカーエフ大統領特使が会談した）が、ほぼ一貫して親露派政権と協力して独立派を軍事的に排除するという政策を継続した。そして、2002年の年次教書においてチェチェン紛争の軍事的段階の終了を宣言すると、2003年3月にはチェチェンの新憲法等に関する住民投票を実施した。さらに信任された新憲法に基づいて、同10月には大統領選挙・議会選挙を実施した。以上の結果を受けて、親露派チェチェン当局の法的基盤が担保され、2003年末にはチェチェンで作戦を展開していた連邦軍は撤退した。同時に親露派政権の治安維持機関が強化され、チェチェン人自身による治安の確保が行われることとなった。

ロシア政府は、チェチェンの正常化を訴え、隣接しているイングーシにあるチェチェン避難民キャンプを閉鎖（2004年に完了）し、ジョージアやアゼルバイジャンなどに逃れた難民の帰還を促した。またチェチェン独立派を政治勢力としてではなく、交渉不可能なテロリストであると内外にアピールした。2001年のアメリカ同時多発テロ後の「米露蜜月」と言われる期間にロシア政府は、チェチェン問題を「テロとの戦い」に組み入れることに成功した。対テロ制裁などを定めた安保理決議ではチェチェン独立派武装組織や指導者もテロリストの名簿に記載された（ただし、マスハドフは除く）。これによってロシア政府は、独立派と交渉せずに彼らを排除すること、また彼らの拠点とされるジョージアのパンキシ渓谷への空爆なども正当化することができるようになった。

こうした政策に対し、チェチェン独立派の中からはバサーエフらの急進派が戦術をテロへと切り替え、モスクワ劇場占拠事件（2002年10月）や北オセティア・ベスラン学校占拠事件（2004年8月）などを起こしたと言われている。バサーエフらは、親露派政府のカディロフ首長を暗殺する（2004年5月）など、結果的に彼らの行動がプーチン政権の主張する「テロとの闘い」という言説を後押しする側面もあった。「テロ戦術」を批判し、交渉を訴え続けたマスハドフは2005年に、バサーエフも2006年に殺害された。

独立派は、主要な指導者を殺害されると、動員力を失い活動が低迷し始めた。このような危機に際し、第4代独立派大統領に就任したドク・ウマーロフは、それまでも独立派の中心的なイデオロギーとなっていたイスラームを動員資源として最大限活用し、北コーカサス諸民族の糾合を目指す路線に大きく舵を切った。すなわち、北コーカサスにおけるイスラーム国家「コーカサス首長国」の樹立を

表29：第二次チェチェン紛争関連年表

| 年／月 | 出来事 |
|---|---|
| 1996/5 | ロシアとチェチェンが停戦合意 |
| 8 | ハサヴユルト合意（法的・政治的地位決着は5年後と合意） |
| 1997/1 | チェチェン大統領選挙（独立穏健派マスハドフが大統領に） |
| 5 | ロシアとチェチェンが平和条約を締結 |
| 6〜9 | ロシアと銀行、農業復興、関税、石油輸送協定等に合意 |
| 10 | チェチェンの過激派指導者がマスハドフの退任要求 |
| 1998/3 | マスハドフがイギリス訪問（サッチャー元首相等と会談） |
| 8 | マスハドフがトルコ、アメリカ等を訪問 |
| 9 | バサーエフらがマスハドフの辞任要求 |
| 10 | 英国人技師拉致事件（12月に全員が斬首され殺害） |
| 1999/2 | シャリーア（イスラーム法）、クルアーン体制の導入（憲法及び世俗的立法権の停止） |
| 8 | ダゲスタンで現地イスラーム過激派とバサーエフらが蜂起 |
| 9 | アパート爆破事件頻発→第二次チェチェン紛争開始 |
| 11 | チェチェン第二の都市グデルメス陥落 |
| 12 | エリツィン大統領退任、プーチン首相が大統領代行に就任 |
| 2000/3 | ロシア連邦大統領選挙（プーチン大統領の誕生） |
| 6 | ロシア政府がチェチェン行政府設置（カドィロフ長官を任命） |
| 2001/11 | カザンツォフ南部連邦管区全権代表とザカーエフ・チェチェン大統領特使が会談 |
| 2002/4 | プーチン大統領、チェチェン紛争の軍事的段階終了を宣言 |
| 10 | モスクワ劇場占拠事件発生 |
| 2003/3 | チェチェン新憲法制定（10月に議会・大統領選挙実施） |
| 2004/5 | カドィロフ親露派大統領が殺害される |
| 2007/2 | ラムザン・カドィロフが親露派政権大統領に任命される |
| 10 | コーカサス首長国建国宣言（チェチェン独立派の消滅） |
| 2009/4 | ロシア政府による恒常的な「対テロ態勢」の解除 |

出典：筆者作成

宣言し、北コーカサスの各民族共和国が構成州（ヴィラヤート）だと主張した。これに対し、ロンドンに亡命し、世俗的チェチェン独立派を牽引してきたザカーエフらは反発し離反した。首長国の創設は、チェチェンの民族闘争路線の終焉を意味し、指導部には非チェチェン人、特に1980年代からサラフィー主義思想が浸透していたダゲスタン系民族が入り、闘争の主力を担うこととなった（第2部で後述）。

ロシアの第二次チェチェン紛争に対する政策は、第一次紛争と基本的には同じものであった。すなわち、チェチェン国内の親露派と呼ばれる非独立派勢力を支援し、彼らの独立派との軍事衝突を後押しして、親露派をチェチェンの正統な権威の担い手とする。そして、チェチェンの政権を担った親露派との間で分離主義問題の法的解決を図るというものである。

アフマト・カドィロフの死後、共和国首相となり、アルハノフ親露派第2代大統領など有力者と対立や衝突を繰り返していたラムザン・カドィロフは、2007年に共和国大統領（後に首長と名称変更）に就任して以降、絶対的権力を握り、統治に当たっている。ただ、彼の統治下における人権侵害行為の多発、あるいは彼と対立する親露派・有力チェチェン人指導者の排除、さらにはメドヴェージェフ大統領時代には連邦政府の方針（連邦管区再編など）に異論を唱えるなど、連邦もカドィロフの言動には反発を強めているとされる。他方で連邦は、カドィロフ以外にチェチェン統治を任せる人材を見つけられておらず、結局、2011年3月には彼を再任し、現在まで首長を務めている。

二度にわたる大規模紛争によって廃墟と化し、「グリャーズヌィ」（汚い）とやゆされたチェチェンの首都グローズヌィは、連邦政府による復興事業によって「北コーカサスのドバイ」と形容されるまでに街並みが大きく変わった（ちなみに「（南）コーカサスのドバイ」と形容されているのはアゼルバイジャンの首都バクーである）。その中心部には、5つ星ホテル・グローズヌィ・シティを含む高層ビル群がそびえ立ち、隣接するモスクは「欧州で最も巨大なモスク」を自称している。かつて独立派政権時代に「自由通り」と形容された目抜き通りは、「プーチン通り」に改称され、高級店が並ぶ。街は常に建設工事中である。

このような廃墟からの華々しい復興、紛争から平和、そして独立派時代の無秩序からの安定と秩序は、カドィロフ父子による偉業だと内外にアピールされている。街中には、カドィロフ父子の肖像画が溢れている。確かに、第2部で後述するようにチェチェンの治安状況は現在に至るまでに大きく改善され、イスラーム過激派によるテロや反乱も大幅に減っている。しかし、復興の象徴とされる経済は、第1章で取り上げたように連邦補助金に依存した公共事業で成り立っており、失業や汚職、権威主義的な統治による問題は残っている。またプーチン大統領だけに忠誠を誓っているとも形容されるカドィロフ首長は、隣接する共和国や連邦幹部と対立することも少なくない。カドィロフ政権は、領域的にロシアに留まることで、連邦からの経済的支援と政治的フリーハンドを保証されていると見る論者も少なくない。そうであるならば、連邦がこのような自由を認めることが困難になった時、あるいはプーチン大統領が退任した時に再びチェチェンの分離独立問題がロシア連邦における重要な問題として浮上する可能性がないとは言い切れないのである。

コラム 2

## 紛争の記憶と記録——チェチェンにおける公的・私的空間の歴史

チェチェンの首都、グローズヌィのプーチン通りに面した一等地に国立博物館がある。私が最初に訪問した2018年、博物館は一部展示が改修中だった。翌年に訪問すると、新たにグローズヌィの歴史と、強制移住に関する展示がそれぞれ開設されていた。私は、これをロシア人観光客に混じって興味津々で見て回った。と言うのも、実は現在のチェチェンでは、独立派時代の歴史に関する展示物や記念碑が公的空間にはなく、独立派時代は詳しい説明抜きに単に「カオス」とされていること、また体制が強調する「ロシアとの友好の歴史」を阻害しかねないソ連時代の強制移住に関しても大々的に取り上げることができないという状況にあるからである。

「グローズヌィの歴史」は、①ロシア帝国期におけるグローズヌィの設置（はじめは要塞だった）とその後の石油開発、②ソ連時代の安定と紛争による荒廃、③カドィロフ政権下による復興と発展によって構成されていた。このうち、②は複数の写真が貼り付けられたパネルが4つ並んでおり、1990年代の政治危機と紛争についてはそのうち3パネルが使われていた。一部の写真には独立派指導部も写っていたが、基本的に写真は紛争の規模や被害の大きさを訴えるものであり、これが③のカドィロフ体制下におけるグローズヌィの復興と対照をなしている印象を受けた。

強制移住に関する展示は、なぜか大祖国戦争におけるソ連の苦境やドイツの強制収容所において痩せ細ったソ連軍捕虜の写真、あるいは塹壕戦などの展示物と一緒になっていた。チェチェン人も強制移住の辛酸を舐めたが、ソ連全体が苦しい状況だったと言わんばかりの展示で、コラム1で見たイングーシの展示と対照的に思われた。独立派時代に作られた強制移住の記念碑は、現在も移転や修繕のためとの名目で撤去されたままであり、移設先も決まっていない。現地の歴史研究者は、強制移住についてチェチェン人の被害を冷静に見つめ直すことがロシアへの批判に繋がらないかを当局は警戒していると私見を述べていた。

しかし、強制移住や1990年代の紛争についての歴史が公的空間にほとんど表出せずとも、個々人が強制移住や紛争で家族を失ったという事実は存在する。このような公的な歴史と私的な歴史が交わることがないのが現在のチェチェンであり、ある男性は、筆者に以下のようにやり場のない怒りをぶつけた。「戦争で皆、兄弟や家族を失ったんだ。必ず皆、親戚の誰かを失っている。現在の政府は、過去をなかったことのようにしている。俺の兄弟は、戦って死んだんだ。あの出来事をなかったことになんてできない。一体、どれだけの人々が死んだんだ。全部なかったことにするのか？　そんなことできるはずがないじゃないか」

チェチェン国立博物館

# 第3章——南コーカサスの紛争

## ［1］ナゴルノ・カラバフ紛争
## （紛争：1989年1月～91年12月、戦争：1992年1月～94年5月）

ナゴルノ・カラバフ（以下、カラバフと略）紛争とは、アゼルバイジャン中央政府とカラバフ自治州の多数派・アルメニア人の間の帰属や自治をめぐる対立の結果生じた紛争で、これはアゼルバイジャン・アルメニア国家間の戦争でもある。

### ❶紛争の起源——たびたび変わるナゴルノ・カラバフの帰属

アゼルバイジャンとアルメニアの境界をめぐる対立は、1918年のザカフカース民主連邦の解体と各共和国の独立国家建設過程で表出したものだが、そもそも古代からこの領域に住んでいた民族は誰なのかという歴史論争（有名なものとして紀元前300年に成立したコーカサス・アルバニアをめぐる論争）も抱えている。実際には、古代国家の境界はたびたび縮小・拡大し、住民も移住や入植に伴い混住や混血が進み、改宗や文化的変質も経験する。従って、古代国家の境界やそこに住む民族を、現代国家の境界やそこに住む民族の根拠として主張することは困難である。だが、ある領域の帰属をめぐって激しく対立する過程では、往々にして歴史的記述そのものが火種となる。両国の国家・国民史は、当然、齟齬を抱えているが、これは、自陣営を正当化するために歴史が持ち出されているために生じているものである。

そういった点も含めて、まずは改めて南コーカサス諸国の独立期からソ連形成期におけるカラバフ問題の表出過程をごく簡単に確認したい。

アルメニアとアゼルバイジャンの独立国家期には、カラバフ、ナヒチェヴァン、ザンゲズルなどの地域をめぐって両国は対立していたが、両国におけるソヴィエト政権樹立直前の1920年3月にカラバフでアルメニア人の蜂起が生じた。アゼルバイジャン側は、進撃で応じるも戦闘は膠着状態に陥った。だが、4月にはアゼルバイジャンにソヴィエト政権が成立し、5月にはカラバフもソヴィエトの支配下に入ると、アルメニア政府とソヴィエト・ロシアの間でカラバフの地位について最終決着するまでソヴィエトが占領する旨の調印がなされた。さらに10月にはアルメニア側がカラバフを放棄するが、ナヒチェヴァンとザンゲズルは領有するという合意に至った。

しかし、同年12月にアルメニアもソヴィエト化されると、アゼルバイジャン側は、アルメニアにおけるボリシェヴィキ政権誕生を祝し、アルメニアとの領土紛争の終結、そしてカラバフ、ナヒチェヴァン、ザンゲズルへの領土的要求を取り下げた。だが、ソヴィエト政権成立直後のアルメニアの支配領域は、かなり限定的なものであり、カラバフについても飛び地となっていた。アルメニアとカラバフを繋ぐザンゲズル地域には反ソヴィエト勢力がおり、また移行期の政治運営上の課題もあり、アルメニアはカラバフに十分な統治を敷くことが困難だったのである。

この後、21年6月には共産党カフカース局の会合においてアルメニアとアゼルバイジャンがカラバフのアルメニアへの帰属について合意した。アルメニア側は、7月初めまでにザンゲズルでの反乱勢力の除去に成功し、カラバフに代表者を任命した上で統治を行おうとするが、一転アゼルバイジャン側が激しく反発する。すでにソヴィエト政権樹立による「ご祝儀的雰囲気」はなくなり、独立期の領土紛争下での対立が再燃し始めたのである。

しかし、それでも7月4日の共産党カフカース局では、オルジョニキッゼやキーロフ等の多数派がアゼルバイジャンのナリマノフの反対を押し切り、正式にカラバフのアルメニア帰属が決議された。この会議に参加していなかったスターリンは決定に対するコメントを送ったとされるが、その内容は不明である。しかし、翌日に決定は覆され、カラバフはアゼルバイジャンとの経済的結びつき等を理由として、アゼルバイジャン領内で自治を得ることとなった。だが、カラバフの境界画定と自治単位の設置はすぐには行われなかった。この間に、11月にトルコと締結したカルス条約において、カラバフと同じく係争地であったナヒチェヴァンはアゼルバイジャンへの帰属が決まった。その後アゼルバイジャン領内におけるカラバフという自治単位の設置は、23年7月まで待たねばならなかった。すでに22年3月にはザカフカース社会主義連邦が形成されており、帰属決定から自治単位設置までには2年を要したことになる。

ソ連では、1920年代半ばから「コレニザーツィア（土着化）」と言われる、各共和国における「基幹民族」の言語・文化等の積極的保護政策が進んだが、これはコーカサスにおいても同様であった。「コレニザーツィア」は、結果として基幹民族の民族意識を高める一方、共和国内部の民族少数派には同化政策と映った。しかも1936年にザカフカース社会主義連邦が解体すると、それまでの「カラバフはアゼルバイジャンに帰属していてもアルメニアと同じ連邦に所属している」という意識がなくなり、各共和国の枠組みや帰属意識が一層強まった。

アルメニア側は、以上のような中でアゼルバイジャン側による同化政策（すなわちカラバフの「アゼルバイジャン化」）の結果、カラバフ・アルメニア人の政治・経済・文化的自治が侵食され、苦境に立たされたと理解している。たとえば、アゼルバイジャンに編入された当初の1926年にはカラバフの人口の約89%を占めていたアルメニア人だが、89年までにそれは約77%に減少し、逆にアゼリ人は約5%から約22%まで増加した（**表30**）。これは、アゼルバイジャンの統治下のカラバフにおいてアゼリ人の入植が進み、人口構成に変化が生じたことを示している（アゼルバイジャン側は、むしろそれ以前にアルメニア人が入植を進めていたため、アゼリ人の人口が長期的傾向として減少していたのが、ソ連体制下で部分的に揺り戻したものと捉えている）。

**表30：カラバフ自治州の民族人口推移**（%、1926〜89年）

| | 1926 | 1939 | 1959 | 1970 | 1979 | 1989 |
|---|---|---|---|---|---|---|
| アルメニア人 | 89.2 | 88.0 | 84.4 | 80.5 | 75.9 | 76.9 |
| アゼリ人 | 10.1 | 9.3 | 13.8 | 18.1 | 23.0 | 21.5 |
| ロシア人 | 0.5 | 2.1 | 1.4 | 0.9 | 0.8 | 1.0 |
| その他 | 0.2 | 0.5 | 0.4 | 0.5 | 0.3 | 0.5 |

出典：ソ連のセンサス調査（http://www.demoscope.ru/weekly/ssp/census.php ：ロシア国立高等経済学院人口研究所）より

## ❷紛争発生までの経緯――カラバフをめぐる民族運動の加熱

アゼルバイジャン領となったカラバフでは、しばらく大きな対立は起きなかったが、それでもカラバフに住むアルメニア人からの帰属変更要求は継続して提起されていた。

最初の嘆願は、ザカフカース社会主義連邦解体時（１９３６年）に出されたと言われるが、１９６０年代にはこのような要請はより強い運動となる。たとえば、１９６３年にカラバフのアルメニア人がカラバフのアルメニアかロシアへの帰属変更を求め嘆願書を提出すると、これがアゼリ人との衝突へとつながった。この結果、両民族合わせて18人が死亡した。また65年には、アルメニア共和国でトルコによる虐殺50周年慰霊式典が行われたが、ここで「未回収の地」としてトルコの旧アルメニア人居住地域と並んでカラバフが強く認識されるようになった。大規模なデモはその後も行われ、これはペレストロイカで加熱していくこととなる。

１９８７年3月、アルメニアの知識人がゴルバチョフ書記長に書簡を送り、ナヒチェヴァンとカラバフのアルメニアへの移管について要請した。8月には、アルメニア本国やカラバフのアルメニア人、約7万５０００人が同様の請願に署名するまでに運動は拡大した。10月にエレヴァンで行われたデモは、当初は環境保護運動の装いを持ち、アルメニアにあるメツァモール原子力発電所の停止を訴えるものだったが、翌日にはナヒチェヴァンとカラバフのアルメニアへの移管を求める政治的要求に変質した。このため、警察の介入を受けてデモは散会させられた。

しかし、翌11月にゴルバチョフの経済顧問であったアガンベギャン（アルメニア人）がフランスのアルメニア人との会合でカラバフがアルメニアに返還されることを期待する旨、言及し、これがフランス共産党の機関紙に掲載されると（そしてソ連内にも知れ渡ると）、アゼルバイジャン側の反発は非常に大きくなった。そして、アゼルバイジャン、アルメニア両共和国において民族間の小競り合いや衝突が発生し始めたのである。

１９８８年2月にカラバフ自治州ソヴィエトは、カラバフのアルメニアへの帰属変更をアゼルバイジャン・アルメニア両共和国最高会議に求め、ソ連最高会議の関与も要請した。ここで重要なことは、カラバフのアルメニア知識人などの私人グループではなく、自治州ソヴィエトが要請を行ったことである。つまり、自治州当局の決定としてカラバフの帰属変更を上級機関に請願したのである。むろんこれは、自治州の人口構成でアルメニア人が圧倒的多数を占めており、州ソヴィエトの決定においてアゼリ人代議員が反対や欠席しても、帰属変更を求める決議を採決できる状態であったためである。アルメニア本国でもこの決定を支持するように約３万人が参加するデモが開催された。カラバフのアゼリ人住民は、自治州ソヴィエトの決定に反発し、ステパナケルト（カラバフの州都）まで抗議のための行進を行ったが、途中でアルメニア人住民との衝突が生じ、アゼリ人２名が死亡、両民族合わせて45人が負傷した。

ソ連指導部は、州ソヴィエトの要求（現状の民族・領域的境界に関する変更要求）を却下し、アルメニア語・文化の尊重、経済発展計画などの対応策を提示した。だが、これはカラバフやアルメニア本国の政治的要求に応えるものではなかったため、エレヴァンでは連日デモが開催され、ついに2月25日には、その数は１００万人規模にまで拡大した。翌26日にアゼルバイジャンでもカラバフ問題に関するデモが開催されたが、当初これは数十人単位のものだったとされる。しかし、アルメニアから逃れてきたと述べるアゼリ人が自らの親族がアルメニア人に殺されたとし、その様子を群衆に訴えると状況は急変した。翌日にはデモは数百人規模に拡大し、群衆はカラバフの死守を訴え、その中からアルメニア人の追放を主張する者が現れた。そしてこれがアルメニア人への襲撃にまで広がり、暴力衝突の結果、26人（アルメニア人20人、アゼリ人6人）が死亡、2000人以上が負傷した（スムガイト事件）。この事件は、アゼルバイジャンのアルメニア人社会に大きな衝撃を与え、アルメニア人の多くがアルメニア共和国へと逃れた。

しかし、この時点では、カラバフ自治州ソヴィエトは、アルメニアへの移管は即時には実現できないということを理解しており、自治州の自治共和国への格上げと権限強化という選択肢も受け入れ可能であるという方針を示していた。そして、ソ連指導部（ゴルバチョフ）も境界変更は困難だが、自治共和国への格上げはあり得るという姿勢を見せていた。しかし、結局、自治共和国への格上げ案は、両共和国内の強硬派に拒否されることとなる。6月には、カラバフでアゼルバイジャン最高会議にカラバフのアルメニアへの移管を承認するよう求める集会が開催されたが、アゼルバイジャン側はこれを拒否した。すると、今後はアルメニア最高会議がカラバフのアルメニアへの編入を決議、アゼルバイジャン側はカラバフが自らの領土の一部であると確認する決議で応戦した。カラバフ自治州ソヴィエトは、ソ連最高会議幹部会に一時的にカラバフをソ連政府の統治下に置くよう求めるが、この要求が聞き入れられないと見るや、7月には、一方的にアゼルバイジャンからの離脱とアルメニアに「アルツァフ・アルメニア自治州」として加わる旨、決議した。アゼルバイジャン最高会議は、この決議を違法なもので無効だとする決議で応じる。

一連の決議に対して、ソ連最高会議幹部会は、両共和国の境界の変更は困難だとし、カラバフがアゼルバイジャン領に残る旨の決議を採択した。ソ連政府のカラバフ問題へのあいまいな対応に両共和国の反発は強まり、事態を制御できない共和国の共産党指導部への不満も高まった。アルメニアでは、カラバフ問題への政治的要求を掲げていたカラバフ委員会がアルメニア全国民運動（88年7月）へと改組され、強力な野党として出現した。アゼルバイジャンでも人民戦線（88年8月）が創設され、共産党政権に対抗し始めた。

これら両共和国における民族主義組織の形成は、両共和国における民族運動の加熱、そして民族間衝突が激化する政治的環境を一層先鋭化させた。

この間も両共和国における民族間の衝突が生じ、88年11月にはアルメニアでアゼリ人住民が襲撃された（アゼルバイジャン側の研究者はこの襲撃で260人以上が死亡したと述べる）。その後、ほとんどのアゼリ人がアルメニアから避難民として流出した。これを受け、バクーでは11月から12月にかけて数万人から数十万規模のデモが連日開催された。なお、この間にアルメニアでは、12月に大きな地震が起き多数の犠牲が出て、社会混乱も生じた。

1989年1月にソ連最高会議幹部会は、カラバフの直轄統治（特別管理体制）を開始した。しかし、この措置で両共和国及び民族間の対立を抑制することはできなかった。8月にカラバフのアルメニア人が一方的に自らの議会（民族評議会）を創設したことにアゼルバイジャン側が強く反発し、カラバフを封鎖したことも両民族の対立を加熱させた。9月には、人民戦線の圧力もあり、アゼルバイジャンは主権宣言を出した。この主権宣言は、ソ連からの独立を意味したわけではなかったが、カラバフのアルメニア人は強く反発した。連邦による直轄統治は、何ら成果をあげることができず、11月に解除され、カラバフはアゼルバイジャンに留まることとなった。これに反発したアルメニアとカラバフは、12月にアルメニアとカラバフの再合同を決議したが、アゼルバイジャンはこの効力を否定する決議で応じた。

## ❸紛争の経緯
## ——ソ連における内戦から国際的な紛争(戦争)へと拡大したカラバフ問題

1990年1月、アゼルバイジャンのバクーでは、カラバフ問題に関するソ連共産党への抗議デモが行われ、この参加者の一部がアルメニア人を襲撃・殺害した。ソ連指導部は、これに対しアゼルバイジャンに非常事態を導入し、ソ連軍の投入、人民戦線関係者の逮捕、メディアや重要施設の接収を行った。軍による鎮圧によって、少なくとも130人の一般市民が殺害され、1000人以上が負傷した(「黒い1月」事件)。

ソ連指導部は、アゼルバイジャンの共産党第一書記を更迭し、後に初代アゼルバイジャン大統領となるムタリボフを任命した。ムタリボフはゴルバチョフと会談したが、ここでは88年の経済発展計画に伴い、事実上分離されていたカラバフの予算を5月までにアゼルバイジャンと再び一体化することに合意した。経済的統制を強めることでカラバフ問題の沈静化を狙ったものだと思われる。

しかし、5月にはアルメニア全国民運動がアルメニアの最高会議選挙で勝利し(8月に同運動の議

**表31：カラバフ関連年表**

| 年／月 | 出来事 |
|---|---|
| 1918/5 | ザカフカース民主連邦解体（アルメニアとアゼルバイジャンの間でカラバフを含む領土紛争が発生） |
| 1920 | アゼルバイジャンで4月に、アルメニアで11月にボリシェヴィキ政権誕生 |
| 1921/3 | ロシアとトルコがモスクワ条約締結 |
| 7 | 共産党カフカース局総会（一度、カラバフのアルメニア帰属が決定されるも、翌日にアゼルバイジャン帰属に覆る） |
| 10 | 南コーカサス3カ国とトルコがカルス条約締結 |
| 1922～36 | 南コーカサス3カ国はザカフカース社会主義連邦を構成 |
| 1923/7 | カラバフがアゼルバイジャンの自治州となる |
| 1963/5 | カラバフ・アルメニア人の嘆願書提出 |
| 1965/4 | アルメニアで「アルメニア人虐殺」50周年慰霊式典 |
| 1988/2 | カラバフ自治州ソヴィエトがアルメニアへの編入要求 |
| 6 | カラバフ自治州ソヴィエト、モスクワによる直轄統治を希望 |
| 7 | カラバフ自治州ソヴィエト、アルメニアへの帰属を発表 |
| 1989/1 | ソ連最高会議、カラバフを連邦直轄地とする |
| 9 | アゼルバイジャン主権宣言 |
| 11 | ソ連最高会議、カラバフの直轄統治を解く |
| 12 | アルメニアとカラバフが合同を決議、アゼルバイジャンは無効を宣言 |
| 1990/1 | バクーでソ連軍によるデモの弾圧（黒い1月事件） |
| 5 | アルメニア全国民運動が選挙で勝利 |
| 8 | アルメニア主権宣言 |
| 1991/8 | アゼルバイジャン独立宣言（10月に憲法的法律を採択） |
| 9 | カラバフ自治州ソヴィエトが共和国創設宣言、アルメニア独立宣言 |
| 11 | アゼルバイジャン政府がカラバフ自治州の廃止を決定 |
| 12 | カラバフで国民投票（独立支持99%）、ソ連解体 |
| 1992/1 | カラバフが独立を宣言→カラバフ紛争の「戦争化」 |
| 1994/5 | カラバフ戦争の停戦（アゼルバイジャン政府は同地の支配を失う） |
| 2016/4 | 大規模な軍事衝突によりアゼルバイジャン側がカラバフにおいて一部地域を奪還する |

出典：筆者作成

長ペトロスィアンが最高会議議長に就任)、すでにアルメニア本国では共産党が空洞化し、ソ連政府に従う様子はなくなっていた。カラバフもアゼルバイジャン側からの予算の支給を拒否した。アルメニアは8月には主権宣言を出し、翌9月に行われたアゼルバイジャン最高会議選挙もカラバフで実施することができなかった。

この頃には、両共和国及びカラバフで準軍事組織が形成され、衝突も一段と激しくなった。91年3月にソ連の新連邦条約を問う住民投票が行われたが、アゼルバイジャンは参加したもののアルメニアはボイコットした。

この後、モスクワでも激しい権力闘争が展開されるが、この動きもアゼルバイジャン・アルメニア両国に影響を与えた。アゼルバイジャンでは、共産党のムタリボフが元首を務めていたが、共産党はすでに民族主義勢力にすり寄り始めていた。

そんな中、ソ連指導部は、ロシア共和国のエリツィン大統領に挑戦を受けていた。エリツィンは、チェチェンへの対応で見せたように反ソ連的な指導部と連携を模索しており、アルメニアのペトロスィアン議長らと接近した。従って、91年8月のモスクワでのクーデタの結末(ゴルバチョフの政治的敗北とエリツィンの国民的指導者としての台頭)は、アゼルバイジャン指導部にもソ連への見切りを付けさせた。アゼルバイジャンは同月に、アルメニアも翌9月に独立宣言を出した。

アゼルバイジャンの独立宣言を受けて、カラバフも9月に共和国創設を宣言した。アゼルバイジャン政府は、これを受けて11月にカラバフ自治州の廃止を決定したが、翌12月には、カラバフは独立の是非を問う国民投票を行った(投票率82%、独立支持が99%)。

こうして92年1月には、アゼルバイジャンとの間で本格的な軍事衝突が始まり、これがアゼルバイジャン・アルメニアの戦争へと発展する。アルメニアは、停戦までにカラバフとその周辺を支配下に置くことに成功する。ロシアは、アルメニアに武器等を供与し、ロジスティック面でも支えた。

紛争後、カラバフは領域支配を確立し、独立国を主張している（**表32**）。アゼルバイジャンは、軍事的には紛争に敗北したが、友好国トルコと共にアルメニア国境を封鎖している。この結果、資源を持たないアルメニアは、政治・経済的に一層ロシアに依存するようになった。紛争によってアルメニアでは30万人、アゼルバイジャンでは60～80万人の避難民が生じ、両国に様々な課題をもたらした。だが、紛争は両国の独立と国家形成過程で生じ、虐殺事件も頻発したため、今も双方に激しい不信感と憎悪の念が残っている。

こうした対立は、両国の指導者によって巧みに利用されてきた面があるが、他方で、指導者自身もこの問題への対応を見誤れば、失脚しかねないという面もある。

たとえば、アゼルバイジャン初代大統領のムタリボフは、92年2月のカラバフをめぐる攻防の際にアゼリ人の虐殺を防げなかったとして人民戦線の激しい批判にさらされ失脚した。他方で、新しく大統領に就任したエルチベイは、交渉を排する強硬姿勢と反露・親トルコ的な外交が行き詰まり、追い込まれる形で交渉に臨んだので国民の信頼を失った（その後、H・アリエフが大統領に就任）。

また当初、カラバフ問題に関する民族運動で台頭したアルメニア初代大統領ペトロスィアンも、紛争による経済圧力から停戦交渉へと傾くが、これによって人々の支持を失い、大統領選挙ではカラバフの元「大統領」であり、強硬派のコチャリアンに敗北する。アルメニア中央政界では、治安・軍関係者と近く、民族主義指導者としての正統性もあるカラバフ出身者の政治的影響力は強く、第3代大統領を務めたS・サルキスィアンもカラバフ出身者である。

カラバフの和平交渉は、OSCE（欧州安全保障協力機構）ミンスク・グループ（米露仏が共同議長）が取組んでいるが、実現は困難である。

問題は、マドリード基本原則（07年）に見られるようにアゼルバイジャンの領土的一体性を担保しつつ、カラバフの民

**表32：自称「ナゴルノ・カラバフ共和国」の領域と人口**（2015年）

| 行政地区 | 人口（人） | 領土（㎢） | ソ連時代の自治州領域に含まれていたか |
|---|---|---|---|
| 合計 | 140,535 | 11,432.7 | 旧自治州領土4,400㎢ |
| ステパナケルト／ハンケンディ | 54,752 | 29.1 | ○ |
| ③アスケラン | 15,777 | 1,191.4 | ○ |
| ①シャウミャン | 3,004 | 1,829.8 | 部分的:横線はアゼルバイジャンが支配 |
| ②マルタケルト | 19,122 | 1,795.1 | 部分的 |
| ④マルトウニ | 20,227 | 951.2 | 部分的:横線はアゼルバイジャンが支配 |
| ⑤ハドルート | 11,848 | 1,876.8 | 部分的 |
| ⑥シューシャ | 5,192 | 382.7 | ○ |
| ⑦カシャタグ | 10,613 | 3,376.6 | × |

出典：人口はカラバフのセンサス調査、領土面積はカラバフ統計委員会のデータ、地図はWikipediaより

族自決をいかに実現するのかという点に集約される。今まで提示された解決案はいずれも両国に拒否されてきたが、他方で当事者双方による散発的な銃撃戦といった停戦違反は頻発していても大規模な軍事衝突は２０１６年4月まで生じなかった。

しかし、この間も両国のパワー・バランスは大きく変化しつつあった。アルメニアは、経済・軍事両面でアゼルバイジャンとの格差が開く中で、２００８年にはロシア・ジョージア戦争の際にロシアが交易路の安全を保障しなかったので戦争で著しい経済打撃を受け、強い危機感を持ち始めた。それ以後、カラバフ和平交渉にもより柔軟な姿勢をみせ、トルコとの国境正常化交渉も絡め、アゼルバイジャンに圧力をかけ始めた。ただ国交正常化の実現は、アルメニア・トルコ両国の国会で反対され批准できず、東部国境の開放やトルコとの経済協力の展望も抱けずにいた。逆にアゼルバイジャンは、著しい経済発展によって軍の近代化を進め、ドローン爆撃機などを導入、アルメニアへの軍事的圧力を強めた。

こうして２０１４年から銃撃戦などの停戦違反が頻発する事態が発生、同年には双方で26人が死亡、15年には38人と死者数が増加していた。そして２０１６年4月に大規模な軍事衝突が発生したのである。

アゼルバイジャン側は、カラバフのアゼルバイジャンからの独立が既成事実化されている現状に強い不満があり、十分に準備された大規模な攻撃を加えた。それにもかかわらず、アルメニア及びカラバフ側は当初アゼルバイジャン側の攻撃を通常の停戦違反の延長と過小評価し、結果的に支配地域の一部を失った。アゼルバイジャン側は数日で政治的成果を得て、逆にアルメニア側は防衛線を引き下げざるを得なかった。

しかし、この軍事的衝突は、一歩間違えれば、全面的な戦争へ発展するリスクもあった。衝突後、双方ともに全土を対象としたミサイル攻撃を主張し相手側をけん制したが、実際に双方は主要都市に攻撃可能なのである。軍事衝突は、ロシア政府が強く停戦を求めることで終了したが、２０１７年以降も散発的な衝突により死者が出ている。

アゼルバイジャン側は、政治的成果を得た反面、世論は軍事的勝利によるカラバフ奪還は可能だと考えるようになり、指導部にとってカラバフへの対応は一層難しい問題となった。逆にアルメニアは、カラバフ出身のS・サルキスィアン大統領（当時）が一部とはいえ支配領域の死守に失敗したことで、国民は幻滅し、議会選挙での与党敗北に繋がった。これ以上の軍事的敗北を世論が受け入れないと指導部が考えれば考えるほど、彼らのカラバフ問題に対する姿勢が強硬なものになる可能性がある。以上のようにカラバフをめぐる問題は、極めて困難な局面を迎えている（２０２０年9月のカラバフ紛争の再発については補論を参照のこと）。

コラム 3

## 「紛争の真実」？――カラバフ紛争をめぐる両国国民の想い

私は現地で信頼できる研究者や友人を除き、自分が何を研究しているのかを率先して話すことはほとんどしない。これは紛争や現代政治を研究する以上、現地で余計なトラブルに巻き込まれたり、自分が紛争の当事者になったりしないためである。それでも現地の人々が私の研究を知り、「正しい情報」を伝えたいと正義感から接触を図ってくることはある。

10年ほど前に訪問したアルメニアでは、国立図書館でチェチェンのマスハドフ政権期の資料を探しつつ、アルメニアの主要紙を連日眺めていた。ある時、宿舎から図書館への道で50代くらいの男性に「日本人か？」と声をかけられ、あいさつを交わした。その数日後、急に彼が私の部屋を訪ねてきた。突然の来訪に驚く私に彼は「アルメニアの料理をご馳走したい。飲みに行こう」と誘う。自分の滞在場所を特定し、訪ねてきた彼に警戒感を持った私はドアチェーン越しに断るが、彼は私に近寄って「カラバフに関心があるだろう。図書館で調べ物をしていたな。色々と教えることができる」と伝えてきた。私の滞在場所は尾行すれば容易に特定可能であるし、図書館で私が読んでいた資料も職員に尋ねれば、すぐに分かる。彼がアルメニア市民の務めとして「紛争の真実」を私に伝えようとしたのか、それとも当局の関係者であったのかは知る由もないが、これには少々驚いた。

実は、アゼルバイジャンでも「カラバフ紛争の真実について知って欲しい」という現地の人々の想いに接したことがある。最初の経験は、大学生時代、チェチェン難民の支援のために同地を訪問した際に交流した人たちの一部から「チェチェン紛争よりもカラバフ紛争の方が深刻で犠牲も大きい。こちらを学んでほしい」と言われたことである。また、ある時は、私の友人が訪日した際に申

アルメニアの共和国広場

し訳なさそうに紙袋から本を出してきて、「父の友人がカラバフ紛争に関する本を持っていって、ぜひ、日本人に渡すべきだと託してきたの。あなたには悪いけど受け取ってくれない？」と言われた。彼女に本を託した父の友人も「紛争の真実」を伝えることがアゼルバイジャン市民としての務めであると考えたのだろう。

だが、私は少なくとも、こうした正義感から「紛争の真実」を語る人々となるべく関わらないようにしている。カラバフ紛争については、アゼルバイジャン・アルメニア両国で膨大なプロパガンダ研究があるが、これを見ても正直、研究にはほとんど役に立たない。歴史実証主義を追求するダゲスタンの優れた中堅研究者の友人は著者に「一般の人々はそれを真実と信じているから何の罪もないが、意図的にあのような研究をする研究者はまったく理解できない」と嘆いていた。彼は学会で双方を「嘘つき」と罵倒する両国の研究者を見たことがあるという。

## ［2］南オセティア紛争

（第一次：1991年1月～92年7月、第二次：2008年8月7～16日）

南オセティア紛争とは、ジョージアの南オセティア自治州の多数派・オセット人がジョージアからの分離、ロシア連邦（北オセティア）への統合を掲げることで、ジョージア中央政府との間で生じた紛争である。

## ❶紛争の起源——ロシア革命とオセット人の抵抗運動

南オセティア紛争の起源は、ロシア革命期において現在の南オセティア（ツヒンヴァリ地域）でオセット人の蜂起が発生し、ジョージア政府（民主共和国）が弾圧したこと、またその後にソ連体制下でジョージア共和国内にオセット人の自治単位が形成されたこと（及びその後の民族政策）に見出すことができる。この歴史的経緯については双方の理解が異なっている。

ジョージア側にはツヒンヴァリ地域におけるオセット人自治州の形成は、それ以前にオセット人が少なくともこの地域で政治的実体や自治単位を持ったことがなかったため、「人工的に設置されたもの」と認識される傾向がある。従って、この地域は、南オセティアではなく、ツヒンヴァリ、あるいはシダカルトリ地域とジョージア側は形容する。

逆にオセット人には、古代からこの地域にオセット人の歴史的居住地域があり、それにもかかわらず、ロシア革命期においてオセット人をジョージア側が弾圧し、さらにはソ連体制下でもジョージア当局の政策によって自分たちの権利が侵害され、現在に至る問題が形成されたと認識している。特にオセット人が南北に分断され、ロシアとジョージアという異なる国に分割されたことにオセット人側は問題があるとみなす。

このように双方の認識の相異を見てみても、南オセティア問題の原点は、１９１７年の二つの革命と帝政ロシアの崩壊に見出せる。

そもそも帝政ロシア統治下でも、オセット人地域は、北はテレク州、南はティフリス県に分断されていた。これは、大コーカサス山脈という地形によって南北コーカサスが分断されている中で、その効率的な管理と行政運営、そして経済的結び付きを考えれば当然のことであった。つまり、南北のオセット人居住地域は物理的に道路等で繋がっていなかったのである（グルジア軍道は、南オセティア地域を経由せず、ヴラディカフカスとトビリシを結ぶ）。地形的な分断に重ねられたこの行政的な分断は、南北オセット人地域の置かれた状況の違いを生み出すことになった。

たとえば、北コーカサス地域では１８６０年代に土地改革が進んだが、南オセティア地域では土地の分配は行われず、これが１９１７年のロシア革命後に問題として表出したのである。帝政ロシア終焉後、１９１７年12月に南オセティア民族評議会が設立されたが、当時の争点は、オセット人の自治という民族主義的な要素よりも、むしろ階級的な要素、すなわち土地の分配をめぐる農民（多くの場合、オセット人）と地主（同ジョージア人）の対立で構成されていたのである。

さらに問題を厄介にしたのは、ジョージアではメンシェヴィキが多数派で、ボリシェヴィキが少数派であるという北コーカサス地域とは若干違った環境があったことである（加えて、北コーカサスでは当時、民族を主体とした領域的自治を掲げる独立派の北カフカース山岳民連合共和国が形成され、そこにオセット人も加わっていたが、ここで言う各民族の境界とはどこまでを含むのかという問題も表出した）。

ジョージアが１９１７年5月に民主共和国として独立し、ドイツ軍の駐留を得て領域的支配を確立すると、南のオセット人居住区はロシア領と切り離された。当初、南オセティア民族評議会の多数派メンシェヴィキは、ジョージア領内でオセット人居住区を統合する行政府の設置と広範な自治を模索していたが、少数派のボリシェヴィキや農民は、ロシアとの統合を求め、ジョージアへの武装抵抗をしていた。その後、1918年12月、ボリシェヴィキが優勢となった南オセティア民族評議会は、ジョージアで予定されていた選挙に参加せず、自ら選挙を行うとした。これに対し、ジョージアは、兵を送り評議会を解散させ、新たに選挙を行った。

1919年10月にロキ地域（現在の南北オセティアを接合する地域）で、ボリシェヴィキの支援を受けたオセット人の大規模な反乱が起き、ソヴィエト政権の樹立が宣言された。彼らは、ジョージアの派兵によってロシア領に逃れたが、その後、再び大規模な反乱を起こし、ロシアへの統合を表明した。南オセティアのボリシェヴィキ勢力は、1920年5月にレーニンに当てた書簡で「南オセティアは、ソヴィエト・ロシアの一部であり、排外主義的メンシェヴィキによるジョージア民主共和国の一部であったことはなく、そこに含まれることも望んでいない」と訴えた。しかし、まさに同月、ソヴィエト・ロシアとジョージア民主共和国は、平和条約を締結し、ロシアは南オセティア地域をジョージア領と認めたのである。

だが、それ以後もオセット人の抵抗は続いたため、ジョージアは、忠誠を誓わないオセット人を排除（強制移住）した。1920年の反乱とそれへのジョージアの対応は、多くの犠牲を出したため、オセット人の間で強く記憶されている（現在の自称「南オセティア共和国」の見解としては、1920年の出来事は、ジョージア政府によるオセット人に対するジェノサイドとして捉えられている）。こうして対立は、階級間闘争から民族間闘争としての色彩を帯びるようになった。ボリシェヴィキ政権もジョージアによるオセット人の弾圧は後に厳しく非難した。

その後も、オセット人革命勢力は、抵抗活動を行ったが、1921年2月にジョージアが赤軍に占領されると状況は変化する。1922年4月にジョージア領内に南オセティア自治州（州都・ツヒンヴァリ）が設置されたのである。こうして南オセティアは、ジョージアの自治州となった。しかし、早くも1925年3月には南北オセット人地域の統合が議論の俎上に上がるのである。南オセティア労働者・農民代議員ソヴィエト大会において南北オセティア自治州のジョージア領内における統合が求められた。他方で、この大会ではロシア領内で自治共和国になることを求める意見も出た。長い議論の末、南北のオセティア自治州ソヴィエトは、統合し、ジョージア領内に入る決議を採択した。

ここで判断は、モスクワへと移ったが、モスクワは対応に窮した。なぜならば、この問題は、単にオセット人地域の統合のみならず、北コーカサスにおける民族自治単位の境界をめぐる問題を提起しかねなかったためである。北オセティアがジョージアに統合されれば、ヴラディカフカスを共通の州都とするイングーシ人との境界をめぐる対立が表面化する。また北オセティアの西側にあるカバルダ・バルカル自治州との境界画定の問題も生じる。結局、1925年8月に北オセティアのザカフカース連邦（ジョージア共和国）への編入は困難であり、オセット人地域の統合は反対しないが、むしろそれは南オセティアのザカフカース連邦からの分離が必要だとの回答となった。

以上の回答は、ジョージア側には不満を残した。つまり、ツヒンヴァリ地域（南オセティア）を将来的にロシアに編入される恐れがあるのではないかという懸念をジョージア側に生んだのである。同時に、南オセティア側には、オセット人の南北地域を統合するためにはロシアへの編入が不可欠だとの認識を持たせる歴史的な素地にもなった。特に、オセット人側は、ロシア連邦内では後に自治共和国を形成したものの、ジョージア内部では自治州として文化的自治権しか持たず、しかもザカフカース連邦解体後は、一層ジョージアへの同化が推進されたと理解し不満を強めることとなった。

## ❷紛争発生までの経緯
## ——オセット人民族運動の加熱とガムサフルディアの急進的な政策

１９８４年、コーカサス山脈を貫通するロキ・トンネルが開通し、南北オセティアが道路で初めて繋がった。

１９８８年11月に創設されたオセット人の人民戦線は、アブハジアや北オセティアの民族集団との連携を模索し、ロシアへの統合を主張した。

だが、南オセティアに住むジョージア人にも不満はあった。たとえば１９８９年6月に掲載された南オセティアに住むジョージア人女性による新聞への投書には、南オセティアの店ではジョージア語で質問しても店員の回答は得られないと書かれており、自治州においてジョージア人は重要な役職に就けないなどと批判するものであった。これは、ペレストロイカ期に表出した当初の不満が公的空間における言語をめぐる問題であったことの一例である。

確かに、１９８９年のソ連センサスを見ると、南オセティアのオセット人の98・2%、ジョージア人の99・7%は、自らの民族言語を母語にしており、流暢に話せる第二言語としてロシア語を回答する者が最も多い事実（前者60・0%、後者27・6%）が確認できる。オセット人における流暢なジョージア語話者（母語及び第二言語）は15・2%、ジョージア人における流暢なオセット語話者（同）は、

6・7%しかいなかった。つまり両民族は、ロシア語を介さずコミュニケーションを行うことが困難で、ロシア語に不自由なオセット人とジョージア人は事実上、意思疎通ができなかったことを示している。

これは、もともと文章語として定着していたジョージア語がソ連体制下でも保護され、ジョージアにおいてはジョージア人が母語を用いて教育や就労をする機会が保証されていたこと（すなわちロシア語を流暢に話せなくても生活できたこと）、そして南オセティア自治州においてはオセット人の文化的自治が保証されており、オセット語も十分に保護されていたために生じていたことであった。他方、南オセティア自治州以外も含むジョージア全体に住むオセット人の20・5%はジョージア語を母語としており、第二言語としてジョージア語を流暢に話せる者も32・6%いた。またロシア語を母語とするオセット人が2・5%、第二言語として流暢に話すオセット人が36・5%いたことを考えると、南オセティアを除く地域では、ジョージア人とオセット人の間で言語的問題はさほど顕在化する要素がなかったのである。

南オセティアにおいて言語をめぐる問題が表出する中で、ジョージア全体でも民族運動が盛んになり、ジョージア語の使用や教育を強化する政策がとられるようになった。これは、必ずしもオセット語の権利を奪うものではなかったが、この時期にはすでにアブハジアでジョージア人とアブハズ人の衝突が発生するなど民族意識が先鋭化していた。

1989年8月、南オセティア自治州は、自治州内での公用語をオセット語に定め、さらには11月に自治権の拡大、すなわち自治共和国への格上げを要求した。もともと言語・民族的な逆差別を受けているという意識を有していたジョージア住民は、これに反発し、2万人が州都ツヒンヴァリに押し寄せ、抗議デモを行った。この過程でオセット人との間で衝突が発生、6人が死亡した。

こうしてジョージア人とオセット人の衝突が繰り返し生じたが、90年12月に南オセティア自治州ソヴィエトからソ連共産党指導部に送られた書簡では、1989〜90年にジョージア最高会議で承認された諸決定に問題があるとしている。この諸決定は、ジョージアがソヴィエト化以降に締結した全ての条約や法文書を無効とするとしていた。また、1990年10月に実施される予定の選挙を控え2カ月前に制定された選挙法では、南オセティアのオセット人政治集団の参加が制限されることがわかった。

南オセティア自治州ソヴィエトは、こうしたことから90年9月に主権共和国の設立を宣言した（ジョージア最高会議は、これを無効とした）。ジョージアでは翌10月に、元作家で人権活動家として知られていたガムサフルディアが最高会議議長に選出された。しかし、この頃にはガムサフルディアは急進的な民族主義を掲げる指導者となっており、オセット人に対しても平和的に共存できないのであればジョージアから去るべきだなどと主張した。そして、ジョージア最高会議は、選挙をボイコットした南オセティアで改めて選挙を行うとして内務省部隊を駐留させた。だが、選挙の結果、ジョージアからの分離を掲げる指導部が勝利したため、ジョージア最高会議は、南オセティア自治州の廃止を決めた。これに対して、南オセティア側は、ジョージアからの分離・ソ連への直接参加（主権共和国）を宣言した。1991年1月にガムサフルディア政権は、約5000人の民族防衛軍をツヒンヴァリに投入し、紛争が始まった。

## ❸紛争の経緯――苦悩するジョージアと南オセティアをめぐる二つの紛争

紛争過程で1991年1月までに約8000人のオセット人が、全面的な衝突へと至ってからは6万人程度、つまり、南オセティアのオセット人のほぼ総数が北オセティアへ避難したとされる。これは、北オセティアに避難民の受け入れにかかわる問題（受入施設や食糧、仕事などの問題）をもたらしただけではなく、同共和国のオセット人比率が急激に高まったことから共和国内のイングーシ人との関係にも緊張が走った。また、北オセティアの民族主義者が南オセティアに行き、戦闘に加わるという事態も見られた。

民族防衛軍を投入し、南オセティアの支配を回復したかに見えたガムサフルディアだったが、首都トビリシでの内紛もあり、次第に追い込まれていく。

一つは、彼の権力を支えていた民族防衛隊の影響力を警戒し始めたガムサフルディアが、91年8月に同部隊の再編・解体を主張したため、民族防衛隊のキトヴァニ司令官などが反旗を翻したことがあげられる。もともと、ガムサフルディアの急進的な政策には、国内にも異論があったこともあり、12月にはガムサフルディア支持派と反対派の間で大規模な暴力衝突が生じる事態にまで陥る（トビリシにおける2週間の衝突で100人が死亡したと言われている）。

トビリシの混乱に加え、北オセティアの十分に訓練された部隊との協力やロシアの支援もあり、南オセティアは、次第に戦況を有利にする。92年1月、ついにガムサフルディアが内紛で失脚したが、ジョージアの混乱は続いた。そんな中、南オセティア当局は住民投票を実施した。この結果、ジョージアからの独立とロシアとの統合が99・7％の支持を得た（投票率98・2％）。ただし、この投票は、紛争で州都も封鎖され、多くの住民も不在の中、行われたので、数字には疑問も提起されている。

92年3月に母国ジョージアに戻り、国家評議会議長に選出されたシェヴァルドナゼ元ソ連外相は、92年6月に紛争の停戦に合意した。これにより南オセティアでは、ロシア・ジョージア・オセティアの平和維持軍が共同で展開することになる。

これで避難民の帰還も進むと思われたが、さほど進まなかった。理由は、南オセティアのインフラ・住居などの破壊が進んでおり、経済も破綻し仕事がなかったこと、加えて、ジョージア・オセット両民族の敵対意識が依然として残っており、新たな衝突への警戒感があったことなどによる。また、南オセティアから北オセティアへ逃れた避難民が北オセティア当局によって、イングーシとの係争地域であるプリゴロドヌィ地区に優先的に入植させられたことも影響している。北オセティアにとって同地区は紛争で追放されたイングーシ人の住居があり受け入れが容易で、イングーシ人の帰還を防ぐ意味でも南オセティアからの避難民は有用な存在だったのである。

停戦後に残ったより大きな問題として、南オセティアの法的地位の問題があげられる。94年にジョージア、南オセティア、ロシア間の包括的合意（①ジョージアの領土的一体性の堅持、②南オセティアの広範な自治、③双方の共同の、または分離した法的権限を認める）がＯＳＣＥの仲介を受け目指されたが、双方がこれを拒否した。ただ、平和維持部隊については、97年3月のモスクワ会談で完全な解決に至るまで残すと合意に至った。

停戦後、１９９０年代を通じて、南オセティア問題は改善しなくとも、悪化しなかった。これは、

93年から南オセティアの元首を務めていたL・チビロフがジョージアとの交渉も、その先の高度な自治による解決も排除しなかったことによる。だが、2001年11月の大統領選挙を境に状況は急変する。

それまで無名だったココィトィが急進派のフガエフ元首相から、そしてロシア連邦のプーチン大統領からの支援を受けて大統領に選出される（決選投票にて53・5％獲得。チビロフは第1回投票にて落選）。ココィトィは、急速にロシアに接近し、同じくジョージア内の分離主義地域であるアブハジアと連携し、ジョージアと激しく対立し始める。プーチン政権も南オセティア市民へのパスポートの支給、同地への予算や軍事支援を加速させた。ロシアの政策の背景には第二次チェチェン紛争の存在があった。プーチン政権は、当時チェチェンでの軍事活動を展開していたが、ジョージア政府はロシアの求める独立派代表部の閉鎖に応じず、ジョージア北部のパンキシ渓谷に流入するチェチェン難民を受け入れた。ロシアは、パンキシはテロリストの拠点になっているとジョージア政府を激しく批判していたのである（第5章で言及する）。この延長線上で南オセティアへの政策も変化していった。

これに対してジョージアでは、2004年にアジャリア自治共和国（ムスリム系ジョージア人が多数派を占め、1990年代に中央政府の統制を離れた地域）の支配を回復することに成功し、自信を強めたサーカシュヴィリ政権も対抗的な措置を重ねた。また2008年4月にはサーカシュヴィリ政権がかねてから掲げていたNATO加盟について、時期は未定なるも、加盟国からの合意が得られた。2004年のサーカシュヴィリ政権誕生後、ジョージアはアメリカとの軍事協力等を加速させていたが、NATO加盟方針に対してはプーチン政権が強く反発した。プーチン政権の反発の背景には、冷戦終結後、NATOが東方拡大を繰り返し、ロシアに軍事的脅威を与えてきたという認識がロシア側

**表33：南オセティア関連年表**

| 年／月 | 出来事 |
| --- | --- |
| 1917/12 | 南オセティア民族評議会設立 |
| 1918/5 | ザカフカース民主連邦解体、ジョージア民主共和国独立 |
| 12 | 南オセティア民族評議会選挙（ボリシェヴィキが多数派に） |
| 1919/10 | ロキ地域で大規模なオセット人の反乱（翌年4月にも） |
| 1920/5 | ジョージアとロシアが平和条約を締結 |
| 1921/2 | ジョージアが赤軍に進軍され、ソヴィエト政権が樹立 |
| 1922/4 | ジョージア領内に南オセティア自治州の設置 |
| 12 | ザカフカース社会主義連邦形成 |
| 1925/7 | 南北のオセティア自治州ソヴィエトがオセット人地域の統合とジョージア領内での自治的単位設置を提起 |
| 1936/12 | ザカフカース社会主義連邦解体 |
| 1988/11 | 南オセティア人民戦線の結成（L. チビロフ代表） |
| 1989/11 | 南オセティア自治州ソヴィエト、自治共和国への格上げを要求 |
| 1990/9 | 南オセティア自治州ソヴィエトが主権南オセティア民主共和国を宣言 |
| 10 | ジョージア最高会議選挙でガムサフルディアが議長に |
| 12 | 南オセティア選挙で分離派指導部（チビロフ等）が勝利<br>ジョージアが南オセティア自治州の廃止を決定 |
| 1991/1 | 南オセティア紛争発生 |
| 4 | ジョージア共和国の独立宣言 |
| 12 | トビリシでガムサフルディアと反対派の内紛、ソ連解体 |
| 1992/1 | ガムサフルディアの失脚、南オセティアで住民投票（ジョージアからの独立、ロシアとの統合が信任される） |
| 3 | シェヴァルドナゼがジョージア国会評議会議長に就任 |
| 6 | 南オセティア紛争の停戦 |
| 2001/12 | 南オセティア大統領にココイトィが就任 |
| 2004/1 | サーカシュヴィリがジョージア大統領に就任 |
| 2008/8 | ロシア・ジョージア戦争（第二次南オセティア紛争）発生 |

出典：筆者作成

にあること、そしてジョージアを含む南コーカサス（旧ソ連圏）は自国の安全保障上極めて重要な地域（「勢力圏」や「影響圏」と形容される）だとロシアがかねてより認識してきたことがある。これは、ロシアが南コーカサス地域の紛争に関与し、管理・制御しようとする動機にもなっている。

こうして２００８年８月までには、ジョージアと分離主義地域（南オセティア、アブハジア）、ロシアを取り巻く環境は極めて緊迫化していた。双方ともに相手側が国境沿いに軍員を増強しており、挑発行為を行なっていると批判し、軍事衝突に備えた軍事演習も行なっていた。こうした中で８月初旬、南オセティア地域をめぐって小競り合いが生じ、小規模な衝突が頻発した。ジョージア側は、南オセティア側から集中的な砲撃を受けたとして、８月８日に大規模な攻撃を開始する。

紛争は、即座にジョージアとロシアによる戦争へと拡大し、ロシア軍は南オセティアだけでなく、アブハジアでも作戦を展開した。ジョージアは、アブハジアや南オセティアの支配地域を失うのみならず、さらなる進軍を許した。また首都トビリシ周辺まで空爆される事態となった。８月12日、ＥＵ（理事会議長フランスのサルコジ大統領）の仲介を受け、ロシアとジョージアは停戦に合意した。戦争は、多数の文民と軍人の死傷者、大量の避難民を出した。ロシアは、８月22日に南オセティアとアブハジアの独立を承認し、ジョージアと断交する。

その後の南オセティアではココイトィ大統領が国内での統制を強め、政府高官による汚職も蔓延したため人々の反発が強まる。これを受けて、ロシアも２０１１年11月の大統領選挙では彼の立候補を支持せず、ビビロフ非常事態相を支持した（ココイトィ与党の統一候補）。決選投票の開票途中では、ロシアが南オセティアとの合意を履行していないと批判したジオエヴァ元教育相（得票51・4％）が優勢だったが、ココイトィの管理下にある最高裁が元教育相陣営の不正を認定、最終開票結果の公表を禁じ、選挙を無効とした。中央選管は、最高裁の判断を無視し、ジオエヴァの勝利を明らかにするが、ココイトィは任期満了を前にして、自ら辞任することで首相を暫定大統領に任命した。ジオエヴァは大統領就任と国家評議会開設を主張するも、治安部隊に拘束され、やり直し選挙への参加を認められなかった。

やり直し選挙は2012年3月に行われ、KGB出身で無所属のR・ティビロフ（2006年選挙にも立候補）が勝利した。彼は、ジオエヴァ元教育相を副首相に任命し、政治的対立の解消に努めた。また、2017年4月に共和国名を「北オセティア・アラニア共和国」とする国民投票を実施、ロシアとの同盟・統合条約にも調印した。

しかし、2017年の選挙では、ティビロフ大統領は、立候補を模索し断念したココイトィの支援を受けたビビロフ元非常事態相に敗北した。この結果を受けてココイトィが再び復権するのではと噂されたが、ビビロフが当選後にココイトィとの連携はないと否定した。これにココイトィ側は強く反発し、ビビロフ政権への激しい批判を加えている。他方、ビビロフ側も2014年に与党「統一」から離脱し、「統一オセティア党」を設立、今や議会で与党を確保、政治基盤を有している。このように南オセティアは、依然としてココイトィ時代に生じた政治的分断を課題として抱えている。

## [3] アブハジア紛争（1992年8月～94年4月）

アブハジア紛争とは、アブハズ人を中心とするアブハジア自治共和国が分離要求を掲げ、ジョージア中央政府との間で生じた紛争である。当初、アブハジアの要求は、ロシアへの帰属変更も含むものだったが、紛争に至る過程で分離独立（すなわち、名目的にはいずれの国の一部になるつもりはない）が主張されることとなった。この問題が形成された経緯をソ連形成期から概説したい。

### ❶紛争の起源
### ——主権共和国から自治共和国へ？ 連邦制におけるアブハズ人の苦悩

2月革命を受けて北コーカサス地域では、1917年5月には北カフカース・ダゲスタン山岳民連合が創設されるが、アブハジアは現在の南コーカサス地域で唯一、この連合に参加した。同連合は、既述のように激動する情勢の中で明確な領域的統治を敷くことはできていなかったが、アブハズ人自身による民族運動も10月革命を受けて、民族大会の開催や民族評議会の開催、そして憲法制定へと突き進むこととなる。

アブハジア民族評議会憲法では、アブハズ人の民族文化、経済的利益、政治的権利の保護を主要な課題と謳い、まず北コーカサスの山岳民との連携を唱えるもので、ジョージアとの関係には触れられていなかった。

しかし、ジョージアのメンシェヴィキによる働きかけもあり、1918年2月には、アブハジア民族評議会とジョージア民族評議会の間で相互関係に関する合意が締結される。

ここでは、いわばアブハジアとジョージアの境界（スフーミ管区が不可分のアブハジアであること）について確認し、アブハジアにおける将来の統一的政治機構は民主的に召集された議会において民族自決の原則によって決められるべきであるとしたあいまいな合意を形成した。従って、ジョージア側が述べるようにアブハジアがジョージアの一部になるとの合意があった、あるいはアブハジア側が述べるようにアブハジアの主権が明確に承認されたとも言い難いものであった。

それでもアブハジアとジョージアの関係において均衡が維持されたのは、ロシア革命の混乱期にコーカサスに介入していたトルコの影響が大きかった。1918年5月にバトゥーミで開催された平和会議には、ドイツ、トルコ、ザカフカース民主連邦、北カフカース・ダゲスタン山岳民連合が参加していた。この会議の冒頭、トルコの支援を受けた山岳民連合は、北カフカース山岳民共和国としてロシアからの分離独立を主張した。当然、アブハジアはこの共和国の一部として名目的には独立したことになる。そしてジョージアもトルコとの交渉の破談から民主共和国として単独での独立に舵を切る。

この決定は、アブハジアとジョージア間に大きな緊張を生んだ。ジョージアはドイツ軍の支援を受けて、その領域的支配を確保していくが、この過程で1918年6月にアブハジアへ進軍する。もともと第2回アブハジア民族評議会代議員の一部にはジョージアとの政治的統合を主張する勢力がいたが、これに反対する者は投獄・拘束された中でジョージア部隊の駐留は正当化され、1919年2月にアブハジアはジョージアの領域であるとの合意に至る。このようなジョージア側の行動の背景には、アブハジアのもともとの居住民族をめぐる歴史論争があり、同地が古来ジョージア人の居住地である

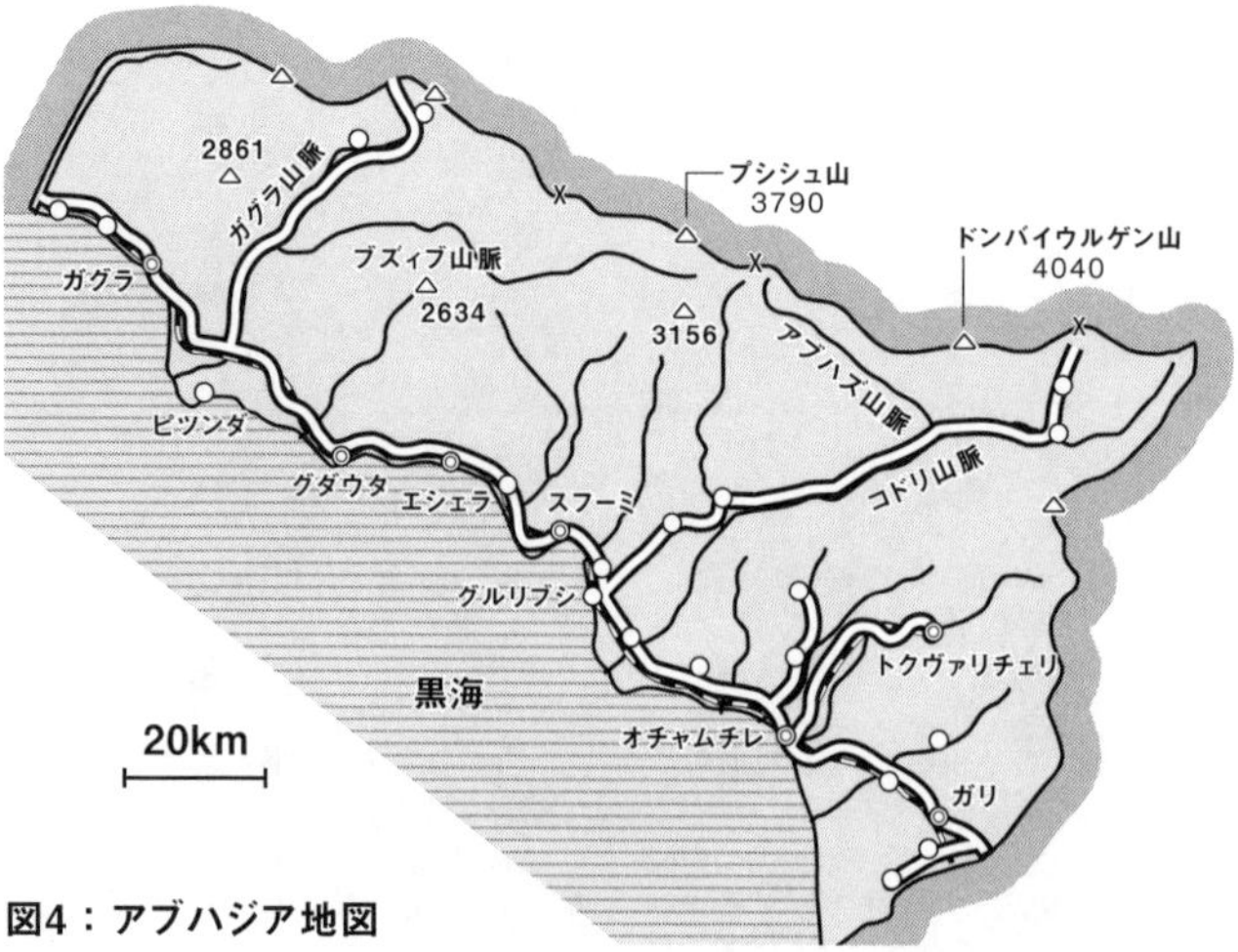


図4：アブハジア地図

という認識があったためだと主張されることもある。

だが、わずかな間、独立を維持したジョージアも1921年2月には赤軍に制圧され、ソヴィエト政権が成立する。その翌月には、アブハジアでもソヴィエト政権が創設される。この際に創設されたのは、アブハジア社会主義ソヴィエト共和国というアブハジア単体での国家単位であった。その背景としてアブハジアにおけるソヴィエト政権樹立は、北コーカサスのソヴィエト勢力の闘争の結果であり、ジョージア側のソヴィエト勢力の動きと必ずしも連動していたわけではなかったことが関係しているとされる。いずれにしてもジョージアの革命委員会も5月に「独立したアブハジア社会主義共和国」を承認する。

アブハジアは、その後、独立した国家単位として1921年12月にジョージアと同盟的関係を構築した。ここでは、両共和国が軍事・政治・金融経済的同盟を形成し、両政府による各種委員会を設置すること、そしてすでに形成が予定されていたザカフカース社会主義連邦にはジョージアを経由してアブハジアが参加することに同意した。

１９２２年5月に同連邦は形成され、同年12月にソ連邦に参加した。だが、１９３１年にアブハジアはジョージアの自治共和国となる。この「格下げ」に関しては、アブハジアを支配していたラコバによるソ連中央を無視した政策や統治、あるいは集団農業化への反発や停滞、またはベリヤとの確執やスターリンによるラコバへの不信など、様々なことが言われている。

ジョージアの自治共和国に「格下げ」されれば、「ラコバ王国」とも形容され、ソ連中央から逸脱していたアブハジア独自の政策は継続困難になる。実際に31年にアブハジアはジョージアの自治共和国となり、１９３６年にラコバが毒殺されると、ジョージア共産党を支配したベリヤによってアブハジアの「ジョージア化」が進められた。

ベリヤは、ラコバの政敵でラコバ殺害への関与が疑われた人物であったが、非アブハズ系住民のジョージアからの大量入植、アブハズ文化人や指導者の粛清、アブハズ人学校の閉鎖、アブハズ語や文学の出版禁止などを実施した。またジョージア語・文化、ジョージア正教の普及も行われ、アブハジア側は強く反発した。スターリンの時代が終わり、多くの禁止事項は取り払われたが、アブハズ語話者の高等教育は１９７９年まで閉ざされていた。

ソヴィエト政権下で誕生した直後、少なくとも名称上、共和国とされていたアブハジアは、その後、ジョージアの自治共和国となり、さらに「ジョージア化」政策を受け、自治をめぐる問題を顕在化させていった。このようにしてアブハズ人側の不満が蓄積されていった。

他方で、アブハジアは確かに当初ジョージアとは分離された共和国として設立されたが、１９２４

年のソ連憲法を見ると、中央執行委員会民族会議に選出される議員数は、連邦構成共和国や自治共和国の5人ではなく、ロシアの自治州と同様に1人しか割り当てられていなかった。これはアジャリア自治共和国や南オセティア自治州も一律1人であったが、このことからジョージア側は、そもそもアブハジアは名実ともに当時、ジョージアと同等の共和国と評価されていたわけではなかったとしている。

## ❷紛争発生までの経緯
## ――妥当な要求か？過度な要求か？アブハズ人の民族運動の加熱

アブハジアのインテリは、ジョージアからの分離とロシアへの統合を1957年以降たびたび要求していたが、1978年には連邦構成共和国への「復帰」（＝格上げ）要求も含み、運動は大規模になった。

これは、ジョージアとアブハジアの憲法改訂に際し、ジョージアでは国語としてのジョージア語の保護、アブハジアではジョージアからの分離権を含む政治・文化的権利を求め、民族運動が加熱したことによる。後者をめぐっては衝突も生じ、結局、トビリシは妥協し、アブハジアでの社会経済発展事業の実施、新たなアブハジア国立大学の創設、アブハズ語放送局の開設、アブハズ人の登用割り当てなど宥和政策に取り組んだ（ただし、ジョージア語の国語規定も保全した）。

このような宥和政策にもかかわらず、80年代後半にもアブハジアでは数万人規模の集会やデモ、アブハズ人共産党員らの請願など運動は継続した。いずれも、アブハジアのジョージアからの分離（さらには共和国への格上げ）を求めるものであったが、特に1989年3月に行われたデモは3万人が参加するなど大規模になった。ここでも1931年までに存在したアブハジア共和国の復活をソ連指導部に請願した。こうした要求やソ連当局の対応にジョージア側は反発し、首都トビリシで翌月に「ジョージアの独立回復」と「ソ連邦からの脱退」を掲げるデモが行われた。

実は1978年以降に、アブハジアの自治はある程度実現され、結果として同地の政治・経済は、人口の17・8％を占めるアブハズ人の強い影響下に置かれ、ジョージア政府からの統制をさほど受けなくなっていた。アブハジア自治共和国のアブハズ人閣僚の割合も、90年には67％に達していた。これは、アブハズ人閣僚の枠を増やすよう求める要求に、ジョージアが応じた結果であった。

ジョージア人からすれば、ジョージアは、アブハズ人の要求に応えているにもかかわらず、彼らが過剰な要求をし、人口の45・7％を占めるジョージア人の意向を無視しているように映った。他方で、アブハズ人側からすれば、ジョージア統治下において自治共和国のアブハズ人の割合が減少していることや経済状況に不満があった。ただ人口減少には論争もあり、帝政期からソ連中期（1960年頃）に注目すれば、アブハズ人の全人口に占める割合は減少しているが、それ以後は増加に転じているという事実もある。

いずれにしても、こうした状況でジョージア人は、アブハズ人が掲げる要求を黙認するソ連や共産党指導部への反発を強めた。

このようにしてトビリシで行われたデモに対し、統制を失うことを恐れたジョージアの共産党指導部は、ソ連共産党中央委員会に部隊の派遣を要請した。ソ連指導部は、軍や内務省部隊をトビリシに進軍させ、無抵抗の市民を殺傷した（トビリシ事件）。これにより女性16名を含む19人が死亡（デモ側の情報では計50名が死亡）、そして数百人が負傷した。この事件では、戦車や毒ガス、鋭利な軍用シャベルまで使われ、多くの犠牲が出た。これで、ジョージアにおいてソ連共産党の権威は失墜した。

こうした中で7月に、アブハズ人とジョージア人の衝突がアブハジアの首都スフーミで起きた。事件は、スフーミ大学（アブハジア国立大学）のジョージア語で教育を行う学部を分離させ、トビリシ大学（ジョージア国立大学）の分校にしようとするジョージア当局に対し、アブハズ人側が激しく反発する中で発生した。衝突は、ソ連内務省部隊3000人が派遣され終息したが、当局データでは14名が死亡（9人がジョージア系民族で、5人がアブハズ人）、数百名が負傷した（スフーミ事件）。

1990年8月にアブハジア最高会議は、アブハジア自治共和国の主権を宣言するが、最高会議ではアブハズ人・ジョージア人議員の双方がこの宣言をめぐり対立した（ジョージア最高会議は、この議決を無効とした）。12月には、アブハジア最高会議議長にアルズィンバ（アブハズ人）が選出される。91年1月にソ連最高会議は、ソ連の新連邦条約に関する住民投票を3月に実施すると決定した。しかし、ジョージア最高会議は、この住民投票をボイコットし、逆に2月にジョージアの独立回復（1918年のジョージア民主共和国としての独立の復活）を問う投票を行うとした。一方で、アブハジア最高会議は、ジョージア側のではなく、ソ連側の住民投票に参加すると決定した。

2月にジョージアで行われた住民投票では98・9％がジョージアの独立回復を支持した（投票率は諸説あるが、当時の発表では89・3％）。当然、アブハジアは、この住民投票をボイコットし、3月にソ連の新連邦条約に関する住民投票を実施した。圧倒的多数がソ連の存続を支持し（98・6％、投票率は52・3％）、これは独立を信任したジョージアとの分離をも意味した。4月にジョージアは住民投票の結果に基づき独立を宣言し、アブハジアとの対立も避けがたいものになっていた。

しかし、当時ジョージアはすでに南オセティアとの紛争を開始しており、ガムサフルディア政権もアブハジアとの紛争を避けようとした。そこでジョージアとアブハジア当局は、1991年8月に、翌月に控えたアブハジア最高会議選挙の民族別議席配分について合意した。この配分（総議席65）は、アブハズ人が28、ジョージア人が26、それ以外の民族（アルメニア人、ロシア人など）が11議席とされた。当時の人口と比して、アブハズ人には有利な、ロシア人などには不利な議席配分となっている。憲法事項に関する決定は3分の2の同意が必要で、アブハズ人はもちろん、ロシア人などの協力が得られても、ジョージア人議員全員がこれに反対すれば可決はできない。この議席配分に基づき、9月に選挙が行われたが、新議会でもアルズィンバが議長に就いた（副議長はジョージア人とロシア人）。

1992年1月に急進的なナショナリストの大統領であったガムサフルディアはクーデタでジョージアを追われたが、その翌月にも民主共和国時代の憲法（アブハジアは自治権を有するとされていたが、詳細が決まる前に民主共和国が消滅）が復活されるなど、ジョージアの民族主義的な政策は維持されていた。これに反発したアブハジア側でも7月には議会の3分の2の同意を得ないまま、アブハジアを主権国家とする1925年憲法の復活を採択した。

ジョージアでは、南オセティア紛争（91年1月以降）やガムサフルディアの失脚に伴う内乱（92年1月以降）など混乱が続いており、アブハジアとの紛争を避けようとする動きもあったが、シェヴァルドナゼ新政権（92年3月誕生）へのガムサフルディア支持派の圧力も強まっていた。シェヴァルドナゼもまだ政権基盤が弱く、実質的にはキトヴァニなどの軍事指導者との共同指導体制であったため、明確な政策を打ち出せなかった。アブハジアとの境界付近のジョージア西部では、ガムサフルディア支持派が一部地域を実効支配し、政府職員への妨害、攻撃などが行われた。政権は、当初話し合いを模索して、副首相等を派遣したが、ガムサフルディア支持派はこれを拘束し、アブハジアに潜伏した(92年7月)。

実態は不明だが、ガムサフルディア支持派はシェヴァルドナゼ政権にアブハジアへの介入を求めたと言われている。また南オセティア紛争が不利な展開から和平段階に入ったことにより、小さな勝利を求める軍部の動向もあり、シェヴェルドナゼは民族防衛隊のキトヴァニ司令官を制御することができなかった。ガムサフルディア勢力がシェヴァルドナゼ政権の弱体化を目論み行動をとったのか、それとも前者に責任を転嫁するため、前者の行動を後者が黙認したのか、あるいは、両者の利益(ジョージアの領土的一体性の保全)が一致してとられた行動なのかは不明だが、キトヴァニ民族防衛隊司令官は、数千人の部隊と共にガムサフルディア勢力に拉致された閣僚を救出する名目でアブハジアへ進軍する。

## ❸紛争の経緯――外部の支援を受けたアブハジアの紛争とその後の「独立状態」

1992年8月に約5000人の民族防衛軍をアブハジアの首都スフーミへ、約1000人の部隊をアブハジア・ロシア国境に派遣したジョージアは、当初、武力紛争を優位に進めた。もともとアブハジアの軍事勢力は、1000人未満と言われ、装備も貧弱であったので、ジョージアが勝利するのは時間の問題だと思われた。実際に、アブハジアの首都スフーミは数日で陥落した。

だが、ジョージアは、すぐに窮地に陥った。一つは、ペレストロイカ期に創設された北コーカサスの地域機構「コーカサス山岳民連合」（ロシア革命期の山岳民連合共和国を模倣し、コーカサス諸民族の連携を主張）が、アブハジアへの支援を強化し、義勇兵を派遣するようになったためである（その中には、後にチェチェンの著名な野戦司令官となるバサーエフの姿もあった）。これによって戦線では、ジョージアとアブハジア、北コーカサス諸民族が戦う状況が生じた（なお、同連合には南北オセティアも加盟している）。当時はまだコーカサス諸民族の連携に対する期待が高まっており、「山岳民連合」も一定の政治的影響力を有していたため、このようなことが可能になった（しかし、第一次チェチェン紛争が始まる前まではロシアからの圧力、あるいは北コーカサスの民族運動の熱気が冷めたこともあり、「山岳民連合」は政治的影響力を失った）。以上に加えて、ロシアが軍をアブハジアに駐留させ、支援を開始したことも大きかった。

1993年7月にジョージアは、ロシアとの仲介によってアブハジアと停戦合意をしたはずだったが、アブハジア側がスフーミを急襲・奪還する。アブハジア側の攻勢は9月まで続いたが、これによってアブハジアに居住していたジョージア人が避難民となり大量に流出した。そして9月末までには、ジョージアの部隊はアブハジアからジョージア領内に後退せざる得なくなった。

こうして紛争に事実上、敗北したジョージアは、停戦でもロシアの仲介に依存せざる得なくなり、10月にCIS（独立国家共同体）に加盟、さらに翌94年1月にCIS集団安全保障条約に参加、2月にはロシアと友好互恵条約の締結に至る。このようなロシアへの接近を重ねることで、シェヴァルドナゼ政権は、ロシアによる仲介を得て、アブハジアとの停戦合意に至る（1994年4月）。

紛争の結果、ジョージアはロシアへの警戒感を強め、アブハジアでの平和維持活動への国連やOSCEの関与を強く求めた。当初、アブハジアでは、実際にはロシア軍のみで構成されたCIS平和維持部隊（約3000人）が展開していたが、こうして国連ジョージア監視団（200人強、2009年で活動を終了）が彼らの活動を監視するようになった。

アブハジアは、1994年の合意で憲法・国旗などを持つことが認められ、さながら独立国となり、以後もロシアと協力し、資源開発などに取組み、南オセティアや沿ドニエストルなどの未承認国家との連携も強めた。そして、2008年のロシア・ジョージア戦争後、南オセティアと同様にロシア、ベネズエラ、ニカラグア、ナウルに国家承認される。

アブハジアは、ココイトィ就任後、治安関係者やロシア人が主要ポストを支配してきた南オセティアと異なり、いくぶん民主的な政治体制に見える。その証拠として2004年と2009年の大統領選挙が挙げられる。

前者は、アブハジアを13年率いたアルズィンバの後継を決める選挙で、元閣僚5名が立候補した。このうち現職の後継指名を受けたハッジンバ元首相と有力な野党連合の統一候補・バガプシュ元首相がアブハジアを分断するほど激しく競った。選挙の結果は、バガプシュが50％の得票、ハッジンバが36％（投票率62・9％）となり、最高裁は前者を新大統領とした。だが、アルズィンバはこれを不法

**表34：アブハジア関連年表**

| 年／月 | 出来事 |
|---|---|
| 1918/5 | アブハジアが北カフカース山岳民連合共和国の一部として独立、ジョージア民主共和国がザカフカース民主連邦から独立（6月にジョージアがアブハジアに進軍） |
| 1921/2 | ジョージアでソヴィエト社会主義共和国樹立 |
| 3 | アブハジアでソヴィエト社会主義共和国樹立 |
| 12 | アブハジアとジョージアが同盟を形成 |
| 1931/2 | アブハジアがジョージア内の自治共和国となる |
| 1957/4 | アブハジアの知識人がジョージアからの分離、ロシアへの統合を請願（その後67、78、81年にも同様の請願） |
| 1977～78 | ソ連憲法改訂（77年）、ジョージア（アブハジア）憲法改訂（78年） |
| 1988/6 | アブハズ人共産党員らがモスクワに書簡を送る |
| 1989/3 | アブハジアでジョージアからの分離を求める大規模デモ |
| 4 | ジョージアで大規模デモ→トビリシ事件(武力による弾圧) |
| 7 | スフーミ事件（アブハズ人とジョージア人の衝突） |
| 1990/8 | アブハジア最高会議がアブハジアの主権を宣言 |
| 12 | アブハジア最高会議議長にアルズィンバが選出される |
| 1991/2 | ジョージアで独立を問う住民投票実施（4月に独立宣言） |
| 3 | アブハジアでソ連の新連邦条約が住民投票で信任 |
| 1991/8 | アブハジア最高会議の民族別議席配分について合意 |
| 9 | アブハジア最高会議選挙（アルズィンバが議長に再選） |
| 12 | ソ連解体 |
| 1992/2 | ジョージアが民主共和国時代の憲法を復活させる |
| 7 | アブハジア最高会議が1925年憲法の復活を採択 |
| 8 | アブハジア紛争発生（→94年4月停戦） |
| 2008/8 | ロシア・ジョージア戦争（ロシアを含む一部の国からアブハジアの独立が承認される） |

出典：筆者作成

とし、バガプシュを「ジョージアの手先」と激しく批判した。反発したバガプシュ支持者が1万人規模のデモを行うと、衝突に発展、負傷者も出た。両陣営は、武力衝突の危機が高まるにつれて話合いを行い、ハッジンバを副大統領とすることに合意する。当初、ロシアもハッジンバ支持の姿勢だったが、アブハジアの分裂に危機感を持ち、バガプシュとハッジンバのタンデム体制の支援に動いて内紛は収束する。

２００９年の選挙は、大きな混乱はなく、5名が立候補し、行政改革や年金・保険、医療、教育、報道の自由、汚職撲滅などの論戦が交わされた。選挙の結果、バガプシュが61・2%を得票し再選された（投票率73・5%）。だが、バガプシュは、２０１１年5月にモスクワでの肺腫瘍手術の後に合併症で死亡した（心筋梗塞、享年62歳）。これを受けて副大統領であったアンクヴァプが暫定大統領に就任した。アンクヴァプは、アブハジア内相や副首相、副大統領を歴任した人物で、同年8月の選挙ではハッジンバ元副大統領（２００９年まで）、シャムバ元首相（２０１１年まで）と大統領選挙を闘った。選挙の結果（投票率71・９%）、54・９%を得票したアンクヴァプが勝利したが、２０１４年までにアンクヴァプ政権に対する反対運動が強まった。

ハッジンバ元副大統領を中心とする野党集団は、アブハジア経済の停滞、ロシアの経済援助の非効率な使用と不正・汚職、さらに東部アブハジアにおいてジョージア人に旅券の不正支給があることなどを理由として、アンクヴァプ政権を批判、内閣・検事総長、東部3州の知事解任を求めた。さらに憲法改正により大統領権限の縮小などを求めていたが、２０１４年6月に大統領府などの主要施設を占拠する事態に発展した。これはジョージアにおける「カラー革命」等と同じ構図で、アンクヴァプは大統領府から退避したものの辞任を拒否した。野党連合は国家評議会なる議会を創設し、アンクヴァプ大統領の権力を停止させ、8月に大統領選挙の実施を決定した。

アンクヴァプ大統領は、これは不法なクーデタであると批判したが、結局ロシア側が事態の早期収拾のためにアンクヴァプ辞任で調整した（ロシアは、アブハジアへの経済社会支援を継続する旨の声明を発出）。8月の大統領選挙では、ハッジンバが50・57％の得票を得て初めて大統領に就任した（投票率70％）。ただ、2014年のアブハジアにおける政治対立が示したのは、単に自由で競争的な選挙が行われているということではなく、むしろ混乱を生み出すような政治的分断が大きくなっており、これを政治的対話で解決することが困難になっているということである。

そして、このような混乱は、2019年にも再度、表出することになる。2019年8月の大統領選挙では、9名の候補者が立候補したが、上位3名に投票は集中し、各20％程度の得票率を得た（投票率66・55％）。決選投票に向かったのは現職のハッジンバ大統領と野党候補のクヴィッツィニアだったが、2位と3位の得票差は0・36％（1位と3位も2・25％）に過ぎなかった。決選投票では、ハッジンバが勝利をしたが、得票率は47・39％でクヴィッツィニアとの得票差は1・22％、しかも大統領選挙法の定める過半数の得票率を得ていなかった。このため、クヴィッツィニア陣営は最高裁判所に提訴し、暴動や衝突の後、2020年3月に選挙のやり直しが決定した。ハッジンバは議会の要請に従い、大統領を辞任し、今後、大統領選挙に立候補しないことを誓った。やり直し選挙では、ハッジンバを批判する運動に積極的に参加していた元国家安全保障局局長でKGB勤務経験もあるブジャニア少将が第1回投票で過半数を獲得し当選した（投票率71・56％）。

以上のような大統領選挙における激しい対立は、一方で多様な候補者が立候補し、様々な主義主張を戦わせ選挙戦が白熱しているのだから、民主主義の表れだと評価ができるかもしれない。しかし、政治対立があまりにも加熱し、人々の間に分断が生じている以上、これは分離主義地域において住民の一体感や政治的団結を維持することが次第に困難になっていることの表れのようにも思われる。つまり、大統領選挙は、アブハジアの国内政治の先行きの不透明さを示していると言えよう。

# 第4章――コーカサスの紛争の比較理解――共通点と相違点

## [1]コーカサスの紛争の比較理解

コーカサスの紛争を概説してきたが、一読で理解するのは困難だと思う。そこでここでは各紛争を**表35**にまとめ、比較を行うことで読者の理解に役立てたい。まず紛争の争点から見ていく。

### ❶紛争の起源・争点・経緯の比較

通常、紛争研究では、紛争の争点によって「政府をめぐる紛争」と「領域をめぐる紛争」に大別する。前者は、一定領域内の「政治的権威」の担い手をめぐる対立である。たとえば、政府と反乱勢力の間でどちらが国家を運営する正統な行為主体か争うことを指す。軍事クーデタによる政権転覆やその後の紛争などはこちらに属する。

それに対して後者は、そもそも一定領域が誰、もしくはどこに帰属し、いかなる法的地位を有するべきなのかという「領域的地位」をめぐる対立である。たとえば、ある領域がA国、B国のどちらに帰属するのか、あるいは中央政府から分離主義地域が独立を主張して争うことを指す。

南北コーカサス地域の紛争は、このような分類で言う場合、いずれも「領域をめぐる紛争」に分類できる。

ただし、注意するべきことは、「領域をめぐる対立」は、「政府をめぐる対立」を併発しやすいということである。ある地域の領域的帰属、あるいは法的地位の変更を求める集団がいれば、当然、変更を好まない集団も当該領域内部にいる。少数派は、対立や紛争の過程で当該領域から追い出されるが、その結果、実際に当該領域の政権を担っている集団に対して、「彼らは民意を必ずしも代表していない」と政権の正統性を問題にするケースも少なくないのである。たとえば、アブハジア政府は当該領域を実効支配しているが、ジョージア内にいるアブハジア亡命政権は、アブハジアの正統な政治的権威は自らに属すと主張している。

さて、紛争の起源を歴史上どの時点に見るか、は議論を呼ぶ問題である。各紛争とも、その領域にもともと多く住んでいたのはどちらの民族かという歴史論争を抱えていたり、あるいは、チェチェンのように「侵略と抵抗」の長い歴史に言及されたりすることを述べた。これは、紛争当事者が決して分割（共有）することのできない価値（争点）をめぐって武力紛争が展開されていることからすれば、当然である。つまり、極論を言えば、自らの陣営の主張を正当化できる歴史的事実を求めて双方が際限なく遡っているのだから、紛争の歴史的起源も際限なく遡ることができるのである。しかし、本書では、このような立場を取らず、あくまでもロシア革命とソ連形成期から紛争の起源を説明した。

それは、南北コーカサス地域においては、ロシア革命期に初めて、民族自決に基づく近代的領域主

**表35：南北コーカサスの紛争の比較**

| 紛争名 | イングーシ・北オセティア | チェチェン | ナゴルノ・カラバフ*1 | 南オセティア | アブハジア |
|---|---|---|---|---|---|
| 歴史的起源 | スターリン時代の強制移住と領土分割 | 帝露期、ソ連期に独立運動、強制移住と共和国廃止 | 独立期からソ連形成期にかけてのカラバフの帰属問題 | ロシア革命期の蜂起とジョージアによる弾圧 | ロシア革命期の独立とソ連形成時の同盟関係の黙殺 |
| 係争地の①法的地位②所属先 | ①地区 ②ロシア連邦北オセティア共和国 | ①(自治)共和国 ②ロシア連邦 | ①自治州 ②アゼルバイジャン共和国 | ①自治州 ②ジョージア共和国 | ①自治共和国 ②ジョージア共和国 |
| 争点 | 特定領土の帰属 | 分離独立 | 特定領土の帰属 | 帰属(分離独立) | 分離独立(帰属) |
| 紛争期間(開戦〜停戦or終戦) | 1992/10/30〜11/5 | (1)1994/12〜96/8 (2)1999/9〜2002/4 (2009/4)*2 | 内戦 1989/1〜 戦争 1992/1〜94/5 | (1)1991/1〜92/7 (2)2008/8/7〜16 | 1992/8〜94/4*3 |
| 主戦場 | プリゴロドヌィ | (1)チェチェン (2)〃+周辺地域 | ナゴルノ・カラバフ(両国各地で衝突) | 南オセティア | アブハジア |
| 仲介・介入 | ロシア(平和維持部隊) | (1)OSCE (2)なし(米、トルコ) | ソ連指導部→ロシア政府+CSCE→OSCE | (1)ロシア、OSCE (2)OSCE、EU | CIS(ロシア)、国連(OSCE) |
| 避難民の数 | 北オセティア:500人、イングーシ:4-6万人 | (1)30〜40万人 (2)20〜40万人 | アルメニア:約35万人、アゼルバイジャン:60〜80万人 | (1)南オセティア3〜5万、ジョージア:1〜3万、(2)合計:13万 | アブハジア:不明 ジョージア:20〜25万人 |
| 紛争死者数(一般市民) | 1,000(1,000)人 | (1) 3.5〜12(3〜11)万人、(2) 2〜8(1.5〜7)万人 | 24,000〜(20,000〜)人(カラバフ周辺:1989〜94年) | (1)1,100(900)人 (2)1,000〜?(600〜)人 | 12,000(7,200)人 |
| 紛争の結果 | 紛争前と同じ | (1)独立棚上げ (2)ロシアが支配回復 | アルメニアの実効支配 | 南オセティアの実効支配(ロシアが支援) | アブハジアの実効支配(ロシアが支援) |

出典：筆者作成
〔付記〕チェチェンと南オセティアの(1)は第一次紛争、(2)は第二次紛争を指す。
*1:カラバフは2020年以前の状態。
*2:第二次チェチェン紛争の終戦は、2002年が紛争の軍事的段階の終了、2009年が「対テロ態勢」の解除。
*3:アブハジアでは南オセティアを主戦場としたロシアとジョージアの戦争時(第二次南オセティア紛争時)、ロシア軍が作戦を展開したが、ここでは割愛する。

権国家形成の試みが行われたからである。この時期には、当然、領域の画定や多数派と少数派の関係をめぐって、それぞれの民族、あるいは国家が相互に相容れない主張を展開することで、様々な対立、紛争が発生した。ソ連体制下では、そうした対立を直近の歴史として抱えながらも、同じく民族自決を基盤とした領域的自治単位が形成され、共存が図られた。しかし、その後の民族政策によって多数派も少数派も一定の不満を蓄積していたものが、ペレストロイカ期に表面化していったのである。ペレストロイカ期に表面化した対立は、紛争が発生する前の各地域の法的地位の違いにかかわらず、中央政府（たとえばアブハジアであればジョージア）と激しい「法戦争」（双方の決定の無効化や新決定の採択）行ったという経緯で共通している。

イングーシ・北オセティア紛争を除き、本来、対等ではないはずの中央と地方の権力関係の中でこうしたことが可能になったのは、ソ連末期の国家体制やその権威・正統性の揺らぎによるところが大きい。本来は、ソ連中央、あるいは連邦構成共和国などの決定をその下位機関（自治共和国や自治州）は無視することができないはずで、実際に当初はソ連中央や連邦構成共和国に現状変更の請願などしていた。しかし、次第にソ連体制そのものの権威と正統性が揺らぐと、現状変更を求める自治単位は住民投票などを駆使して、自らの決定の正当性を担保しようとしたのである。

コーカサスの紛争の争点は、「分離独立」か「帰属変更」か、に分けられる。この二つのワードに焦点をあてて各紛争を比較して見てみよう。

現状を見れば、アブハジアも南オセティアもカラバフも独立を主張しているし、チェチェンもかつて主張していたので、イングーシ・北オセティア紛争を除く、全ての紛争の争点として「分離独立」があるように思うかもしれない。だが、そう捉えるのは少し問題がある。まず、チェチェンを除く紛争の争点は、ソ連解体までは自治単位の分離独立ではなく、むしろ、帰属変更や法的地位の格上げをめぐって形成されていたという側面がある。

たとえば、アブハジアや南オセティアは、ジョージアからの分離や主権を要求したが、それは当初から必ずしも独立を意味していたわけではない。彼らの要求は、ソ連が存続する限りにおいて、ソ連という現存する国家の枠組み内での帰属変更（ロシア共和国への編入）や主権（共和国への格上げ）を求めるものであった。むろん、ソ連解体後は、中央政府からの分離や主権宣言は、独立を意味することとなり、実際に両地域とも現在は独立国家を主張し、ロシアと少数の国には承認されている。

ただ、現在も両地域が実際には、経済・軍事面でロシアに過度に依存していることを見ると、単純に「分離独立」が争点と言うことも困難である。現在の「国家」の存続がロシアに依存しており、その状態を継続すればするほど、結果として「国家」の対外的自立性は低下する。そのような状況は、外見はどうあれ、分離主義地域という領域的単位が金融・財政上、あるいは安全保障上、ロシアのシステムに組み込まれている（編入されている）と見なすこともできるからである。従って、ロシアへの編入という道は、ジョージア側やロシア側がそれを認めるのかという問題があっても、分離主義地域の選択肢としては、いまだに残っている（なお分離主義地域の現状や提起している問題については第6章で扱う）。

また、同じジョージアからの分離主義地域であっても南オセティアとアブハジアは、ソ連期の法的地位、領域や人口規模などが異なり、特に南オセティアはロシア連邦内に同一民族の共和国があること――すなわち両地域の相違点――も踏まえる必要がある。最後の点に関しては、ロシア連邦内に同じオセット人による共和国があり、南オセティア側はこの共和国との統合を求めてきたという歴史的事実もある。従って、南オセティアをめぐる問題には、この面からも帰属問題としての側面が強いことも無視してはならない。なお、この点に関して付言すれば、北オセティアは南オセティアほど統合には積極的ではない（この点も第6章で紹介する）。

アブハジアも南オセティアも当初は、帰属変更や共和国への格上げ要求をしていたのに対してチェチェンは、ソ連が存続している段階（具体的にはドゥダーエフが権力を奪取して）から主権独立国家を主張していた。もちろんドゥダーエフも当初は、主権共和国への格上げにも言及していたことに加え、その後も独立以外の選択肢を完全に排除していたわけではない。だが、他の事例は、ソ連の存続している間は、ソ連からも脱退することを意味する独立まで踏み込まなかった（たとえば、カラバフが独立のための住民投票を行ったのはソ連解体10日前だった）が、チェチェンでは早い段階からこうした姿勢や言及を見せていた点は押さえるべきである。

もう一つ確認すべきことは、本来は、帰属問題と理解されることの多いカラバフが、彼ら自身はアルメニアへの編入ではなく、独立を主張しているという点である。カラバフは、ソ連解体以前は、アルメニアへの帰属を求めていたが、これによりアゼルバイジャンと激しい対立に至ると、ソ連解体後（1992年1月）、独立を宣言した（ただし、独立国家の法的基盤であるはずの憲法は、2006年まで制定されなかった）。カラバフは現在も「独立国」を主張しているが、アルメニアの方は、カラバフの独立をまだ承認していない。こうしたカラバフとアルメニアの微妙な温度差は興味深い。分離独立を掲げる地域とそれを支援する国家の関係では、まれにこうした温度差は見て取れるが、カラバフとアルメニアの場合は、同一民族であるにもかかわらず、こうしたことが表に出ている点で注目に値する（これについても第6章で世論という観点から再度考察を試みる）。

研究者の間には、アルメニア中央政界においてカラバフ（出身者、支援団体、カラバフ問題そのもの）は圧力団体のような役割を果たし、アルメニア本国の行動を拘束しているとの意見もある。このような指摘を踏まえると、カラバフとアルメニアを完全に同一視し、前者を後者の傀儡、または前者のみが後者に依存していると見なし、カラバフ紛争をアゼルバイジャンとアルメニア、2国間だけの問題として捉えることには問題があるだろう。特に合意形成の際に、カラバフがアルメニア本国の交渉姿勢を問題にしたり、より強硬な要求を掲げたりする事態となれば、交渉そのものが破綻しかねないということを理解する必要がある。

他方で、カラバフ問題をアルメニア・アゼルバイジャン両国の問題ではなく、アゼルバイジャン領内におけるアルメニア人の自治の問題である――すなわち、これは本来、国際問題ではない――という立場に立っても、カラバフの行為主体性（同地の多数派のアルメニア人によって形成された自称「カラバフ共和国」を交渉主体として認めるかどうか）は大きな問題となる。この場合、現在の統治構造や人口構成のままカラバフ側を交渉主体と見なせば、アゼルバイジャン側には不利になるので、少なくとも避難民を全て帰還させた上で、その後の交渉や法的地位については考えるべきである――つまり、現在の自称「カラバフ共和国」を交渉主体として見なさないという立場をアゼルバイジャン側は取っている。

## ❷紛争の規模と結果の比較

次に紛争の規模の比較に移ろう。

通常、紛争の規模を測定する際には、投入されたヒト・モノ・カネ、つまり戦闘員の数や規模・武器の種類や数・軍事費の額などが用いられる。しかし、ソ連解体後に発生したコーカサスの紛争は、こうした測定方法では理解できないことも多い。一つは、大衆の武装化など非戦闘員の紛争への参加が広く生じていたこと、また、その前提として、通常想定される正規軍すら、ソ連解体前の紛争地には正式には存在しなかったということがあげられる。ソ連時代は、正規軍としてのソ連軍、準軍事組織としての内務省部隊などがあったわけだが、ソ連解体の過程で彼らは撤退するか、現地の治安部隊に編入された。また往々にして駐屯軍や内務省部隊は現地の人々を登用していたので、むしろ武器の拡散や彼らの紛争への関与などの問題を生んだ。軍事費の規模もソ連解体後の経済混乱もあり指標を入手するのは難しい。

そこで、ここでは紛争の犠牲者（一般市民・軍人・武装勢力含む）と避難民の数でこれを理解したい。とはいえ、紛争の当事者の間には犠牲者・避難民の数をめぐっても論争が生じている。どちらの側が多くの市民を殺害したなどといった主張は、他方の行為の残虐性を強調することで道義的責任を追及し、自らの陣営を正当化する手段となるため、今もって絶えない。したがって、**表35**で提示したた数字は、できるだけ中間の数字（具体的にはＮＧＯや国際機関によって提示されているもの）を取り上げた――それでも数値には不確実性が伴う。また避難民は、紛争後、最も多かった時の数字を挙げているが、これも紛争で混乱する中で明確な統計がなかったため、数字に幅があることを断っておく。

紛争が一方の側の事実上の「勝利」で終わったということ（後述）は、たとえ数的には少数でも、そこに居住していた「敗者の側」の住民が多数、避難民になったということ、そして彼らの帰還が非常に困難となったことを意味する。こうして停戦して何年も経つのに、現状でも避難民が多数いるという状況が生まれている。さらに、避難民を受け入れた政府が彼らを受け入れ地域に統合しない限り、あるいは、避難民自身が帰還の意思を持ち続ける限り、「避難民である状況」は終わらない。この避難民状態の長期化の背景には、避難民の受け入れ国家が、帰還する避難民がいなければ、紛争の和平交渉の際に不利な状況に追い込まれるといった政治的思惑から統合を進めないという事情もある。

次に、犠牲者、死者数についてだが、これはチェチェンとカラバフを除く紛争では、紛争地の人口の約１～２％規模が死亡した換算になる。カラバフは、アゼルバイジャン・アルメニア各地やカラバフ周辺でも両民族の衝突が生じたため、単純にカラバフの人口比で犠牲者を割り出すことは問題だが、５年近く継続した内紛で数的にはチェチェンに次ぐ犠牲者を出した。

問題は、チェチェン紛争の犠牲者数で、これは紛争当事者のロシア・チェチェン双方に加え、人権団体や研究者を巻き込んで論争がなされている（**表35**）。ただ、仮に最も少ない一般市民の死者数、すなわち第一次・第二次合計で5万人を採用しても、これは紛争前94年の人口（流出人口を加味し100万人）の5％にもなる。人権団体の数値（同7～10万人）を採用すれば、紛争で人口の7～10％規模の人々が死亡したことになり、これは非常に高い割合である。たとえば、ルワンダの内戦（ツチとフツの虐殺）では、50万人以上が犠牲となったが、これは人口の約10％規模であった。単純比較できないが、人権団体の数値に基づけばそれと同等の犠牲がチェチェンで出たことになる。

最後に、紛争の結果についてまとめたい。まず、コーカサスの紛争で指摘できるのは、一方の側の「事実上の勝利」で紛争が終わっているということである。確かに紛争は、双方の合意で停戦に至っているが、現状は、一方の側の要求（分離や帰属変更）が満たされている状況なのである。

もちろん、「勝者の側」も種々の課題を抱えており、万事うまくいっているわけではないが、紛争によって領域支配を失ったり、望んでいた結果が得られなかったりした「敗者の側」の方が現状を改善したいという強い欲求を有している。このため、現状（紛争の結果）を受け入れること、あるいは交渉によってこれ以上の妥協をすることに強く反発するのである。ただ、紛争後の状況を現状の始点と見なす「勝者の側」も、現状を改悪したり、妥協を迫られたりすることに強く反発するという状況がある。いずれの側も自分たちが本来有しているべきものを失うことに強く反発する（「失う恐怖」を有している）のである。したがって、現状の安定が、いつ紛争が再発してもおかしくないという不安定な緊張状態の上に成り立っていることは、全ての紛争にあてはまる。

**表36**を見ると、係争地は紛争当事者にとって面積的にも国土の小さくない割合を占めていることが

分かる。なお、本表作成にあたり、アルメニア及びイングーシは、紛争発生以前、係争地を領有していないため、係争地の面積を同共和国の総面積に足した上で計算している。プリゴロドヌィ地区はわずか1440㎢に過ぎないが、イングーシにとっては本来、自分たちが有していた面積の3割近くが、北オセティアに不当に収奪されたという認識を持ち得るのである（なお、ここではイングーシと北オセティアのもう一つの係争地であるモズドク回廊は面積に含んでいない）。

カラバフのように元々の自治州面積だけではなく周辺地域も占拠されているケースでは、当事者にとって領土的重要性は一層増すことになる。**表36**で最初に記載されているのはカラバフ自治州の面積であるが、（　）の数字は、これにアルメニア及びカラバフが不法占拠している自治州周辺のアゼルバイジャン領土の面積を足した数字（カラバフ「外務省」が主張する「共和国」の領土面積）である（2020年の紛争再発以前）。

領土に占める割合について、たとえば、単にもともとのカラバフ自治州の面積は、アゼルバイジャンの国土のわずか

**表36：係争地の各共和国における領土的重要性**

| | プリゴロドヌィ | チェチェン | ナゴルノ・カラバフ | 南オセティア | アブハジア |
|---|---|---|---|---|---|
| 面積 | 1,440㎢ | 15,300㎢ | 4,400㎢<br>(11,432㎢) | 3,900㎢ | 8,422㎢ |
| 領土に占める割合 | 北オセティア:<br>18.0% | ロシア:<br>0.1% | アゼルバイジャン:<br>5.0%（13.2%） | ジョージア:<br>5.7% | ジョージア:<br>12.0% |
| | イングーシ:<br>26.5% | | アルメニア:<br>12.9（18.0%,<br>27.8%） | | |

出典：筆者作成
〔付記〕カラバフ、南オセティア、アブハジアの現在の領有面積（カラバフではカッコ内で記載）については、いずれも自称「共和国」のウェブサイトを参照している。チェチェンとイングーシの面積は2018年の境界画定以前の面積。カラバフは2020年の紛争再発以前の面積。

5%しか占めないが、自治州周辺の不法占拠されている面積を足せば、これは国土の13%にも達する。当然、アゼルバイジャン側は、不法に占拠された全ての領土の即時返還を求めてきたのである。これに対して、アルメニアもどこまでをカラバフと見なすのかで、その領土的重要性は変化する。

**表36**ではアルメニアについて三つの数字を記載している。最初の数字は、元自治州の面積をアルメニア本国の総面積に足した上で前者が全体に占める割合を算出している。これに対して（　）の中に数字が二つあるが、一つ目はアルメニアが和平後も撤退できないと主張しているラチン回廊（ラチン地区の1835㎢）とシューシャ地区（290㎢）をカラバフ自治州の面積とアルメニア本国の面積に足し、前者が全体に占める割合を算出している。（　）内の二つ目は、アルメニアが現在不法占拠しているアゼルバイジャン領土面積（自称「カラバフ共和国」の主張する国土面積）の割合を上記と同様の方法で算出したものである。

つまり、カラバフについては、どこまでを現状の自分たちの領土と見なすのがで、交渉において返還させられる（当事者が「失う」と認識する）領土の大きさも変化するのである。むろん、アゼルバイジャン側も30年近く国土の13%以上が不法占拠されてきたと認識している以上、これ以上の妥協は極めて困難になる。これはジョージアに関しても同様であり、ジョージアの場合は、二つの分離主義地域を抱えているため、それらを足し合わせれば、約18%の国土が奪われた状態にあると当事者は見なし得る。そして、そのいずれにおいてもこれ以上の妥協は許されないと当事者は認識しがちである。

さて、このような状態が形成されたのは、紛争の結果として南コーカサスでは、帰属変更や分離を掲げた側が「事実上の勝利」を手にし、北コーカサスでは逆に「事実上の敗北」に帰したという点があげられる（**図5、6**）。本来、要求を掲げたこれらの地域と中央政府の間には、政治・経済・軍事などあらゆる面で力の差があった。それにもかかわらず、南コーカサスでは要求を掲げた側が「事実上の勝利」を手にしたのは、ソ連解体期の混乱に加え、外部支援者の存在があげられよう。カラバフの場合はアルメニア、アブハジアや南オセティアの場合はロシアがこれに該当する。

また先述の通り、こうした一方の「事実上の勝利」とその後に双方の間で生じた「失う恐怖」は、現状——すなわち停戦はしているものの、問題は改善されず、いつ紛争が再発するかわからないという状況（＝「凍結された紛争」）や、分離独立を掲げる地域が中央政府の統制を離れ、国家的体裁を持って国際承認を求める状況（＝「未承認国家」問題）——を保存してきた。こうした状況を打破しようとする試みは、過去にジョージアとロシア、アゼルバイジャンが取り組んだ。

ジョージアのサーカシュヴィリ大統領は、アジャリアで支配を回復したが、2008年には判断を見誤った（ジョージア・ロシア戦争による南オセティア、アブハジアの支配地域の喪失）。プーチン大統領の方は、1999年の第二次チェチェン紛争以後にチェチェンの支配を回復したが、その過程でラムザン・カディロフへの権力の集中を許したため、連邦もチ

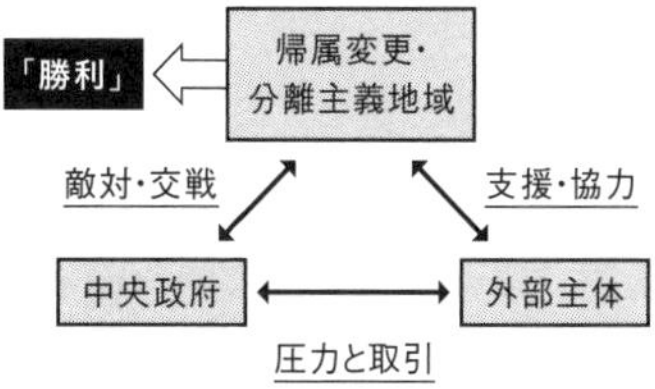

出典：筆者作成

**図5：南コーカサスの紛争の特徴**

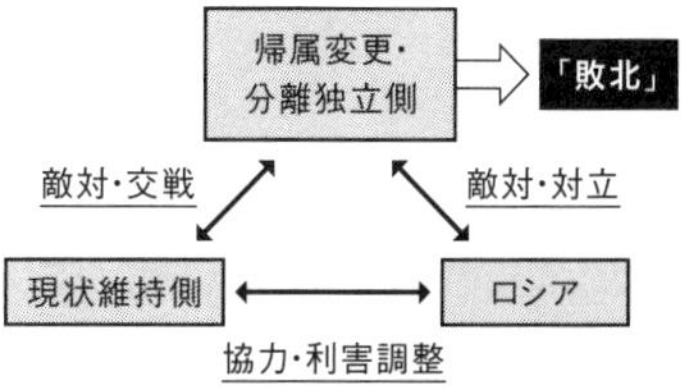

出典：筆者作成

**図6：北コーカサスの紛争の特徴**

エチェンの統治や制御をめぐる新しい問題に直面している。アゼルバイジャンは、既述のように2016年のカラバフへの攻勢によって一部支配を回復したが、これは全面戦争のリスクと隣り合わせであった。加えて、今回の戦果によってアゼルバイジャンの世論は、次回の衝突の際には今回以上の結果を求めるため、紛争への対処が国内政治的に極めて困難な問題となった。こうした結果をみると、力による解決という対応策の問題点も認識しないわけにはいかない（2020年9月のカラバフ紛争再発とその結果については補論を参照のこと）。

## ［2］コーカサスの紛争の平和的解決の可能性

以上のように困難な課題を抱えている南北コーカサスの紛争は、どのようにすれば解決できるのであろうか。ここでは、これまで各紛争に対して提示されてきた和平案について言及しつつ、平和的解決の可能性について検討したい。

### ❶和平案の比較検討

**表37**は、各紛争の和平案を検討する上で、そもそもどのような和平のバリエーションがあるのかをまとめたものである。通常、紛争研究において検討される和平案は、「領域をめぐる対立」と「政府をめぐる対立」によって異なる。

**表37：「領域をめぐる対立」の和平案の分類**

| 法的地位 | 説明 | 補足 |
|---|---|---|
| ①文化・社会的権利の付与 | 分離主義地域の人々（マイノリティ）に文化・社会的権利を領域的自治とは切り離して認める | 中央政府は既に自治単位を廃止済み |
| ②領域的自治権の付与 | かつての自治単位の法的地位を想定しつつも、既存の法的枠組みの中で提供可能な最大限の自治権の付与 | 紛争前の状態 |
| ③広範な領域的自治付与 | 分離主義地域との間で新たな合意を形成し、特別な自治単位を設けて広範かつ最上級の自治権の付与 | |
| ④共同国家・連邦国家形成 | 分離主義地域との連邦国家等を形成し、閣僚や議席の割り当て、あるいは共同の政府や国家評議会などを形成し、統治に当たる | |
| ⑤領土交換・分割・編入 | 分離主義地域及びその支援国と中央政府の間で領土の交換や分割を行い、分離主義地域は支援国に編入される | |
| ⑥独立承認 | 分離主義地域の独立を中央政府が承認する | 分離主義地域は現状を独立状態だと認識 |
| ⑦主権国家間の同盟形成 | 分離主義地域の独立を中央政府が承認するものの、両者は主権国家間の軍事・経済同盟等を形成する | |

出典：筆者作成
〔付記〕上記和平案は実際に各紛争において提示されているわけでは必ずしもない（和平案は、そもそも内々に当局者間で交渉されるので、外部に漏れていないものも多い）が、理論的にこのような解決策が議論の俎上に上がり得るというものを示している。

「政府をめぐる対立」においては、権力分有、閣僚ポストや議席の割り当てなど、既存の政体の領域的範囲等を変更せずに政治的権力へのアクセスを認めることで解決が図られることが多い。

これに対して、「領域をめぐる対立」においては、当該領域における政治・経済・社会・文化的権利を保証する法的根拠を認めること、すなわち既存の政体の領域的範囲とその法的地位を変更することで解決が図られることが多い。南北コーカサスの紛争の争点は、「領域をめぐる対立」であるので、紛争の解決は、後者の方法で実現することになる。

紛争が交渉によって解決される場合、当然のことながら、当事者双方が納得する解決策でなければならない。しかし、「領域をめぐる対立」は、支配領域の奪還か、喪失か、というようにゼロサム化しやすい争点であるため、双方が「妥協」を敗北と見なしがちで、最終的解決に至ることが困難である。しかし、和平案の選択肢としては、分離主義地域の独立承認、あるいは中央政府による支配回復だけではなく、広範な領域的自治権の付与や共同国家、連邦国家の形成などの解決策もあり得る。このような「領域をめぐる紛争」の和平案を分類したものが**表37**である。

ここでは、主に分離主義を掲げる紛争を想定し、和平案の理論的分類を示しているが、帰属変更が要求されたイングーシ・北オセティア紛争においても同様の解決策は適用できる。

同紛争を例にとると、①は、イングーシ避難民の帰還を認めて、彼らに北オセティア憲法が認める文化・社会的権利を提供することを意味する。②と③は、北オセティア内にプリゴロドヌィ地区を想定したイングーシ人の自治単位を形成すること、④はイングーシと北オセティアがかつてのように合同し、イングーシ・北オセティア共和国とすることなどが考えられる。⑤は、北オセティアがプリゴロドヌィ地区を提供する代わりにイングーシは別の領域を差し出すという方法である。これは、交換した面積の多寡は大きく違うものの、イングーシとチェチェンの間で妥結した２０１８年の合意が該当し、北オセティアとの間でも解決策として考えられる（なお⑥及び⑦は、この紛争の解決策として想定できない）。しかし、現実には現状は①もしくはそれ以下であろう。

アブハジアや南オセティア、カラバフも①〜⑦の解決策が理論的には想定できるが、和平交渉は、紛争後30年近く経っても妥結に至っていない。これらの紛争のように現状が「事実上の独立」であるならば、分離主義地域は⑥、どんなに妥協しても⑤（中央政府から分離し、ロシアやアルメニアの一部になる）しか受け入れ困難であると考えがちである。逆に、中央政府は、もともとの分離主義地域の法的地位を起点とし、領域的一体性の保全及び法的秩序の維持という観点から②、もしくはどんなに妥協しても③しか困難であると考えがちである。中央政府側には、そもそも分離主義地域の自治的単位を紛争前に廃止しているので、自治権を認めることすら「妥協」と考える強硬派もいる（ただしアブハジアは、１９９５年ジョージア憲法で再び自治共和国と定義付けられているので、ここには該当しない）。

共同国家や連邦国家の形成（④）が解決策として提示されることも少なくない。中央政府の領域的一体性を保全しつつも、分離主義地域の広範な領域的自治を中央政府と等しい権力関係において担保する――すなわち、何かあったときに中央政府が領域的自治を反故にしない制度的保障を実現する――のが眼目である。

カラバフ紛争においては、１９９８年に当時ロシアの首相であったプリマコフが共同国家による紛争解決を提示したとされる。中身としては、アゼルバイジャンの領土的一体性を認め、その内部でカラバフが最高の自治形態を有する国家として民族自決権を行使するとした。より具体的には、カラバフは独立した司法・立法・行政機能、独自の憲法及び国旗・国歌などを有し、独自の治安・安全保障部隊を保持する。そして、ラチン回廊（アルメニアとカラバフを繋ぐ回廊）の自由通行権を認められ、カラバフ領土内は自由経済特区と見なされ他国通貨の流通が許される。カラバフは、政治、経済、文化・スポーツ面で外国政府及び国際機関と対外交流の権利を有し、独自に外国代表部を設置することができるものの、アゼルバイジャンの大統領選挙に参加し、カラバフと刻印された特別なアゼルバイジャン・パスポートを保持するとした。これは双方に拒否されている。

ジョージアでも「バラ革命」による政権交代が生じた直後の2005年にアブハジアや南オセティアとの連邦国家案がジョージア側から提案された。ジョージアは、自治共和国（実効支配している地域としてはアジャリア）を有するが、独立後から単一国家として存在してきた。これを連邦国家へと移行するというものである。アブハジアは独立を断念し、ジョージア連邦に連邦的地位で（共和国として）参加することで、ジョージア議会におけるアブハズ人への議席割り当て（ジョージア人と同数）を受ける。当然、経済制裁は解除し、鉄道も運行を再開する。南オセティアに関しては、言語的権利、教育面の管理、社会政策の決定などを保証し、広範な自治を憲法で保証されたジョージア連邦の地域とするという提案であった。同案では、アブハジアは④、南オセティアは①と②の間というように法的地位は明確に異なる。なお提案は、アブハジアと南オセティアに拒否された。

カラバフでは、⑤の領土交換も具体的な解決策として提示されたことがある。これは通称「ゴーブル・プラン」（**図7**）と呼ばれるもので、アメリカの外交官ゴーブルが1992年に提案したものである。それによれば、カラバフ（及びラチン回廊）をアルメニアに編入させる代わりにアゼルバイジャンはナヒチェヴァンと本土をつなぐアルメニアのメグリ地方をもらい受ける。アルメニアが占領す

**図7：「ゴーブル・プラン」による領土交換**

るその他の地域はアゼルバイジャンに返還するというものである。ただ、この案だとアルメニアは、数少ない交易路であるイランとの国境を失うため、96年頃にはイランと国境を接するナヒチェヴァン東部地域（9㎞程度）をアゼルバイジャンがアルメニアに割譲するという内容も含まれるようになった。またカラバフをアルメニア編入ではなく独立させるという形態もあるようである。

和平の内容とともに、和平案の実施方法も重要な論点となる。

実際に和平案について検討される場合は、係争地が最終的にいかなる法的地位を得るのかということは別に、紛争の結果生じた諸問題（領域の不法占拠、難民や避難民の帰還、紛争被害の補償、経済・社会復興、経済制裁の解除や停止していた鉄道・道路の再開、そして何よりも対立していた住民や当局の和解と信頼醸成など）に先に取り組むのか、それとも当該領域の法的地位や帰属について先に決定するのかという問題がある。

当然、分離主義地域は、後者を先に決めるか、少なくとも一緒に決めることで、自分たちの権利が保証されるという見込みがないと交渉を進めるインセンティブを失う。しかし、中央政府は、前者をまず進めてから後者を話し合うべきだという立場をとる。

分離主義地域の交渉姿勢、すなわち一括方式で話し合いを進めるべきだとの考えが「包括的アプローチ」であり、逆に中央政府の交渉姿勢、すなわち段階的に話し合いを進めるべきだという考えが「二段階アプローチ」となる（**表38**）。

交渉仲介者は、主権平等と内政不干渉という国際社会の基本原則から中央政府の領土的一体性は保全されるべきであるという立場をとるか、あるいは少なくともそれを否定しない立場をとる。このため、当該領域がいかなる法的地位を得るのかは、紛争当事者が決めるべきことであり、まずは信頼醸成を進めるために武力行使の放棄、不法占拠の解除、難民

**表38：和平の実施方法**

| 実施方法 | 説明 |
| --- | --- |
| 二段階アプローチ | まず避難民の帰還や占領軍の撤退を行い、双方が武力行使を放棄、信頼醸成と経済・社会復興等に取り組んだのちに、係争地の最終的な地位について話し合う |
| 包括的アプローチ | 係争地の法的地位の問題と紛争の結果生じた問題（避難民の帰還、紛争被害の補償、占領軍の撤退、経済社会復興、和解など）を同時に取り組もうとする |

出典：筆者作成

や帰還民の受け入れ、そして共同での復興政策などに取り組むべきであるという「二段階アプローチ」に立つことが多い。

「二段階アプローチ」は、このように「まず不法に占領した領土を返すこと」を要求しているように捉えられることが多いが、必ずしもそうではない。重要なことは紛争によって生じた諸問題を先に改善しようとするという点にある。

この意味で興味深いのは、2018年にジョージアのクヴィリカシヴィリ首相が提示した和平案である。これは、南オセティア及びアブハジアとジョージアとの間で、まず経済統合を進め、ジョージアが得ている恩恵を分離主義地域にも提供するというものであった。具体的には、境界地域における交易の簡素化、私的及び共同ビジネスの促進支援、欧州への査証・自由貿易等ジョージアが得ている恩恵へのアクセス、ジョージア及び外国における教育へのアクセスの保証等を掲げている。

これが意味するところは、アブハジアや南オセティアの人々が地産品をジョージア領内に輸送でき、それらをジョージア産として欧州に販売できるということである。ジョージア政府は、両地域の小規模ビジネスの支援を行い、両地域の住民にIDカードを交付する。両地域の住民は、ジョージア市民権を保持せずとも、ビジネスを始め、交易に従事し、政府の各種プログラムにも申請でき、銀行の利用や自動車登録、教育機関へのアクセス等が認められる。さらにジョージア政府は、欧米諸国と協力し、欧米の大学への奨学金プログラムも検討するというものである。

南オセティアは、こうした提案は今回が初めてではなく、実現はそもそも極めて困難だとして拒否した。この提案は、テレビで公開されていたジョージアの閣議において明らかにされたので、一種のプロパガンダであり、本当に実現するつもりであれば、内々に話を進めるべきだという批判もある。確かに、メディアで公開された形での提案には、両地域もロシアの手前、積極的な反応をできないのは事実であろう。しかし、仮にプロパガンダ的要素が強かったとしても、分離主義地域の支援国（パトロン、この場合はロシア）に対抗するような魅力的な条件を提示するという戦略もあり得るのだということを確認させた意味で、この提案は興味深い。

## ❷実際の和平の進展と教訓――チェチェンを例にして

さて、ほとんどの紛争は、現在に至るまで和平に至っておらず、しかも交渉過程も表に出ることは少ないので、実際の交渉がどのように進展しているのかを知るのはなかなか困難である。しかし、個々の和平プロセスの進展を見ずして、どのような和平のかたちであれば実現可能性が高いのか検討することはできない。

そこで、ここではコーカサスの紛争で唯一、その法的地位について現状妥結しているチェチェン紛争（第一次及び第二次）を検討し、和平を進める上での課題を明らかにしたい。

**表39**は、第一次チェチェン紛争と第二次チェチェン紛争の和平プロセスを比較の観点からまとめたものである。

１９９６年に終結した第一次チェチェン紛争では、停戦合意後にハサヴユルト協定を締結し、双方の関係及びチェチェンの法的地位については２００１年までに妥結するものとして棚上げした。ロシ

**表39：第一次・第二次チェチェン紛争の和平プロセスの比較**

| | 第一次チェチェン紛争 | 第二次チェチェン紛争 |
|---|---|---|
| 和平のかたち | 交渉による妥結 | 一方の軍事的勝利（親露派とロシアによる交渉妥結） |
| 和平の実施形態 | 「二段階アプローチ」 | 「包括的アプローチ」 |
| 合意内容 | 停戦合意等（ロシア軍の撤退と民主的選挙に合意）、ハサヴユルト協定（法的・政治的地位は5年間棚上げ）、経済協力協定、平和条約（武力の不行使などに合意） | 個別の合意文書はなし、ロシア政府がチェチェンに行政府を設置後、元独立派のカドィロフを首長に任命、チェチェン憲法でロシア連邦の不可分の一部と規定 |
| 法的地位 | 紛争後の状況は⑥だが、交渉を継続<br>ロシア側の要求は③、チェチェン側は⑦<br>→交渉当事者は④のような形を模索 | 紛争後の状況は③<br>次第に法的地位については②へと移行<br>→ただし、実際面では③以上とも言われる |
| 紛争後の合意 | 経済・金融・貿易、軍・司法・治安など種々の合意を締結 | 憲法で規定されていた主権の文言は後に削除され、権限区分条約も締結されず |
| 結果 | 法的・政治的交渉は破綻し、経済協力等の合意履行問題、治安・安全保障問題が顕在化する中で紛争再発 | 2007年までには親露派政権が強固な権威主義体制を構築、テロ等の反乱も2009年までに減少、「安定と平和」へ |

出典：筆者作成。なお法的地位に記載されている番号については、**表37**を参照されたい。

ア軍は、チェチェンとの合意に基づき96年末までにチェチェン領内から全面撤退をした。この後、97年1月にはチェチェンで議会・大統領選挙が実施され、独立派のマスハドフ政権が誕生し、ロシアもOSCE等の国際機関も選挙結果を自由で公正なものとして受け入れた。

以上のように、第一次チェチェン紛争の終結過程では、「二段階アプローチ」（法的地位については話し合いを継続することとして棚上げし、最初に紛争の結果生じた問題への対処を行うという段取り）が取られたことになる。他方で、紛争直後のチェチェンが現実に置かれていた状況は、事実上、チェチェン独立派による政権運営がロシアからの介入を受けず行われていたことから、当時、双方の法的・政治的関係について規定づける法文書はなかったものの、「独立」に極めて近い状態（**表37**の⑥）が形成されていたことを意味する。これは他の分離主義地域の現状と広い意味では似通っている。

ロシアとチェチェンは、その後、交渉委員会を設置し、双方の法的・政治的地位、経済協力、安全保障・司法協力などについて議論を重ねた。その多くは合意に至ったが、それでも未解決のまま残ったのは、チェチェン側にいかなる法的・政治的地位を認めるのかという点であった。ロシアは、1994年にタタールスタンと妥結した形――すなわち連邦から地方への権限の委譲（権限区分条約）という形態――をチェチェンに当てはめることを考えていた（**表37**の③）が、チェチェンは主権独立国家たるチェチェンがロシアと経済・防衛空間等を共有する同盟を国際条約に基づき締結する形態（**表37**の⑦）を求めていた。

チェチェン側との細かい交渉に当たっていたロシアのルィプキン安全保障会議書記やアブドゥラティポフ副首相（後にダゲスタンの元首となる）は、いわばチェチェンだけ特別な連邦条約を結び、ロシアと同盟的関係を形成するという妥協案（**表37**の④）に言及していたが、その際に問題となったのが、「チェチェンは主権独立国家である」というチェチェン側の言い分をどう扱うのかという点であった。

一見すると、これは単なるレトリックの問題のように思われる。なぜならば、仮にチェチェンを主権独立国家と認め、外交権等を保証しても、現実にチェチェンと外交関係を樹立する国はほとんどないかもしれない。また、たとえばソ連を構成していた連邦共和国は、名目的には主権国家であり、外交権を保持し、ソ連邦からの離脱権も有していたが、実際にはそれが行使できない状況にあった。加えてタタールスタンも自身は主権国家と主張し、対外経済関係を構築しているが、実際には独立国家ではない。以上のようなことを考えると、チェチェンの主権独立国家も単なる名称にかかわる問題と捉えることもできる。

しかし、仮に名目的であれ、チェチェンの主張を認めれば、ロシア連邦の領土的一体性は損なわれる。また、チェチェン側、特に独立派の中でも強硬な論者の言説を見ると、そもそも名目的な主権独立では、チェチェンがとても納得するようには見えない。このような問題——すなわち交渉において、どの程度まで相手側の意向を汲み取り、どこまで自らが妥協をするべきか、そしてそれは国内的に受け入れられるのであろうかという問題——は、ロシア側と同様にチェチェン側の交渉者（ウドゥーゴフ外相、マスハドフ大統領）をも悩ませた。

なお、ジリノフスキー（ロシア自民党党首）などのロシアの保守強硬派は、そもそもロシア系住民の多かった北部地域のみを分離し、それ以外のチェチェンは切り捨てるべきだと主張しており（**表37**の⑤）、2001年までに交渉が妥結すれば良いという政治環境の中で、ロシア側は積極的にチェチェン側の主張に歩み寄ろうという政治勢力がそもそも少数であった。逆にチェチェン側では、すでに「事実上の独立」をロシアから勝ち取った状況だと認識する急進派・強硬派がロシア側に歩み寄り交渉を進めるマスハドフ大統領を激しく批判していた。それは、チェチェンの政治的権力を自ら縛る行為だとの批判であった。このため、チェチェン側としても妥協が困難な政治環境が形成されていた。

結果的に法的・政治的地位に関する交渉は、最初の1年間で頓挫し、それ以降はすでに合意していた経済協力の履行をめぐる問題と治安・安全保障面での取り組みに関する問題が主要な議題になった。主に前者に関するロシア側の合意不履行をチェチェン側は問題にし、後者に関する懸念やチェチェン側の取り組みの不十分さをロシア側は問題にした。経済協力を履行しなければ予算のないチェチェンでは、治安・安全保障面でのロシアへの懸念に応えることはできないが、国内が不安定化し、テロや犯罪の続発しているチェチェンにロシアは予算を支給するのかというディレンマである。こうした結果、双方の交渉当事者の間でも相手側に対する信頼は著しく低下し、交渉は破綻した。

このようにして発生した第二次チェチェン紛争では、紛争開始直後からロシア政府は、紛争の終結（＝和平）を独立派との交渉によってではなく、ロシア軍の軍事的勝利（＝平野部及び主要都市の制圧と親露派政権の法的基盤形成）によって達成しようとした。すなわち紛争開始直後にチェチェン行政府を設置し、２０００年には独立派と袂をわかったアフマト・カディロフを長官に任命すると、独立派を「反乱勢力、テロリスト」として排除しようと試みた。ロシア政府はチェチェンの主要都市を制圧すると、独立派との戦争は継続しつつも、紛争の軍事的段階の終了を２００２年に宣言した。加えて、カドィロフに見られるように旧独立派の一部に働きかけ、親露派勢力の拡大に取り組んできた。

ロシア政府は、２００3年3月にはチェチェンの新憲法等に関する住民投票を、同10月には大統領選挙・議会選挙を実施した。チェチェンの新憲法では、チェチェンを主権国家とはしていたものの、ロシア連邦の不可分の一部を形成すると定義されており、ロシアの領土的一体性は担保されていた。また主権を「連邦の専管事項及び連邦と共和国の共同管轄事項を除く全権」を定義していることから、連邦と地方の権限を区分する条約を将来的に締結することが予想された。このため、第二次紛争後のチェチェンの法的地位は、**表37**の③（ロシア憲法及び連邦法に規定される共和国の権限を持ちつつも、権限区分条約など特別な合意形成をすることで連邦内において最大の自治権を付与する）に該当するものだと思われた。

以上の憲法制定を受けて、2003年にはチェチェンで作戦を展開していた連邦軍は撤退し、種々の経済復興政策やチェチェン人自身による治安機関の強化と治安の確保が行われることとなった。すなわち、ここではチェチェンの法的・政治的地位の解決と紛争後に生じた問題（経済復興等）を一括して改善させようと試みたこと、あるいは、まず法的・政治的地位を解決し、その後、他の問題に取り組もうとしたことが分かる。これは「包括的アプローチ」に該当する。

しかし、連邦側のこのような政策にもかかわらず、チェチェンでは継続してテロが発生し、モスクワ劇場占拠事件のようにその影響はモスクワにまで及ぶようになった。ロシア側が紛争の終了を宣言していても、事実としてテロが絶えない状況があったが、ここでもロシア政府は、チェチェン独立派が要求する交渉ではなく、あくまでも親露派政権を中心とした政治運営と独立派の軍事的排除という方針を堅持した。このような政策は、独立派の強い反発を招き、2004年には親露派のカドィロフ大統領が暗殺される事態が生じた。だが、それでも連邦と親露派による共同作戦の結果、独立派は次第に勢力を減退させ、交渉主体になり得るような支持基盤も影響力も保てなくなった。2009年にロシア政府は、恒常的な対テロ態勢を解除し、「反乱勢力」としての独立派は事実上せん滅された。

紛争後のチェチェンを見ると、当初、ロシアと親露派政権が合意していたチェチェン共和国の「主権」の文言は、2007年のチェチェン共和国憲法改訂において削除され、結局、権限区分条約も締結されなかった。このように見れば、現状のチェチェン共和国の法的地位は、**表37**の②（すなわち、他のロシア連邦の共和国と同じ）とも言える。他方で、法的には紛争直後（２００２年）よりも縮小したと見られるチェチェンの連邦中央に対する政治的権限は、実態面ではラムザン・カディロフ大統領がプーチン大統領個人の強い信頼を受けており、共和国の運営を全面的に任されていることから中央から強い独立性、自律性を有しているとも言える。

さて、以上のようなチェチェン紛争の和平プロセスは、どのような知見を提示するだろうか。まず、第一次チェチェン紛争では、結果として和平のために法的・政治的地位に関しては5年間のモラトリアム期間を設けて取り組むこととし、紛争によって生じた諸問題への合意形成を優先した。しかし、このような「二段階アプローチ」においても種々の問題が表面化するおそれがあることをチェチェンの事例は示している。

第一に、紛争終結後に取り組むとしていた法的・政治的地位に関する交渉をいざ進めようとすると、双方の立場の相違が鮮明になってしまい、このような政治的相違がありながらすでに合意した経済協力等を実施するのかという疑問が浮上してしまう。第二に、交渉のために猶予期間を持たせることは、性急な結論を避け双方が妥協する政治環境を整備するためには必要だと思われるが、状況によっては、猶予期間があることでリスクを背負ってまで交渉を進め、現状において妥協する必要性が本当にあるのかという疑念を当事者に持たせてしまうおそれがある。このように、「二段階アプローチ」によって法的・政治的地位の問題とそれ以外の問題を切り離そうとしても、結局は引き戻されてしまう強い傾向があることを示している。

次に第二次チェチェン紛争では、紛争は一方の軍事的勝利によって終結したため、中央政府側の政策がいわば一方的に導入された。ロシア政府は、チェチェンの法的・政治的地位と紛争によって生じた問題を一括して解決しようとした。つまり、第二次チェチェン紛争の事例は、軍事的手段を用いて「包括的アプローチ」に取り組む危険な魅力を示している。

第一に、軍事的手段を背景とした中央政府による一方的な政策の導入は、紛争後の「安定と平和」をもたらした側面があることも否定できない。確かに当初は独立派から激しい抵抗を受けたが、長期的に見れば、独立派はせん滅され、親露派政権と連邦中央によって安定的な政治運営がなされているからである。第二に、分離主義地域から見れば、中央政府との政治的取引（利害調整）がうまくいけば、法的・政治的地位は既存の法体系における自治しかなくても、実態面では政治的独立性を担保できる可能性がある。

ただし、このような解決策には問題点もある。第一に、確かに軍事的手段による解決は、中央政府の望む形での紛争の終結をもたらしたが、ロシアが対テロ態勢を解除したのは、紛争開始10年後である。すなわち、10年間にわたりテロなどの反乱を前にして軍事的排除という政策を継続する必要があるのである。軍事的手段を行使したものの、紛争に勝利できず、泥沼化に至るリスクも当然ある。さらに、この手段を採用したことに伴う国際的な批判やテロの発生による国内政治的責任にも対応しなければならない。

第二に、チェチェンが得ている実態面での独立性は、法的に保証されたものではなく、プーチン大統領とラムザン・カドィロフの個人的関係の上に成り立っているという点に留意するべきである。当然、いずれかが政権を去れば、この関係性によって担保されている政治的権利も失われる。現に連邦中央には、カドィロフの言動に強く反発している指導者も少なからずおり、プーチン体制以後にこれは問題となる可能性も大きい。その時に実態面での自立性も失う恐れがあり、チェチェン側はこれに激しく抵抗すると思われる。その際に、再び法制度面での独立性が問題になると見られる。

## ❸和平案をめぐる世論の比較

以上のようにチェチェンの和平プロセスで得られた教訓を踏まえつつ、個々の和平案の実現可能性について検討したい。本書では、主に紛争当事者の住民世論に注目する。

まず第一次チェチェン紛争後のチェチェンに対するロシア側の認識について示す。他の紛争の和平案をめぐる世論と比較するものさしともなるだろう。

まず**表40**を見ると、「チェチェンはロシアの一部か、それとも独立国か」ということに対する世論の認識は、ロシア政府の政策と一定の連動性があることが分かる。ロシア政府が強く軍事的に介入していない時期は、チェチェンを「独立国」とみなす住民が少なからずいるが、実際に紛争が行われている時期（１９９５年1月、99年12月、２０００年6月）にはこれが大きく低下し、「ロシアの一部」と見なす住民が多数派になっている。

以上は、当時のチェチェンに対する世論の認識を問うものだが、チェチェン紛争の解決策（いかなる法的地位を与えるべきかという問い）に対しては、1997年から99年までは「独立を承認するべきだ」と考える世論が相対的に最も多い（**表41**）。またそれ以後も回答者の約2割が継続して「独立を承認するべきだ」と考えていることは注目に値する。これは後述する南コーカサスの紛争の解決策に対する住民世論の傾向とは対照的である。またロシア政府は、チェチェンに対してロシア連邦の一体性を堅持するために軍事作戦を展開していたが、ロシア世論は解決方法について――特別な地位を与えることも含めて――柔軟性を持っていたことを上記世論調査結果は示している。つまり、交渉が妥

**表40：チェチェンの現状に対するロシア住民世論**(%)

| | 1994/12 | 1995/1 | 1997/1 | 1999/3 | 1999/5 | 1999/12 | 2000/6 |
|---|---|---|---|---|---|---|---|
| ロシアの一部である | 45 | 67 | 51 | 34 | 41 | 72 | 72 |
| 独立国である | 30 | 16 | 32 | 45 | 44 | 17 | 18 |
| 回答困難 | 25 | 17 | 18 | 21 | 16 | 11 | 10 |

**表41：チェチェンの法的地位に関するロシア住民世論**(%)

| | 1997/8 | 1998/1 | 1998/5 | 1999/3 | 2002/11 | 2003/5 | 2004/12 |
|---|---|---|---|---|---|---|---|
| ロシア連邦内に残留し他の共和国と比して特別な地位は与えない | 19 | 18 | 20 | 28 | 45 | 43 | 48 |
| 特別な地位を与えて連邦に残留 | 28 | 27 | 22 | 25 | 17 | 21 | 16 |
| 独立承認 | 40 | 42 | 47 | 32 | 24 | 22 | 21 |
| その他及び回答困難 | 13 | 13 | 11 | 16 | 14 | 15 | 15 |

出典：いずれも世論調査基金（ФОМ）データより筆者作成
〔付記〕調査対象者は、ロシア連邦の住民で毎回1500人を対象として調査を行なっている。1999年12月のみ2000人を対象。

結すれば世論はそれを受け入れることができる環境があったのである。

これと比較すると、南コーカサス諸国の世論はより硬直的である。ここでは、南コーカサス諸国を対象とした包括的な世論調査である前掲のCaucasus Barometer 2013の結果から和平案に関する世論の傾向を読み取ってみたい（前述のように２０１３年以降、アゼルバイジャンでは本調査は行われておらず、紛争の解決策に関する質問も同年以降はない）。

**表42**は、カラバフ紛争の解決策に関するアゼルバイジャン、アルメニア住民の望む解決策、またアブハジア紛争に関するジョージア住民の望む解決策を示したものである。

これを見ると、アルメニア側はカラバフがどのような法的地位であれアゼルバイジャン領内に留まる解決策に対する強い拒否反応を有しており、アルメニアの一部になるか（「受入可能」及び「最も良い解決策」だとの回答は90％）、独立をするか（同74％）しか受け入れらないと考えていることが分かる。逆にアゼルバイジャンは、原則としてカラバフに自治権を与えることにすら世論には抵抗感があり、共同統治やアルメニアへの編入、独立に対しては拒否反応を示している。これは、両政府の和平交渉におけるスタンスと一致している。

またジョージアにおいても、自治権を与えずにアブハジアの支配を回復することを望ましいと考える住民が最も多く、ロシアの一部となることや独立には拒否反応が見られる。ジョージアの場合は、サーカシュヴィリ政権下でも当初提案された連邦（連合）国家案も約半数は受入拒否と回答している。かつての自治共和国のように広範な自治権を与えるという解決策は、半数以上の支持を得ている。

しかし、この世論調査は、個々の解決策に対する住民世論の選好を示したものであるので、偏った

**表42：和平案に関する紛争地の世論**(%)

| 問い | 選択肢 | アルメニア | アゼルバイジャン | ジョージア |
|---|---|---|---|---|
| 分離主義地域が自治権を保持せず、中央政府の支配領域に残る | 受入不可 | 95 | 0 | 6 |
| | 条件付き受入可能 | 1 | 3 | 9 |
| | 最も良い | 4 | 95 | 73 |
| 中央政府の支配領内で分離主義地域が広範な自治権を保持する | 受入不可 | 95 | 44 | 28 |
| | 条件付き受入可能 | 2 | 19 | 24 |
| | 最も良い | 0 | 31 | 33 |
| 共同統治を行う特別行政地域設置（カラバフ）、連合国家形成（アブハジア） | 受入不可 | 93 | 90 | 49 |
| | 条件付き受入可能 | 2 | 4 | 16 |
| | 最も良い | 1 | 0 | 7 |
| 分離主義地域が支援国（カラバフはアルメニア、アブハジアはロシア）の一部になる | 受入不可 | 7 | 96 | 86 |
| | 条件付き受入可能 | 13 | 0 | 2 |
| | 最も良い | 77 | 0 | 0 |
| 分離主義地域の独立 | 受入不可 | 24 | 81 | 76 |
| | 条件付き受入可能 | 18 | 10 | 5 |
| | 最も良い | 56 | 0 | 3 |

出典：Caucasus Barometer 2013より筆者作成

世論調査結果が出ることはある程度予想できる。本来であれば、複数の選択肢の中から相対優位な解決策を選ばせる世論調査結果が求められるが、残念ながら管見の限り、このようなデータは出てきていない。紛争の解決策において仮に当事者が妥協できず、自らの解決策に執着する場合、チェチェンの事例で見たように軍事力を用いて紛争を解決するしかない。しかし、アゼルバイジャンもアルメニアも武力を用いた紛争の解決が困難だと考えている世論が過半数を超えている事実は興味深い（**表43**）。

両国世論は、和平交渉によって紛争の解決は得られると考える世論も半数以上だが（**表44**）、問題は双方が妥協する姿勢を示さずにいては交渉が妥結する見込みはないということである。それにもかかわらず、交渉による紛争解決が可能だと考える世論は、相手側が自らの主張の正当性を理解すると盲目的に信じているのか、それとも将来的には和平に至るだろうという希望的観測に過ぎないのか、不明である。なおカラバフに関する上記世論調査では、具体的にいつまでに紛争の解決が得られるのかという指標の記載がないが、アブハジアに関するジョージア世論（**表45**）を参考にこれを見てみると、解決に至る時期は分からないという回答が多数であることがわかる（なおジョージアについては、武力もしくは交渉による紛争解決の可能性を問う世論調査結果がない）。

紛争の平和的解決には、当然のことながら住民間の信頼醸成も極めて重要である。特に虐殺等が

**表43：武力を用いて紛争の解決は得られると思うか？**(%)

| | 実現困難 | | | 実現可能 | | | 分からない |
|---|---|---|---|---|---|---|---|
| アゼルバイジャン | 52 | 到底実現し得ない | 29 | 33 | 実現し得る | 13 | 12 |
| | | 実現し得ない | 23 | | 実現可能性が高い | 20 | |
| アルメニア | 60 | 到底実現し得ない | 33 | 20 | 実現し得る | 12 | 19 |
| | | 実現し得ない | 27 | | 実現可能性が高い | 8 | |

**表44：和平交渉を通して紛争の解決は得られると思うか？**(%)

| | 実現困難 | | | 実現可能 | | | 分からない |
|---|---|---|---|---|---|---|---|
| アゼルバイジャン | 39 | 到底実現し得ない | 22 | 55 | 実現し得る | 20 | 7 |
| | | 実現し得ない | 17 | | 実現可能性が高い | 35 | |
| アルメニア | 31 | 到底実現し得ない | 16 | 54 | 実現し得る | 26 | 15 |
| | | 実現し得ない | 15 | | 実現可能性が高い | 28 | |

出典：Caucasus Barometer 2013

発生した民族間の対立による相互不信を除去することができなければ、和平の実現は困難である。しかし現状、このような環境は十分に整備されているとは言えない。アルメニアとアゼルバイジャンの住民は、相手民族と単にビジネスをするだけでも賛同しないと考える人々が圧倒的多数を占めている（**表46**）。経済封鎖にあるアルメニアは、アゼリ人とのビジネスに賛同する人も22％いるが、最新の調査結果（2017年）では2016年の軍事衝突の結果もあったためか、16％に減っている。

これに対して、ジョージア住民はオセット人やアブハズ人とのビジネスについては大多数の人々が賛同していることが分かる。またオセット人やアブハズ人とジョージア人女性の結婚についても、賛同しない世論が約6割を占めているが、賛同も3割超とアゼルバイジャンやアルメニアに見られるような極めて強い拒否反応

**表45：いつアブハジア紛争は解決に至ると思うか？**

| 選択肢 | % |
|---|---|
| すでに解決済み | 0 |
| 来年中 | 1 |
| 2～5年後 | 12 |
| 6～10年後 | 14 |
| 10年以上 | 15 |
| 解決できない | 12 |
| 分からない | 46 |

出典：Caucasus Barometer 2013

**表46：紛争相手の民族との接触に関する世論**（%）

| | アルメニア | | アゼルバイジャン | | ジョージア | | | | | |
|---|---|---|---|---|---|---|---|---|---|---|
| 紛争相手の民族とのビジネスに賛同するか | する | 22 | する | 1 | オセット人 | する | 72 | アブハズ人 | する | 73 |
| | しない | 76 | しない | 99 | | しない | 24 | | しない | 23 |
| | 分からない | 1 | 分からない | 1 | | 分からない | 4 | | 分からない | 4 |
| 紛争相手の民族と自民族女性の結婚に賛同するか | する | 4 | する | 1 | オセット人 | する | 35 | アブハズ人 | する | 35 |
| | しない | 96 | しない | 99 | | しない | 61 | | しない | 62 |
| | 分からない | 1 | 分からない | 0 | | 分からない | 3 | | 分からない | 4 |

出典：Caucasus Barometer 2013

だけではないことが分かる。以上のように、アゼルバイジャンとアルメニアの住民間の相互不信と比較すると、ジョージア住民と分離主義地域の民族の間には、政治的不信はあってもビジネス等は切り離して行うことができる素地があることを示している。

最後に紛争後の状況が固定化され、交渉そのものもほとんど行われていないイングーシ・北オセティア間の領土紛争に対する住民世論に触れたい。北オセティア側は、イングーシ側と交渉姿勢を見せているのは、避難民の帰還など紛争の結果生じた問題に対してであり、プリゴロドヌィの帰属問題に対しては一切話し合う姿勢を示していない。こうしたこともあってか、北オセティアの住民世論は、紛争の解決も両国政府が敵対的行動を取らなければ、このままの状態で解決すると認識しているようである（**表47**）。また紛争再発の可能性も低いとの認識が半数以上を占め、そもそもプリゴロドヌィ問題を気にかけていない人々も少なくない。

しかし、イングーシ人とオセット人の関係は、否定的なものだと受け取る人が6割おり、民族的差異による差別もあると7割以上が回答するなど、イングーシ人とオセット人が共存できる環境が北オセティアでは現状十分に形成されているわけではない（**表48**）。それにもかかわらず、イングーシ人との定期的な接触がなく、彼らに対する理解を北オセティアの住民が十分に深めることができていないことは、両共和国あるいは両民族の間にプリゴロドヌィ問題に対する認識の齟齬を生んでいるといえよう。北オセティア側の世論を見る限り、なぜ現状をイングーシ側が問題にするのか理解しかねるといった部分があるようにも見える。

やや古いデータだが、２００７年にプリゴロドヌィ地区でイングーシ人とオセット人各２００人に

**表47：イングーシ・北オセティア紛争の解決に関する北オセティア住民世論**(%)

| 両共和国の紛争はどのように解決できるか? | | 紛争再発の可能性はあると思うか? | |
|---|---|---|---|
| 両共和国政府が敵対的行動を取らなければ紛争は時間とともに解決する | 70 | 高い | 24 |
| | | 低い | 52 |
| 連邦中央が状況を制御すれば解決する | 7 | プリゴロドヌィの将来について気にしていない | 24 |
| 深刻な問題は存在しない | 13 | | |
| その他 | 10 | | |

**表48：イングーシ人に対する北オセティア住民世論**(%)

| イングーシ人との関係はいかなるものか? | | 民族的差異による両民族の対立はあるか? | | 北オセティアにおけるイングーシ人の境遇は? | | イングーシ人とオセット人の結婚に賛成か? | |
|---|---|---|---|---|---|---|---|
| 否定的関係 | 63 | どちらかと言えばある | 75 | 定期的な接触がなく判断困難 | 74 | 他の民族との婚姻全般に反対 | 38 |
| 他の民族と同じ | 12 | 回答困難 | 13 | オセット人と同じ境遇 | 14 | 反対 | 21 |
| 無関心 | 15 | 民族的差異による対立は生じていない | 12 | 権利が侵害されている | 5 | 賛成 | 23 |
| 好意的関係 | 10 | | | その他 | 7 | 無関心 | 8 |

出典：筆者作成
〔付記〕元データはКавполит(http://kavpolit.com/)によって2014年以前に北オセティアにおいて300人を対象に実施された調査とされるが、筆者が参照したのは当該記事を転載した情報サイト及びКавполит旧ブログである(2014年1月16日に記事掲載)。Кавполитのメインサイトでは2014年1月以前の記事は削除されており、旧ブログでは記事の詳細をクリックするとアドレス無効で元データは確認できなかった。

**表49：イングーシ・北オセティア紛争の解決のために必要なことは何か**(%、2007年)

| イングーシ人側 | | オセット人側 | |
|---|---|---|---|
| 全イングーシ避難民の帰還 | 68 | 全イングーシ避難民の帰還停止 | 43 |
| プリゴロドヌィ地区のイングーシへの編入 | 15 | 領有権をめぐる論争を終わらせ、連邦の関与を強化する | 44 |
| 回答困難 | 14 | 現状維持 | 12 |

出典：*Caucasus Times*, 11 июня 2007 г.(http://caucasustimes.com/ru/severnaja-osetija-68-oproshennyh-ingushej-z/)

対して行われた世論調査（**表49**）を見ると、プリゴロドヌィ問題に対する双方の認識の相違は際立つ。イングーシ人側は、紛争の解決には避難民を全員帰還させることが必要だと考える世論が最も多く、領域の編入を求める者はわずか15％しかいない。対照的にオセット人側は、イングーシ人避難民の帰還すら受け入れる姿勢はなく、連邦の関与の強化や領有権論争に終止符を打つこと、あるいは少なくとも現状を維持すれば、本問題は解決すると考えているのである。このような歩み寄りの欠如が約30年を経ても、イングーシと北オセティアの間の問題を温存させてしまっているのである。

紛争を解決するためには、双方の政治指導者が一定の妥協をすることが不可欠である。当然のことながら、妥協は政治的に大きなリスクと責任を伴う行為である。このような妥協を可能にする一つの要素が世論であるが、残念ながら、現状の南北コーカサス地域の世論は、少なくとも和平を後押しする状況とは言い難い。他方で、世論とは政策に一定の影響を受けるものでもある。逆に言えば、現状における頑なな世論は、政治指導者が自らの正当性を一方的に主張し続けた結果、形成された部分もある。そのように考えた時、政治指導者の歩み寄りが世論をより柔軟なものとさせ、紛争解決を後押しする可能性もないわけではない。

# 第2部

# コーカサスの紛争が投げかけるもの

# 第5章——北コーカサスにおけるイスラーム主義運動

## [1] 北コーカサスのイスラーム主義勢力と「グローバル・ジハード」

第1部では、主にソ連解体後に表面化した南北コーカサスの紛争に目を向けたが、第2部では、これら紛争及びそれらから付随的に発生した問題が現在に投げかけている点を考えたい。

まず本章では、北コーカサスのイスラーム主義運動が「グローバル・ジハード」といかなる関係があるのかについて明らかにする。

### ❶「イスラーム国」の主要な義勇兵輩出地域としてのロシア・コーカサス

2011年にシリア内戦が発生すると、国際政治における主要な問題として混迷するシリア情勢にどのような対応をとるのかという問題が浮上した。ロシアとアメリカがこの問題をめぐり対立し、有効な対応策を講じることができない中で、シリアでは反アサド勢力の中で最も過激主義的な勢力、「イスラーム国」（以下、IS）が台頭した。指導者であるバグダーディがカリフ（イスラーム世界の統治者）だと主張するISは、斬首など残虐な方法によって反対勢力を排除し、その支配地域を拡大することで世界中から注目を集めた。これによってISは、これまで対米闘争を「ジハード」（聖戦）と位置づけることでグローバルなイスラーム過激派のネットワークを形成していたアル＝カーイダに代わって、「グローバル・ジハード」の旗手になったと見なされた。実は、このISの中核には旧ソ連地域、特にロシア、中でも北コーカサス出身のイスラーム過激派勢力が多数いたのである。

　元FBIの捜査官であるアリ・ソウファンが創設した情報シンクタンクSoufan Centerの報告書（2017年）によれば、ISの外国人義勇兵出身国1位はロシアである（**表50**）。加えて、地域別で見ても中央アジアや南コーカサスなどを含む旧ソ連地域は8717人で、中東地域を上回り1位となっている（**表51**）。さらに、ISの軍事部門の司令官をチェチェン系の出自を持つアブー・ウマル・シシャーニ（Abu Umar al-Shishani）が務め、他にもチェチェン系のイスラーム武装勢力がシリア内戦に参戦するなど、チェチェンのイスラーム過激主義勢力とISには強い繋がりが見られた。また、ISも2015年6月に「コーカサス州」（支部）を創設し、「コーカサス首長国」（以下、「首長国」）の司令官の多くが加わ

**表50：シリアやイラクへ向かった外国人義勇兵輩出国**（人、上位5カ国）

| 国名 | 義勇兵の数 | 母国に帰還した兵 |
|---|---|---|
| ロシア | 3,417 | 400 |
| サウジアラビア | 3,244 | 760 |
| ヨルダン | 3,000 | 250 |
| チュニジア | 2,926 | 800 |
| フランス | 1,910 | 302 |

**表51：義勇兵輩出地域ランキング**

| 国 | 人数 | 割合 |
|---|---|---|
| 旧ソ連 | 8,717 | 29% |
| 中東 | 7,054 | 24% |
| 西欧 | 5,778 | 19% |
| マグレブ諸国 | 5,356 | 18% |
| 南·東南アジア | 1,568 | 5% |
| バルカン | 845 | 3% |
| 北アメリカ | 444 | 2% |

出典：いずれもBarrett（2017, pp.10-11）より筆者作成。2017年現在のデータ。

るなどしてきた。

現在、ＩＳそのものはバグダーディ司令官の死亡（２０１９年10月）など組織としては終焉を迎えつつあるが、なぜロシアやコーカサスから多くの人々がシリアやＩＳに向かったのかを考えることは、現状においても重要である。それは、コーカサスの紛争や武装勢力が国際的な問題とどのように繋がっているのか、特に北コーカサスのイスラーム主義とグローバルなジハード運動との関係性を理解することになるからである。さらに、これはコーカサス地域の紛争や民族問題が国際社会においてどのような重要性を持つのかを理解することにもなるのである。

このような問題意識を念頭にここでは、「いつ、誰が、どこから、なぜシリアへ向かい、彼らにはどのような特徴があったのか」を見ていく。なお、前もって明らかにすれば、コーカサスからシリアへの義勇兵の動きは、二つの時期に分類可能である（**表52**）。第一に、２０１１年のシリア内戦の発生から２０１４年までであり、これが義勇兵移動の「第一の波」と言われている。第二に、２０１４年のＩＳ建国宣言からそれ以降であり、これが「第二の波」と言われる。

前者は、後述するようにチェチェンの独立闘争や北コーカサスにおけるイスラーム主義運動に参加

**表52：コーカサスからシリアへの義勇兵移動の分類**

| | 第一の波 | 第二の波 |
|---|---|---|
| 時期 | 2011～14年 | 2014年～ |
| 戦闘経験の有無 | あり（元戦闘員） | ほぼなし（一般住民） |
| シリアでの立場 | 司令官レベル | 末端兵レベル |
| 北コーカサスでのジハードへの関心 | あり | なし |
| シリア参戦の目的 | アサド政権の打倒 | ISへの参戦 |

出典：筆者作成

経験がある元戦闘員であるが、後者は戦闘経験のない一般の住民を多数含んでいる。従って後者は北コーカサスにおけるイスラーム主義運動に大きな関心は持っておらず、2014年のＩＳ建国後にプロパガンダの影響を受け加わった人々が多数を占める。元々、戦闘経験もさしてないため、後者の人々は現地武装勢力においても末端の戦闘員となるケースが多かった。あるいは司令官に就任しているケースでも、それ以前の経歴が不明で、大きな戦果を出して著名になった例もほとんどない。それゆえに動員された個々人に対する研究はもとより分析レポートの類も見当たらない。そこで、ここでは比較的研究が充実している「第一の波」に注目し、なぜ北コーカサスでも戦闘経験のあるイスラーム主義者たちがシリアへ向かったのかを明らかにする。つまり北コーカサスのイスラーム主義とシリア内戦がどのように結びついたのかを論じる。

チェチェン系イスラーム武装勢力は、いつ頃からシリア内戦に関与するようになったのであろうか。関与を始めた時期は2012年上半期頃とされ、夏頃にはメディアでも報道された。

チェチェンのカディロフ首長は、当初、チェチェン人のシリア内戦への関与に否定的な反応を示し、ロンドンに拠点を持つ世俗的な独立派勢力もこれを否定していた。だが、10月頃には「首長国」の情報を発信するウェブサイト「カフカース・ツェントル」が「首長国」から150人の兵士がシリアに向かい、戦闘に参加していると報じ、事実上、チェチェン系イスラーム武装勢力の参戦を認めた。在モスクワ・シリア大使館は2013年末の時点で、1700人程度のチェチェン人がシリアで武装勢力に加わっているという見解を発表した。

　では、いかなるチェチェン系イスラーム武装勢力がシリア内戦に加わったのであろうか。ここでは、2013年時点を起点として、チェチェン系の司令官が関わっている4つの部隊を取り上げ紹介する（**表53**）。シリア内戦をめぐっては反アサド政権側においても関係主体が錯綜しており、まとまりを欠くことがISの勢力拡大に寄与したとの理解があるが、チェチェン系イスラーム武装勢力についても、

**表53：シリア内戦に関与するチェチェン系イスラーム過激派組織**（2013年）

| 名称 | 特徴 |
|---|---|
| 「ムハージルーンとアンサール軍」(Jaish al-Muhajireen wal-Ansar: JMA) | 2012年までにシリア内戦に参戦。13年に組織名をJMAに変更。同年にウマル・シシャーニがISに忠誠を誓い分裂。IS側、ヌスラ戦線側に忠誠を誓う部隊、首長国に忠誠を誓う部隊、JMA存続を目指す部隊に分裂。15年にヌスラ戦線に合流 |
| 　「アル=アクサ旅団」(Katibat al-Aqsa) | 2013年にウマル・シシャーニと共にJMAから分離。ウマル・シシャーニがISの軍事司令官になると同人と協力し、IS忠誠を誓い活動を展開。チェチェン系旅団 |
| 　「シャームのコーカサス首長国」(Имарат Кавказ в Шаме) | JMAの司令官になったサラフッディーン・シシャーニは、2013年に「コーカサス首長国」に忠誠を表明。その後、サラフッディーンは、2015年にシリア（アラブ）人部隊のジャイシュ・アル=ウスラにという組織に移行 |
| 「自由コーカサス大隊」(Jamaat Jund al-Qawqaz) | 2013年にシリア内戦に参加。アブドゥル・ハキム・シシャーニが司令官。2014年に「シャームの支援者大隊」から離脱。「コーカサスの兵士」に名称変更。ハキムの死後もチェチェン系司令官が指揮。反IS系、首長国と関係性なし |
| 「シャームの支援者大隊」(Ansar al-Sham) | 2012年にソ連のアフガン侵攻の際に戦ったアブー・オマール・ジャミールによって創設。チェチェン系のアブー・ムサ・シシャーニが軍事司令官。シリア（アラブ）人を中心とする部隊。2013年より「イスラーム戦線」の形成に参加 |
| 「シャームの兵士」(Junud al-Sham) | 2012年にムスリム・シシャーニによって創設されたチェチェン系部隊で、ISやヌスラ戦線いずれからも中立的な立場をとる少数精鋭の独立した武装勢力 |

出典：筆者作成。ここでは2013年当時に存在した部隊を挙げている。「シャーム」とはアラビア語でシリアを指す。

それぞれの組織ごとにどの勢力と協力するのかが、大きな問題となった。

まず、2013年末まで最も大きな勢力であったのが、アブー・ウマル・シシャーニに率いられていた「ムハージルーンとアンサール軍」（以下、JMA）である。この組織は、少なくとも2012年9月頃にはシリア内戦に参戦し、当初は「ムハージルーン軍」と名乗っていたが、2013年3月に上記組織名に変更した。それ以後、アレッポ市街戦やシリア空軍基地への襲撃などで大きな成果をあげる。ただし、アブー・ウマル・シシャーニがISに忠誠を誓うことで、2013年末までに組織分裂が生じる。彼のISに忠誠を誓うという路線は、JMAの構成員や指導者の支持を十分に得ることができなかったため、アブー・ウマルとその側近はJMAから事実上、追われる形となった。この際、ムサ・アブー・ユソフ・シシャーニなどを含むチェチェン系部隊が行動を共にした。この部隊が「アル＝アクサ旅団」だった。ウマル・シシャーニは、その後、IS軍事部門の主導的指導者となり、強い影響力を保持した。彼らは、カリフ制国家の樹立を掲げ、異教徒や従わない勢力に対して苛烈な暴力を用いて虐殺行為を行った。

比較的早い時期、すなわちウマル・シシャーニがまだJMAの代表を務めていた時期に、彼が残虐な行為を繰り返すISとの連携を模索していたことに反発し、JMAから離脱したチェチェン系イスラーム武装勢力としてサイフッラー・シシャーニ（Saifullah al-Shishani）の部隊があげられる。サイフッラーとその配下は2013年6月から7月には、早くもJMAを去ったとされる。この組織は、アブー・ウマル離脱後のJMAと同様にISと対立するアル＝カーイダ系のヌスラ戦線との協力の道を選んだが、前記組織との違いは、2013年末の段階でこの組織はヌスラ戦線の傘下に入ったということである。なお、サイフッラーは２０１４年2月のアレッポ刑務所襲撃の際に死亡したが、その部隊はその後も活動を継続した。

アブー・ウマルの離脱したＪＭＡでは、サラフッディーン・シシャーニ（Salahuddin al-Shishani）の下で、ＩＳやその指導者のバグダーディ（Abu Bakr al-Baghdadi）ではなく、「首長国」のアミール（司令官）であるウマーロフに忠誠を誓った。サラフッディーンは、シリアにおける首長国の代理人として立場を認められ、ＪＭＡを継続しつつ、「シャームのコーカサス首長国」という組織の司令官も名乗った。また作戦の展開面では、ＩＳと対立するヌスラ戦線と協力関係にあり、自由シリア軍やイスラーム戦線などとの協力も排除しないスタンスをとってきた。彼らの目的は、一義的にはシリア・アサド政権との闘争における勝利であった。

しかし、２０１５年ごろになると、台頭するＩＳやその支持勢力に様々な形で動員資源や人員が奪われたためか、ＪＭＡ内部で闘争を継続するためにヌスラ戦線に合流するべきだという議論が支配的になる。サラフッディーンは、あくまでも部隊としての独立性を保つべきだと主張し、組織内で孤立する。その結果、副官などと共にＪＭＡから離脱し、「ジャイシュ・アル＝ウスラ」（Jaish al-Usrah）というシリア人を主とする部隊の司令官に就任した。ここでもサラフッディーンは「首長国」に忠誠を表明した。残ったＪＭＡの部隊は、２０１５年にヌスラ戦線に忠誠を誓い合流した。

次に、アブドゥル・ハキム・シシャーニが司令官を務めていた「自由コーカサス大隊」が挙げられる。この部隊は、２０１３年頃にシリア内戦に関与し始め、もとは「シャームの支援者大隊」の下位組織だったが、２０１４年頃に独立した。当初は、「首長国」とは良好な関係を構築していたが、組織としては自立しており、その後、明確に「首長国」との関係を否定し、独立した部隊という立場を採った。ＩＳには批判的である。また２０１３～15年の間にはＪＭＡが分裂していくが、この間も主要な作戦（２０１５年10月からのラタキア攻勢、16年10月のアレッポ攻勢など）に積極的に参加し、２０１６年までには旧ソ連・チェチェン系の部隊としては最大規模になった。２０１５年頃からはアル＝カーイダ系のヌスラ戦線と協力して作戦展開をしてきたとされる。

さて、ＩＳやヌスラ戦線などからは独立した少数精鋭のチェチェン系イスラーム武装勢力として、ムスリム・シシャーニ（Muslim al-Shishani）が指導者を務める「シャームの兵士」（Junud al-Sham）があげられる。この組織とその指導者であるムスリムは、他のチェチェン系指導者と異なり、自立した存在とみなされており、作戦の展開などにおいてはヌスラ戦線とイスラーム戦線と協力しているが、いかなる組織の配下にもなっていない。それは、彼が第一次チェチェン紛争後からコーカサスでの闘争に参加し、有名なハッターブ司令官の部隊にいたことに加え、その部隊が少数の屈強な隊員で構成されているからとされる。ムスリム・シシャーニの部隊には、他にもアブー・バクル・シシャーニなどの司令官もいる。

ムスリム・シシャーニやサイフッラー・シシャーニと連携して作戦を展開しているとされるのが、「シャームの支援者大隊」の軍事司令官であるアブー・ムサ・シシャーニ（Abu Musa al-Shishani）である。同部隊は、ソ連のアフガン侵攻の際に戦闘に参加したアブー・オマール・ジャミール（Abu Omar al-Jamil）によって２０１２年に創設されたもので、主要な隊員はアラブ人である。この組織は２０１３年にイスラーム戦線（組織連合体）に加わり、作戦を展開した。なお、アブー・ムサ・シシャーニの経歴も実名も不明で、声明やプロパガンダ動画にもマスク姿で登場していた。彼がシリア人の部隊の司令官に迎えられたのは、軍事的経験が豊富だったためだとされている。

## ❷シリアのチェチェン系イスラーム主義勢力の出身地

では、このようなイスラーム武装勢力は、いったいどこから来たのであろうか。全ての指導者がアラビア語名でチェチェンを意味する「シシャーニ」と名乗っているように、彼らはチェチェンに出自を持っているのであろうか。あるいは、彼らはチェチェンやコーカサス出身だとしても、どこからシリアに向かったのだろうか。

ロシアからの義勇兵の多くはチェチェン人などコーカサス出身者だと言われているが、大きく分けて4つの地域からシリアへ流入したと見られている。それは、北コーカサス（ロシア連邦）、南コーカサス（ジョージアなど）、ヨーロッパ、そして中東諸国（シリアやトルコ）である。ただし、義勇兵の出身国（国籍国）としての数は提示されていても、具体的にどこからどの程度の人員が流れ込んでいるのか（たとえば、ロシア出身でも欧州在住のチェチェン人がシリアに行くというケースも考えられる）については、正確な数はわかっていない。

最初にシリアで戦ったチェチェン人は、中東に留学中の学生や在住者などとされているが、その後は、傾向として欧州や南コーカサスなどからの人の流れが多くなったと指摘されている。欧州にいるチェチェン人は、チェチェン紛争の結果、欧州に逃れた難民やその子どもであり、その数は最小で10

万人、最大で25万人とされている。ただ、欧州在住のチェチェン人の多くは実戦経験がなく、北コーカサスなどで対露ジハード経験のある武装勢力よりも戦力的には大幅に劣っている。ＩＳの誕生後（「第二の波」の時期）、チェチェン人コミュニティの大きさから、ヨーロッパが大きな人員の供給源になり得ていると考えても、それ以前（「第一の波」の時期）にシリアに渡り司令官や部隊の要を担っている人々がヨーロッパから流入しているとはあまり考えられないだろう。

チェチェンや他の北コーカサス諸国からの義勇兵も少なからず存在すると思われ、実際に報道もされているが、実は、上述した著名なチェチェン系イスラーム武装勢力やその司令官のほとんどはジョージアのパンキシ渓谷の出身である。それは、彼らの本名を見れば、一目瞭然である。すなわち、アブー・ウマル・シシャーニは、タルハン・バティラシヴィリ、サイフッラー・シシャーニは、ルスラン・マチャリアシヴィリ、そしてムスリム・シシャーニは、ムラート・マルゴシヴィリ、サラフッディーン・シシャーニは、ゲオルギ・クシュタナシヴィリ（他にも別名フェイズッラー・マルゴシヴィリがある）、アブー・バクル・シシャーニは、サイフッラーの近親者で同じマチャリアシヴィリ姓である。これらは、いずれもジョージア系の名前である（以後、本名での呼称を用いる）。

つまり、彼らは、厳密にはチェチェン人ではなく、チェチェン系民族であるキスト人なのである。例外は、アブドゥル・ハキム・シシャーニで、彼はルスタム・アジエフというチェチェン生まれのチェチェン人である。またバティラシヴィリと行動を共にしたムサ・アブー・ユソフ・シシャーニは、実名が不明だが１９９１年チェチェン共和国のシャトイ生まれとされており、彼もチェチェン人である可能性が高い。同じくバティラシヴィリの副官であったアブー・ジハード・シシャーニは、イスラーム・アタビエフというカラチャイ人であり、チェチェン系民族ですらない。しかし、このように見るとシシャーニと名がつく司令官の多くは、キスト人ということになる。

キスト人は、チェチェンとの国境沿いにあるジョージアのカヘティ州アフメタ地区のパンキシ渓谷（**図8**）に居住する約7000人程度の少数民族である。チェチェン人とキスト人の間には、どのような違いがあるのであろうか。最もわかりやすいのは、国籍の違いである。チェチェン人はロシア国民だが、キスト人はジョージア国民である。従って、彼らは、互いにとって外国人なのである。このことは、マルゴシヴィリがチェチェン紛争に参加した際にチェチェン人司令官の下ではなく、アラブ人を中心とするハッターブ傘下の外国人部隊員として参戦した事実にも見いだせる。またキスト人は、多くの者がジョージア語とキスト語（ナ

**図8：パンキシ渓谷の位置**　　出典：筆者作成

フ語族でチェチェン語とほぼ同じ）のバイリンガルであり、上述のように名前もジョージア風であるなどチェチェン人との相違点がある。

もちろん、チェチェン人とキスト人は、民族、言語、文化（習慣）面に加え、宗教面でも、双方共にムスリムで、スンナ派の神秘主義教団の信者であり、近年、若者の中にはサラフィー主義の信奉者がいるなどの共通点が多い。だが、キスト人の中には、現在チェチェン人の間ではほぼ見られないキリスト教徒（ジョージア正教徒）も非常に少数だが存在するなど違いもある。また、キスト人はチェチェン人と異なり、1944年にスターリン体制下での強制移住の憂き目にもあっていないことや、文化人類学的（人名、慣習、地縁血縁集団など）にも両民族の間の非常に小さいが重要な違いが指摘されている。

さて、キスト人は18～19世紀頃からジョージアのパンキシ渓谷に定住した民族で、自らを「ジョージア国民」と認識し、チェチェンではなく、ジョージアを祖国と考えているとされる。ゆえにキスト人は、アブハジアや南オセティアの分離主義問題を抱え、独立後、多民族国家として国民統合の課題を有してきたジョージアでは数少ない「ジョージアに統合されている少数民族」と指摘する論者もいる。

それにもかかわらず、キスト人地域（パンキシ渓谷）が注目を集めるのは、多くの場合、隣接するチェチェンとの関係においてである。たとえば、第二次チェチェン紛争が発生すると、パンキシ渓谷には8000人ともされるチェチェン難民が押し寄せ、ジョージア政府が具体的対応をとらなかったため、チェチェンの急進独立派やその支援者の拠点となり、無法地帯になったと言われる。実際に著名な野戦司令官の故ゲラーエフが同地を拠点としており、ハッターブもパンキシで死亡するなどチェチェン武装勢力との関係性は深い。

ただし、パンキシがアル=カーイダなどの国際テロ組織とチェチェン独立派の結節点となり、グローバル・ジハードが展開されていたという理解については、当時からどれほど実態に即したものであるのかが疑問だという意見もあった。だが、ロシア政府は、同地を国際テロリストの拠点と名指しし、取り締まりを行わないジョージア政府を激しく批判した。これを受けて、ジョージア側も重い腰を上げて、パンキシにおけるテロ掃討作戦を実行することとしたが、このためにアメリカから軍事的支援を受けることを表明したため、ロシアとの関係は一層悪化した。ジョージアの対テロ作戦は、パンキシ住民の抵抗を受けず、数名の逮捕者を出しただけで終了したため、ロシアは激しく反発した。そして、2002年8月にロシア軍は、パンキシに空爆を行う。以上のように、パンキシ渓谷は、ロシア・ジョージア関係において大きな問題となってきた。そして今回、この地域の問題がコーカサスとシリアのイスラーム過激派を結びつける役割を果たしたのである。

## ❸シリアのチェチェン系イスラーム主義勢力の参戦理由

パンキシに出自を持つキスト人を中心とするチェチェン系司令官は、なぜシリア内戦に参戦したのであろうか。「首長国」と連携するアル=カーイダなどのイスラーム過激派勢力を反アサド闘争において支援するためにシリアへ向かい、その後、ＩＳに加わったのであろうか。つまり、コーカサスのイスラーム主義運動とグローバルなジハード運動の間に組織的な連携や繋がりがあり、それによってシリアへ送り込まれたのであろうか。

上述した主要な指導者は、その経歴で大きく二つに分類可能である。第一は、チェチェンでの独立闘争、もしくはジハードに参加経験のある指導者であり、これはマルゴシヴィリとマチャリアシヴィリなどが該当する。第二に、チェチェンでの戦闘経験、もしくはシリア内戦以前にジハードに参加経験がないか、もしくはそれが公表されていない指導者であり、これはバティラシヴィリやその側近などが該当する。

前者については、「首長国」によって派遣されたという論理は成り立つが、後者はそもそも「首長国」と関係性がほとんどなかったので、そのような主張をすることができない。後述するように「首長国」は、シリアでのジハードよりも北コーカサスでのジハードに注力すべきだと最高指導者ウマーロフ（当時）が主張していたため、首長国の指示の下、送り込まれた（組織的連携がある）という主張には無理がある。

ではなぜ、彼らはシリアへ向かったのであろうか。ここでも二つに分類可能である。第一に「首長国」から離反したか、今も「首長国」に賛同しており共闘したいがそれが不可能になったため、シリアに向かったタイプである。

いずれも「首長国」と過去に一定の関係があったという点で共通しているが、前者は「首長国」と対立、もしくは方向性の違いが顕著になったため、シリアへ向かった者を指す。これは少数しか確認できないが、「自由コーカサス大隊」のルスタム・アジエフや「アル＝アクサ旅団」のムサ・アブー・

ユソフ・シシャーニ（実名不明）、そしてバティラシヴィリの副官であったアタビエフが該当する。特に1982年生まれのアジエフは、第一次チェチェン紛争時に12歳だったが、第二次紛争発生後には抵抗闘争に参加し、「首長国」体制下でもチェチェンにおいて司令官を任されていた人物である。対してムサ・シシャーニは1991年生まれで、当人は「首長国」の戦闘員だったと述べるが、2013年当時22歳で、仮に戦闘員であったとしても末端であったと思われる。アタビエフは、1983年生まれだが、カラチャイ人であり、カラチャイ・チェルケス司令部で闘争に参加していたと述べる。つまり、彼らは、「首長国」の方針や組織運営に反発し、現地へ赴いた点で共通するが、アジエフは反IS側へ（結果的に「首長国」が共同歩調を取るアル＝カーイダ系のヌスラ戦線等と部分的に協力）、ムサ・シシャーニやアタビエフがIS側へ、と立場の違いは顕著である。

次に「首長国」に賛同しており共闘したいがそれが不可能になったタイプには、マルゴシヴィリをはじめとして主要な司令官の多くが当てはまる。マルゴシヴィリは、チェチェンで戦闘に参加していたが、脱出してから戻れなくなったため、シリアへ向かったと述べている。彼は、第一次チェチェン紛争後から対露闘争に参加した古株である。現在、「首長国」においてすらチェチェンの独立闘争との連続性を有する有名な指導者がほぼいなくなった中で、マルゴシヴィリの経歴は注目に値する。彼は2002年にロシア軍に捕らえられ、2年半という比較的短期間に刑務所から解放されたものの負傷していたため、ジョージアでの療養を余儀なくされた。2008年以降、再びチェチェンへ向かおうとしたが、国境警備などが非常に厳しくなっており、ダゲスタンに潜伏できても、チェチェンでのジハードに参加できなくなった。最終的には、ダゲスタンへの潜入も難しくなり、こうしたことからシリアに向かったという。同様に、治療のため一度チェチェンを脱出後、同地もしくは北コーカサスに戻れなくなり、シリアに向かうという経路は、マチャリアシヴィリにも見られる。彼らは、可能であれば、コーカサス（チェチェン）でのジハードに参加したかったが、できなかったため、シリアに参加したという点で共通している。

シリア渡航の第二の類型は、北コーカサスでのジハードや「首長国」との協力や離反などは関係なく、単に個人的理由からシリアに向かったタイプである。この代表格としてバティラシヴィリが挙げられるが、いわゆる２０１４年以降の「第二の波」でシリアに向かった人々の多くもこちらに区分できると思われる。

ここでは、代表的な人物としてバティラシヴィリの経歴を紹介したい。バティラシヴィリは、１９８６年にパンキシで生まれた。第一次チェチェン紛争の時は、わずか8歳（第二次紛争時も13歳）で、チェチェンでの戦闘経験も北コーカサスでのジハードの経験もない。彼の父親はジョージア人とされ、母親はキスト人であった。２００６年頃にジョージア軍に入隊し、軍勤務ではアメリカ軍の専門家から軍事指導を受けるなどしていたバティラシヴィリは、２００８年のロシア・ジョージア戦争に従事して実戦経験も積んだ。彼の父親はキリスト教徒で、母親は実践面ではイスラーム教徒だったが、彼自身はアラビア語も読めず、宗教的な関心は低かった。しかし、戦争後、母が重病で治療の甲斐なく死に、自らも結核で生死をさまよい、軍から退役を求められると、彼は失意の中でイスラームについて学び始めた。そして元上司にチェチェンでの軍務経験などを聞くようになり、武器の不法所持や密売などで逮捕された。刑務所では一層信心を深め、当時メディアを賑わせていたシリアに対する思いを強くしたとされる。2012年の出所後、父親にトルコに住む友人が仕事を紹介してくれると話し向かった後、シリアに潜入した。

バティラシヴィリ以後（「第二の波」の時期に）、ISに加わった人々についても、バティラシヴィリ同様、北コーカサスにおける戦闘経験がなく、「首長国」へのシンパシーもほとんどないという意味では共通していると見られる。彼らは、ISの台頭とそのプロパガンダ戦略によってISに惹きつけられた人々でもある。

このように主要な指導者を見て取ると、彼らの経歴（北コーカサスでの闘争経験の有無と「首長国」との関係）に違いはあるものの、シリア内戦への参加は組織的な指示や支援があったためではなく、個々人の意志に基づく決定であることは共通している。

## ❹チェチェン系武装勢力の特徴

では、彼らのシリアでの戦闘の目的や手段は、どのようなものであろうか。チェチェン系のイスラーム武装勢力は、アレッポ刑務所襲撃やラタキア攻略作戦などで大きな働きをし、外国人義勇兵の中で「最も手強い連中」と形容されてきた。しかし、チェチェン系イスラーム武装勢力の活動目的とその手段は必ずしも一致しておらず、これが彼らの分裂の背景にある。

バティラシヴィリは、ISのバグダーディに忠誠を誓ったように、また徹底して苛烈かつ残虐な行為を繰り返してきたように、自らの目的とするカリフ制国家樹立のためにはその手段を選ばない。同じムスリムや無辜の住民を次々と残虐な行為で殺害する様子は、北コーカサスにおける対露闘争ではほとんど観察されない現象である。すなわち、コーカサスで作戦に従事してきたマルゴシヴィリらがバティラシヴィリらに反発したのは、このような「最低限のモラル」からバティラシヴィリらが逸脱していたということが第一にあげられる。実際に、「首長国」に反発し、シリアに向かっていたアジエフですらＩＳには極めて批判的であった。

北コーカサスにおける闘争では、攻撃の対象は、①ロシア軍・連邦の治安当局関係者、②親露派政権及び共和国治安機関、③政権と癒着するイスラーム指導者、④非ムスリム系ロシア市民となっており、ダゲスタンを除くと、一義的には①と②が主要な攻撃対象とされていた。④は、当初、①に要求（ロシア軍の撤退や和平協議など）を受け入れさせるための手段として設定された攻撃対象であり、それゆえに人質型のテロが行われていた。次第にこれは要求を受け入れない当局とその体制を支持する人々への一方的打撃を加えることを目的とした自爆型テロへと転化していったが、一般のムスリム住民を直接の攻撃対象として意図的に狙ったことは管見の限りない。

このように攻撃目標を基本的に当局に定め、動員対象になりうる住民は殺害しないという戦略は、シリアでも対露闘争経験のある指導者には引き継がれていたようである。彼らの目的は、アサド政権の転覆であり、シリアの人々の「圧政からの解放」にある。その点でＩＳの目的（アサド政権からの「解放」よりもカリフ制国家の樹立を優先）とそのための手段（無辜のムスリムも次々に殺害）には、マチャリアシヴィリやクシュタナシヴィリ、アブー・ムサ・シシャーニ、ルスタム・アジエフなども反発し、バグダーディの権威を認めなかった。

第二に、経歴や世代の違いである。わずか28歳のバティラシヴィリに対して、マルゴシヴィリは44歳で、他の対露ジハード経験者も同年代だと推測される。バティラシヴィリは、この若さにしてJMAの司令官を務めた後、ISの軍事部門の責任者になったが、ジハード経験のない者が、先にシリアに入っていたとはいえ、マチャリアシヴィリやクシュタナシヴィリなどの上官になるなどということは、本来考えられないことである。彼らの多くは、コーカサス山脈の厳しい自然環境の中で十分な武器や食料もない中で対露ジハードを戦ってきた司令官だという自負心があり、そのような経歴のない若者の配下に進んでなるとは想像しにくい。

バティラシヴィリがJMAの司令官となり、ISでも抜擢されたのは、ジョージア軍勤務中に彼が受けた米軍のトレーニングの役割が大き

**表54：主要なチェチェン系イスラーム武装勢力司令官**

<table>
<tr><th>通名</th><th>実名</th><th>生年～没年</th><th>出生地</th><th>北コーカサスでの闘争経験</th><th colspan="2">所属・連携組織</th></tr>
<tr><td>アブー・ウマル・シシャーニ</td><td>タルハン・バティラシヴィリ</td><td>1986～2016</td><td>ジョージア</td><td>なし</td><td colspan="2" rowspan="3">IS</td></tr>
<tr><td>アブー・ジハード・シシャーニ</td><td>イスラーム・アタビエフ</td><td>1983～2017</td><td>カラチャイ・チェルケス</td><td>あり</td></tr>
<tr><td>ムサ・アブー・ユソフ・シシャーニ</td><td>不明</td><td>1991～2015</td><td>チェチェン</td><td>あり</td></tr>
<tr><td>サラフッディーン・シシャーニ</td><td>ゲオルギ・クシュタナシヴィリ</td><td>不明～2017</td><td>ジョージア</td><td>あり</td><td rowspan="3">首長国と協力</td><td rowspan="4">ヌスラ戦線と協力</td></tr>
<tr><td>サイフッラー・シシャーニ</td><td>ルスラン・マチャリアシヴィリ</td><td>不明～2014</td><td>ジョージア</td><td>あり</td></tr>
<tr><td>ムスリム・シシャーニ</td><td>ムラート・マルゴシヴィリ</td><td>1972～</td><td>ジョージア</td><td>あり</td></tr>
<tr><td>アブドゥル・ハキム・シシャーニ</td><td>ルスタム・アジエフ</td><td>1982～2016</td><td>チェチェン</td><td>あり</td><td>中立</td></tr>
</table>

出典：筆者作成

いと指摘される。アメリカはジョージア軍の近代化や対テロ作戦のためのトレーニングを行っていたため、バティラシヴィリはここで最新の米軍武器に関する実践的な知識を得ただけではなく、ジョージア軍への訓練のために提供されていたアメリカの対テロ戦術に関する知識も得た。さらにこれらを一部用いたロシア・ジョージア戦争での経験もあり、ISにとっては非常に魅力的な経歴（米軍から供与されたイラク軍の武器を強奪し、それを利用できる）を有していた。バティラシヴィリ自身も他のチェチェン系イスラーム武装勢力の司令官が共感や賛意を表明している「首長国」に対して辛辣な態度をとるなど、両勢力の間には価値観の違いも目立った。

さて、以上のように紹介してきたチェチェン系イスラーム武装勢力は、シリア内戦発生直後に同地に向かい、重要拠点の攻防など主要な作戦において大きな戦果を出してきた。しかし、次第にロシア軍のアサド政権への支援（特に空爆などの直接的軍事力の行使とそれに伴うアサド政権軍の巻き返し）によって、またISとヌスラ戦線の対立や各部隊の内紛によって、勢力を減退させていく。「第一の波」でシリアに向かったチェチェン系イスラーム武装勢力の司令官は現在までにそのほどんどが殺害されている（**表54**）。むろん、現在も彼らの組織（**表53**）は存続しているが、司令官も以前ほど著名な人物はおらず、影響力の低下は顕著であろう。

では、ISやシリア内戦が下火になる中で、動員されていた人々がコーカサスに帰還することはあるのだろうか。あるいは、彼らの帰国によってテロや紛争のリスクは増加するのであろうか。北コーカサスにおけるイスラーム過激派の現状と今後の展望について以下では検討を加える。

コラム 4

## シリア内戦とロシア――マハチカラからグローズヌィへの道中にて

2019年夏に思いがけずシリア出身の男性と話す機会があった。私はダゲスタンの首都マハチカラからグローズヌィへ向かう予定だったが、心配した友人がタクシーを手配してくれた。友人はドライバーに「日本からの客人にコーカサスの人間として恥じる行為はしないでくれ」と話したところ、ドライバーが「私はシリア人だが、神に誓って」と応じ、シリア人だと分かったのである。

マハチカラからグローズヌィへは通常であれば、車で約3時間の道のりだ。しかしチェチェンに近いダゲスタンの都市ハサヴユルトにはバザールがあり人々の往来が多く、道路は改修工事が終わっておらず一部砂利道で幅も狭いため、ここが大渋滞を引き起こす。私たちは4時間以上、車中で一緒だったため、多少の世間話もすることになった。私はなぜシリア人の男性がダゲスタンに住みタクシー・ドライバーをしているのか気になり尋ねた。彼によれば、ソ連時代にロシアに留学し、ダゲスタン出身の妻と出会い、20年ほど前からダゲスタンに居を構えているという。すると8年ほど前にシリアで内戦が発生し、自分の親族も亡くなるなど悲惨な状況になった。現状では、家族を呼び寄せることも、自分が現地に行くこともできないという。

私達は、車中でシリア情勢や彼のシリアの家族のこと、アメリカの外交政策、あるいはロシアや日本の立場について意見を交換した。彼は、シリア内戦やその悪化の責任は全てアメリカにあり、ロシアは紛争を調停しようとしていると盛んに語った。これは、ロシアのメディアで報じられている情報に則った主張だが、こうした意見の偏りは彼がロシアで生活している以上、致し方のないことである。また家族が生命の危機に瀕している人に、学者然と意見の中立性や客観性に疑問を呈しても意味がない。

だから私は、基本的に彼の意見を拝聴する側に回ったが、彼は私に「なぜ日本は原爆を投下された米国に従い、中東政策などでも共同歩調をとるのか」と繰り返し疑問をぶつけた。彼にとっては、素朴かつ答えの理解できない質問で、家族のいるシリア情勢にも関わることだったのだろう。私は、一般的に安全保障面からこういった説明がなされるとか、安倍首相はこう言っているという第三者的な見方を提示したが、彼はどうも納得しない。繰り返し質問する彼に私も疲れ、たわいも無い話をした後、浅い眠りについた。グローズヌィに着き、ホテルの入り口に向かいつつ、彼のボロボロのラーダが去るのを音で感じながら、ふと思った。彼が私に求めていたのは、「政権はこう言っているがね（妥当かどうかは分からないよ）」といった第三者然とした話ではなく、当事者としての私の意見だったのかもしれないと。

日本では少なくとも戦争を身近なものとして感じることはほとんどない。そして、私たち研究者は、分析対象を突き放して客観的に見ることを優先してきた。しかし、その結果として、戦争やそれに対する各国の政策を考える際に、無意識のうちに、私たちはどことなく他人事のように捉えたり、あるいは、単に思考にふけって満足したりしてはいないだろうか。

マハチカラ中央広場のレーニン像

シリア人男性がシリア内戦を極めて個人的に理解しようとしたことと、私が日本の研究者として第三者的に捉えようとしたことの間には確かに大きな齟齬が生じていた。しかし、その矛盾や違和感を私はむしろ直視しなければならないのではないか。そんな疑問が、ホテルの客室に戻り椅子に腰をかけた私に去来した。

## [2] 北コーカサスにおけるイスラーム過激主義

ここでは、まず北コーカサス、特にチェチェンとダゲスタンにおけるイスラーム主義運動の歴史的な起源と展開について比較しつつ明らかにしたい。

### ❶北コーカサスのイスラーム主義運動

北コーカサスにおけるイスラーム主義の起源は、1980年代のダゲスタンにさかのぼる。近代的イスラーム主義思想を学び広めるイスラーム神学者の出現である。近代的イスラームとは、クルアーン（イスラーム聖典）など原典への回帰を主張する原理主義（ワッハーブ主義）的要素を持ちつつも、その解釈をより柔軟で時代に合わせたものとすることで、イスラームを現実に適合させていこうとする近代的運動である。特にエジプトのサイード・クゥトブ（1906～66年）が有名であり、ダゲスタンでも1980年代に急進的イスラーム指導者によって彼の著作を学ぶ運動が開始された。つまり、これら急進的イスラームは、北コーカサスにとって外来的な思想であった。しかし、自分たちこそ真のイスラームだという自負心と共に、現状改革の必要性を訴えた。

1970年代末から80年代末にかけて、ソ連はアフガニスタン戦争を経験するが、この戦争はソ連のムスリムにも少なからぬ影響を与えた。それは、ソ連のムスリム地域出身者にアフガン戦争を通してムスリムという自らのアイデンティティを問い直す機会を提供したのである。加えて、1980年代からのペレストロイカの流れの中で中東イスラーム諸国との接点（留学など人的交流等）が増え、正しいイスラームや本来のイスラームの復興を求める運動が提起されるようになった。これはイスラーム復興党に見られるように政治運動に発展したものもある。

1980年代のイスラームの復興は文化的・宗教的実践面での要素が強かったが、1990年代にチェチェン紛争が発生すると、政治的イスラームの色合いが強くなる。

ダゲスタンでは、近代的イスラーム思想を実践するサラフィー主義運動が1990年代から一部地域で強い影響力を有していたが、チェチェンではあくまでも伝統的イスラームを政治的動員資源として利用しようという要素が強かった。ここで言う伝統的イスラームとは、もともとチェチェンに根付いていたイスラーム神秘主義教団（スンナ派のスーフィズム）を指す。教団という名称からも分かるように、老子（シェイフ）と弟子（ムリード）による強固な関係（教団の枝組織）を基盤としている。19世紀のカフカース戦争では、この組織（ミュリド）が抵抗の基盤となった。ソ連体制下のチェチェンは弾圧で世俗化が進んでいたが、ペレストロイカ期にイスラームが大きく復興した。しかし、彼らの宗教儀礼（集団による回旋舞踏ズィクルなど）は、主流派から異端視されていたため、原理主義的要素を持つ近代的イスラームから攻撃される要素を持っていた。

第一次チェチェン紛争が発生すると、ハッタープを始めとするアラブ系義勇兵が少数とはいえ、紛争に関与するようになる。彼ら外国人義勇兵の中には、アフガン戦争後、ナゴルノ・カラバフ紛争、タジク内戦、アブハジア紛争と戦地を渡り歩く者もいた。チェチェン独立派は、ロシアとの紛争において戦時イデオロギーとしてイスラームを利用したが、これによりチェチェンにおけるイスラーム過激主義者の影響力が拡大した。

１９９０年代末になるとダゲスタンのイスラーム主義運動も政治的に大きな影響力を保持するようになっており、チェチェン情勢と強く連動した。このようにして第二次チェチェン紛争が発生すると、２０００年代にはチェチェン民族主義は退潮し、近代的イスラーム思想にもとづくサラフィー主義が一層強まることになる。そして、２００７年にはチェチェン独立派政権は消滅し、北コーカサスにおけるイスラーム国

**表55：チェチェンとダゲスタンのイスラーム主義運動の特徴**

| | チェチェン | ダゲスタン |
|---|---|---|
| イスラーム主義運動の起源 | 1990年代初期 | 1980年代 |
| サラフィー主義の影響力拡大時期 | 第一次紛争後（96年）、特に第二次紛争後（99年）に一層強まる | 1990年代以降 |
| イスラームの位置付け | 戦時イデオロギー | 宗教思想・社会運動 |
| イスラーム主義の担い手 | 野戦司令官、外国人義勇兵 | イスラーム聖職者 |
| イスラーム主義の担い手の宗教教育の有無 | なし（アラビア語などはできず、中東留学経験もない） | あり（アラビア語の素養があり、中東への留学経験がある） |

出典：筆者作成

家建設を訴える「コーカサス首長国」が誕生する。

この間、今までチェチェン人を中心としていた闘争は、北コーカサスの諸民族、あるいはロシアにおける他のムスリム地域出身者、さらにはキスト人やアラブ人など外国人義勇兵の役割が徐々に大きくなっていた。そして2010年代に入ると、シリア内戦を受けて、むしろ北コーカサスからイスラーム主義者の一部が中東諸国に輸出されるという逆転現象も生じたのである。

以上のようなチェチェンとダゲスタンのイスラーム運動の特徴をまとめたものが**表55**である。ダゲスタンでは、1980年代に近代的イスラームが宗教思想面で徐々に広がり、90年代以降はそれが無視できない政治的影響力を保持することになった。このような運動を主導したのは、イスラームについて一定の知識があるイマームなど宗教指導者であった。彼らはアラビア語の素養もあり、中東のイスラーム思想への理解もあった。1999年8月にバサーエフらと連携した武装蜂起が起きると、ダゲスタン当局によってイスラーム主義運動は弾圧されるものの、それでも引き続き強い影響力を保持したのは、ダゲスタンにおいてイスラーム運動が宗教的・社会的基盤を有していたためである。

対してチェチェンでは、1990年代までイスラーム主義運動は見られず、しかもイスラームの復興とは、伝統的イスラームを意味していた。第一次紛争へと至る過程でイスラームは、政治指導者に動員資源として利用され戦時イデオロギーとなった。確かに第一次紛争後、イスラーム過激主義思想は強い影響力を保持するようになったが、イスラーム主義の担い手である野戦司令官はアラビア語が読めず、外国人義勇兵もイスラーム法学的知識を有していなかった。従って、ダゲスタンのような宗教運動として捉えることができないものであった。これが徐々に宗教運動としての色彩を強める契機になったのが、第二次チェチェン紛争の発生であり、その後の「首長国」の誕生（2007年）で頂点を迎えることになる。

## ❷「コーカサス首長国」の特徴——土着性と国際性

では、北コーカサスのイスラーム主義運動の一つの到達点として出現した「コーカサス首長国」とはどのようなものであったか、特徴をまとめよう。2010年代に入って、シリア内戦の勃発やISの出現によってこの組織がどのような影響を受けたのかを考察するための前提知識となる。「首長国」は、既述のように2007年にチェチェン独立派における世俗主義派とイスラーム過激派の分裂によって誕生した。

2007年にチェチェン独立派第5代「大統領」のドク・ウマーロフは、北コーカサス全土におけるイスラーム国家の樹立を宣言し、「首長国」を創設した。そして自らその頭領（アミール）に就任し、北コーカサスの各民族共和国を州（ヴィラヤート）と位置付けた。

「首長国」は、その組織名を見れば明らかだが、エスノナショナルな（少数民族集団的）要素を持つ急進的イスラーム組織である。チェチェン民族の独立運動に起源を持っているが、2007年にその系譜（世俗的チェチェン独立派）と分離した後も、「コーカサス」という文化的・民族的同質性に基盤をおいてきた。「首長国」は、現存するロシアの政治行政単位を否定し、イスラームという普遍的宗教を中軸に据えた国家を掲げつつも、その実、自らも民族共和国を基盤とした州を設置している。

そしてその構成員のほとんどはコーカサス出身者である（シベリア出身で元仏教徒の司令官サイード・ブリャツキーなどの例外もあるが、これは少数事例に留まる）。この意味でもコーカサスというエスノナショナルな基盤がこの組織にはあることがわかる。

そして「首長国」は、カリフ制国家の樹立を掲げ、そのためにはテロや暴力行為を厭わないという武装闘争戦略をとってきた。まさにその設立宣言においてコーカサスにおけるカリフ制国家樹立を掲げており、北コーカサスの各共和国政府やロシア連邦当局との武力闘争（「ジハード」）を展開してきた。これまでにロシアや北コーカサスにおいて数多くのテロを実行しており、モスクワ地下鉄爆破テロ（２０１０年）、ドモジェドヴォ空港爆破事件（２０１１年）、ヴォルゴグラード駅舎爆破事件（２０１３年）、グローズヌィ内務省庁舎襲撃事件（２０１４年）などがあげられる。

北コーカサスで闘争を展開してきた「首長国」の性格をめぐっては、研究者の間に論争がある。第一の見方は、「首長国」がアル＝カーイダなどのグローバル・ジハード運動と連携・協力しているとの考えである。この見方に立つ論者は、「首長国」の建国以前から、その前身組織であるチェチェン独立派が国際テロ集団と繋がりを持っていたと主張している。

第二の見方は、「首長国」とグローバル・ジハード運動の間には明確な繋がりがないという立場に立つ。この見方に立つ論者は、チェチェンとアル＝カイーダの協力関係が90年代からあったというのは、正しい理解ではなく、その後もいわば精神的連帯のようなものしか存在しないと考える。

この論争は、「首長国」の闘争が有する「土着性」と「国際性（普遍性）」のそれぞれを指摘したものであるが、土着性と国際性は必ずしも矛盾はしない。土着性は、チェチェン独立運動に組織的起源を持つことに加え、コーカサスのムスリム全てを包括するという組織形態とこの地域におけるカリフ制国家樹立を目標とし、「対露ジハード」を展開している点に見出せる。国際性は、その急進的イスラーム思想とグローバルなジハード運動への賛意や同調などに見出せる。しかし、問題は、単に組織や運動に国際的特徴があるに留まらず、ヒト（人員）・モノ（武器）・カネ（資金）・情報（プロパガンダ）の組織的協力を行なっているのかという点にある。筆者の見る限り、「首長国」とグローバル・ジハード運動の間には明確な組織的協力はなく、指摘されている協力は、個人レベルに留まってきた。「首長国」側の事情からすれば、闘争に一定の土着性を担保しつつも国際性を内包させようとする戦略それ自体は、動員対象を広げ、支援者を集める合理的な手段であった。チェチェン独立派の主要な指導者が殺害されていた2007年当時、カリスマ的指導者はすでに不在であり、チェチェンのみでの動員は一層困難になると思われた。このような中で動員対象をチェチェンに限定せず広げ、国際的な支援を獲得するためには急進的イスラームをイデオロギー的支柱とする必要があったのである。

このような戦略は、暴力の地域的拡散に成功し（統計データは以下❹で紹介する）、「ロシア人の聖戦士」などに見られる新たな闘争戦術を生み出すことにもなった。「ロシア人の聖戦士」（Русский муджахед）とは、ロシア人（あるいは単にスラヴ系民族）が急進的なイスラームを信奉し、「首長国」の要員としてテロを行うことを指す。2010年以降、特にこうした事例を観察することが多くなった。著名な例は、2011年2月に若いロシア人夫婦（夫33歳と妻26歳）がダゲスタンで自爆テロを行った事件、あるいは2012年3月に20代のロシア人がテロ未遂で逮捕された事件がある。同年11

月にはモスクワ生まれのロシア人でありながら「首長国」の構成員となり、結婚した現地妻の自爆テロを支援した男性（22歳）が特殊作戦によって殺害されている。

しかし、チェチェンの民族主義を捨て、コーカサスという地域の土着性とイスラームという宗教の普遍性を活用した戦略によって問題も生まれた。

第一に、組織構成員の属性変化に伴う運動の方向性、指導体制や権威をめぐる対立である。「首長国」がチェチェン・ナショナリズムを捨てたのは、既述のように勢力を減退させる中で闘争を継続させるために十分な人員を確保できなくなったことが大きかった。当然、チェチェンで賄えない人員を周辺地域で確保すれば、構成員の非チェチェン人率が増え、指導体制や闘争展開の面でも彼らに依存することになる。

こうした主導権を握る対立は、２０１０年に表面化した。同年7月にウマーロフが一度、健康上の理由から引退を表明し、チェチェン独立派の古参野戦司令官であるアスランベク・バダロフを後継の首長国アミール（最高指導者）へ、そして同じく独立派古参司令官のフセイン・ガカーエフを「チェチェン州（ノフチィチョ・ヴィラヤート）」の司令官に任命するという動画が公開された。しかし、数日後、この決定は誤りだとして撤回された。これを受けて首長国チェチェン司令部は、ウマーロフへの忠誠を拒否、「首長国」の武力闘争の中核を担ってきたチェチェン司令部が首長国から離脱する事態が発生した。

ウマーロフに反旗を翻したのは、チェチェン人のみならず、アラブ人で首長国のナイーブ（ウマーロフの副官）であったハリフ・ユソフ・ムハンマド・ウメイラトも含まれていたことを考えると対立は深刻であった。同年10月には、チェチェン司令部はガカーエフを「首長国」のアミールに独自に任命する姿勢を見せた。当初、ウマーロフは反旗を翻したチェチェン人司令官を解任し、シャリーア（イスラーム法）法廷で罰する姿勢を見せたが、翌２０１１年までには和解に至り、その後、解任されたガカーエフやバダロフは「首長国」高官ポストに復帰した。

この騒動の主因は、現状においても不透明であるが、理由の一つに「首長国」の主戦場をチェチェンとするか、それともダゲスタンとするかという争点があったと推測される。

ウマーロフへの忠誠を拒否した後、チェチェンの主要な武装勢力はカドィロフの出身地へ大規模攻撃を仕掛けた。これは、後述するように２０１０年当時、すでにダゲスタンが「首長国」の主戦場になっていた中でチェチェンにおいて行われた大規模な作戦であり、しかも親露派カドィロフ政権への打撃を狙った作戦であった。この攻撃に首長国の方向性に対するチェチェン系の勢力の不満を見て取ることもできよう。

しかし、単に対立は、主戦場、つまり「首長国」がどこを優先して戦うのか、という点のみならず、誰がそれを主導するのかという点からも生じていた。そして、これは、イスラーム主義運動の系譜がチェチェンとダゲスタンでは異なるということとも関連していた。つまり、チェチェンでは野戦司令官を中心に、ダゲスタンでは宗教指導者を中心にして急進的イスラームは広まった。しかし、現状において「首長国」がもはや「チェチェン独立派」という看板を捨てた以上、その権威や正統性を特定民族が占有しないのは当然である。このことは、「首長国」体制下では十分な戦闘経験はないダゲスタンの著名な急進的イスラーム指導者が指導部に入ることを意味する。こうした点にチェチェン系指導者は反発したのである。

「首長国」が直面した第二の課題は、上記と内紛の一因にもなった戦術面でのゆらぎが挙げられる。

「首長国」は、その建国後、２００９年に自爆テロで攻勢をかけ、ロシア全土が攻撃対象だと述べた。この際にブリヤート人のサイード・ブリャツキーを司令官として「自爆テロ部隊」、あるいは「死の部隊」と形容されることになる部隊（Riyad Salihin）を再建した。この部隊は元々、シャミーリ・バサーエフが２００６年まで指揮していたものだった。２０１０年にブリャツキーが死亡した後もチェチェン人のアスラン・ビュトゥカエフを中心に同部隊は作戦を継続したが、同年には上述のウマーロフの引退騒動などで「首長国」の攻勢が弱まった。

**表56：「コーカサス首長国」の特徴**

| 組織名 | コーカサス首長国 |
| --- | --- |
| 組織の起源 | チェチェン独立闘争（90年代） |
| 創設年 | 2007年（ただしチェチェン独立闘争における「イスラーム化」はそれ以前） |
| 創設者 | ドク・ウマーロフ【2013/9/7死亡】 |
| 最高指導者（アミール） | アリスハブ・ケベコフ【2015/4/19死亡】<br>ムハンマド・スレイマノフ【2015/8/11死亡】 |
| 活動目的 | コーカサスのカリフ制国家による支配（対ロシア・ジハード） |
| 活動範囲 | 北コーカサス（チェチェン、イングーシ、ダゲスタン、カバルダ・バルカル他） |
| 闘争手段 | 武力闘争（ただし後年自爆テロに批判的に） |
| 活動規模 | 最盛期は年間200件以上のテロを実行 |
| 組織構成 | 首長の下にカーディー（裁判官）、首長国は各州（ヴィラヤート）で構成される |
| 国際テロ組織との関係 | 1999年にチェチェン独立派政権とタリバンが相互国家承認、首長国創設後、アル＝カーイダなどのテロ組織と連携模索 |

出典：筆者作成

さらに翌2011年末からロシアでは反プーチン・デモが展開されたが、「首長国」はこれを受けてロシア住民へのテロ攻撃の一時停止を一方的に宣言したのである。2013年になると、ソチ五輪を控えて再びテロ攻撃を主張したものの、当のウマーロフが死亡した。後任のアミールに就任したダゲスタン系民族であるアヴァール人のケベコフは、2014年夏に女性や子供など一般人を巻き込む自爆テロは好ましくないと述べるだけではなく、「首長国」がそれまで推進してすらいた「喪服の婦人」と呼ばれる未亡人による自爆テロも奨励しない旨、述べた。

以上のように「首長国」の戦術は紆余曲折してきたが、これは「首長国」内部に戦術についての意見の相違があるために生じてきたと思われる。つまり、ロシア市民を対象とした無差別テロ攻勢を継続するのか、それともより穏健な路線を採り、共和国・連邦当局や治安部隊との闘争に専心するのかである。このように戦術面での揺らぎは、チェチェンからコーカサス全土へ動員対象を広げ、イスラームという宗教を運動の中核に置いた結果生じたことでもあった。しかし、このような戦術面での意見の相違、あるいは目的や手段をめぐる認識の相違が生じた際に、イスラームの基盤をおく「首長国」では、クルアーンやシャリーアから答えを得ることになる。ケベコフがそれまでの路線（ウマーロフらチェチェンに基盤を持つ司令官が採用していた闘争戦術）を排除し、新しい戦術（女性や子どもを攻撃せず、女性の自爆テロも避けるべきなどの穏健路線）を採用した事実は、両者の間にクルアーンやシャリーアの解釈や理解に相違があることを示唆している。

第三に、急進的イスラーム思想や運動の総本山である中東への依存がもたらす危険性である。「首長国」が急進的イスラームを掲げ、アル＝カーイダやタリバンなどに共感や賛意を表明したのは、あくまでも彼らからの「支援」を獲得することを期待してであり、当然、中東での作戦に自らの兵士を送り込むなどという「負担」を担うことは想定していなかった。しかし、[3]で詳述するが、シリア内戦とISの出現によってこの想定が大きく外れることになったのである。結果として、「首長国」はISと激しく対立したが、急進的イスラーム運動の中心地に辺境地域がいかに意見するのかという悩ましい問題に直面することになったのである。

## ❸北コーカサスにおける反乱をどこに着目して理解するべきか?

以上のような対立や問題に直面しつつ、「首長国」は北コーカサスにおける闘争やテロをどのように変化させていったのだろうか。そして、このような変化は、北コーカサスの治安情勢にどのような影響を与えたのであろうか。以下では、この疑問に答えるために北コーカサスにおける反乱を理解するための着眼点とテロの量的な傾向を明らかにしたい。そして、本書を通して読者が継続的に北コーカサスの情勢を理解できるようになる手助けをしたい。

北コーカサスの治安状況に対する評価は、多くの場合、場当たり的になされてきた。注目を集める大規模テロが発生すれば不安定化、それがなければ安定化という理解である。だが、テロが発生していなくとも不安定化のリスクが軽減していないこともあれば、テロが発生していても武装勢力が衰退するということも生じうる。従って、長期的に観察可能な指標を用いて北コーカサスを理解することが必要である。

北コーカサスの反乱や安全保障への関心は世界的に高く、多くの研究者がこのテーマに取り組んできた。その際に、北コーカサスでは反乱が継続しているが、なぜ反乱勢力による動員（リクルーティング）が可能になるのかが主に考察されてきた。この研究で着目されるのは、大別すると参加する側の要因として厳しい経済・社会環境、権威主義体制による暴力や不正、動員する側の要因として「首長国」の思想や戦略である。

第一の経済・社会環境が人々を反乱へ向かわせているとの見方は、90年代後半のチェチェンやダゲスタンにおいて急進的イスラームの影響力が拡大した際に指摘され、その後、現代に至るまで主要な要因として言及されてきた。

第1章で見たように、北コーカサス地域の域内総生産は連邦平均の4割水準、賃金は7割水準、失業率は2倍となっている（**表9**）。しかも、連邦全体では失業者に占める30歳以下（若年層）の割合は4割なのに、北コーカサスではこれが5割5分と高い（**表10**）。世論調査でも当局が改善するべき問題の1位は失業、2位は汚職である（**表12**）。つまり、仕事もなく社会から疎外された若者が武装勢力に動員されてきたと理解されてきたのである。

このような認識はロシア政権側も有しており、特にメドヴェージェフ政権（２００８～12年）では、反汚職キャンペーンなど経済・社会問題に取り組むことでコーカサスの反乱やテロが減るという見解が示された。現在も北コーカサス地域の経済・社会状況の改善は、政策課題となっている。もっとも実は、北コーカサスの経済・社会環境と武装勢力への人々の動員の因果関係を考察した研究はほとんどない。そもそも北コーカサスの経済・社会構造は長期的に見て改善されたのかなどの考察も十分になされていない。筆者の見る限り、数値上は北コーカサスの経済・社会発展は進んでいるが、汚職や若者の失業、連邦予算への依存など構造的な問題は改善されていないように思われる。共和国当局とイスラーム宗教指導者（当局公認）の癒着や汚職も急進的イスラーム勢力が盛んに指摘しているが、これも動員側が人々に働きかける要素として経済・社会問題を重視していることを示している。また例えば、ISに参加したコーカサス出身の若者がモスクワに出稼ぎに出ているときにリクルーティングされたというような話は、この問題の背景に北コーカサスの経済・社会問題があることを我々に認識させるだろう。

第二の権威主義体制による暴力や不正については、これが人々の動員を容易にするという見方と、逆に困難にするという見方がある。

前者に関しては、テロや反乱に参加する人々が体制による暴力の被害者であることはジャーナリストらが早くから指摘してきた。加えて近年は、自爆テロ犯のほとんどがテロを報復目的に実行していたことを明らかにした社会調査研究や、集団間の和解を阻害する要因は体制からの暴力経験の有無にあるとする計量研究（統計的な因果関係の分析に基づく研究）、暴力による懲罰行為は再び反乱を招きやすいとする計量研究なども出てきている。

他方で、体制による暴力が動員に結びついているかどうかは、その暴力の形態によるとする研究もある。これによると軍による空爆、あるいは体制に協力する現地人による対反乱作戦が反乱の抑止に役立つと指摘されている。あるいは、一般に反乱を増長させる無差別攻撃もイスラーム過激派への対処策に限定すれば弊害の少ない作戦だという研究もある。これら北コーカサスの反乱やテロを対象とした研究はいずれも興味深い知見を提供しているが、明らかになっていないことも多く、さらなる研究発展が待たれる。しかし、少なくとも反乱や動員と体制による暴力との間に何らかの関係性があることは明らかにされていると言えるだろう。

そもそも紛争やテロとは、問題を制度的枠組みの中で解決することができないから生じるものである。しかし、権威主義体制は、人々の要求や主張を制限しようとする。つまり、この体制下では、人々が満足する形で問題を解決することが難しく、デモや政治運動は民衆から賛同を得ると急速に過激化・暴力化するおそれがある。しかし、体制側による暴力行使があまりにも強大かつ広範囲に及ぶ場合、報復を恐れて民衆からの暴力的な蜂起や抵抗が尻すぼみすることもあり得る。この意味で、筆者はどれほど強固な権威主義体制であり、どの程度の規模や範囲で暴力が行使されているのかという点が、人々のテロや反乱への参加に影響を与えていると考えている。

第三の急進的イスラーム思想については、「首長国」のイデオロギーや戦略が一定の人々を惹きつけているという理解がある。

急進的イスラーム思想が人々の動員を考える上で重要だという見方は、第二次チェチェン紛争発生後から繰り返し語られてきた。初期の研究は、人々がいかに急進的イスラームに惹きつけられたのかをジャーナリストの取材や部分的な社会学的調査に基づいて検討した。だが、近年の研究は、むしろ動員側のより詳細な考察、すなわち「首長国」の思想の成り立ち、闘争目的や戦略などを分析している。他方でこれらの研究は、動員された人々の実像に迫ることができていないなど課題を残す。これは現在、戦闘員が当局によって「テロリスト」だと糾弾されている中で、彼らへのインタビューやアンケート調査が事実上不可能であることによる。戦闘に参加する人々の心理状態に直接迫ることは、現状では困難なのである。

以上のように、それぞれの視座からのアプローチには課題が残されているものの、既存の研究から抽出可能な経済・社会環境、体制による暴力、そして急進主義的イスラーム思想という三つの着眼点に意識を置くと、北コーカサスへの理解はより深まるだろう。

さて、このような着眼点を持ちつつ、北コーカサスのテロや反乱、現状の治安について理解するためには、どうすれば良いだろうか。

筆者は、ニュース等で断片的に取り上げられている部分的情報、たとえば注目を集めているテロ発生の有無（質的観点）ではなく、長期的傾向を踏まえた継続的情報、たとえば過去数年間のテロの増減等（量的観点）へ目を向ける必要があると考える。つまり、継続的に更新可能なデータを用いて北コーカサスのテロや反乱について理解する必要がある。

北コーカサスのテロも含むグローバルなデータベースとして利用しやすいのは、メリーランド大学のＧＴＤ（Global Terrorism Database）やシカゴ大学のＣＰＯＳＴ（Chicago Project of Security and Threats）、ランド研究所のＲＤＷＴＩ（RAND Database of Worldwide Terrorism Incidents）だろう。また現地発のデータでは、リベラル系ネットメディアであるКавказский Узел（Caucasian Knot、以下ＣＫ）の統計が、信頼度や更新速度などから利用価値が高い。以下では、データの種類の多さからGTD、そして現地メディアであり信頼性が高く、テロや反乱の「強度」（犠牲者数）を測定していることからCKのデータを用いてコーカサスにおけるテロや反乱の傾向を押さえていこう。

なお本書のデータが古くなっても読者はこれらの情報にアクセスすれば、データを自ら更新可能である。ただしGTDのデータは、テロが発生した連邦構成単位の未記載・誤記載に加え、地名について複数の表記法を採用しており、データに統一性がなく、そのまま使うと正確にテロの件数をカウントできないので注意してほしい。本書では、それらのデータを修正している。

## ❹データから見る北コーカサスの反乱の推移

本書で分析に活用したGTDのデータは、北コーカサスにおけるテロの長期的傾向を理解するために対象期間を20年程度と幅広く採ったが、この形式で

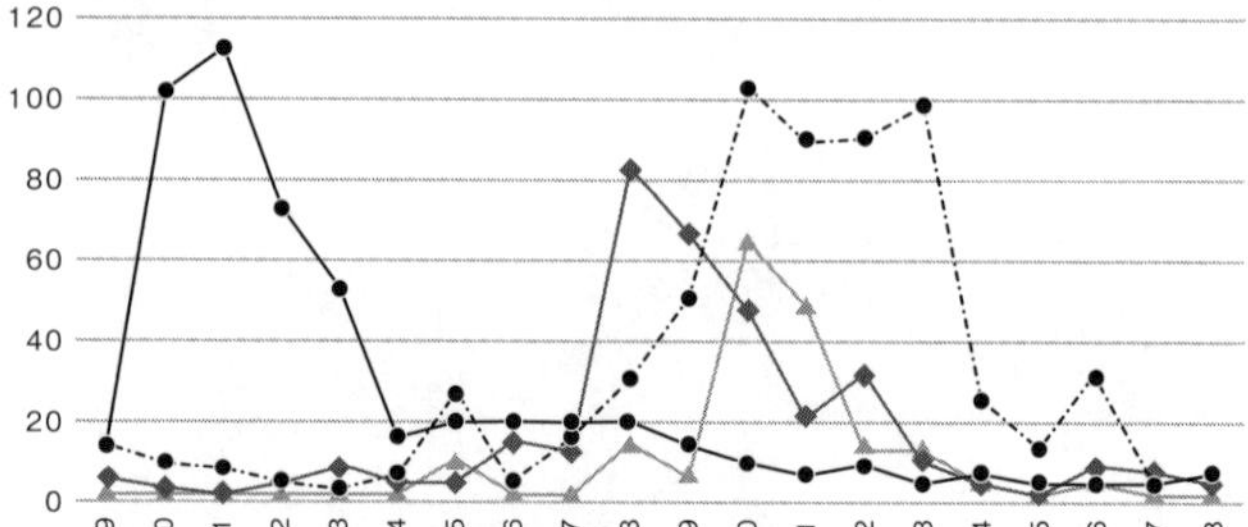

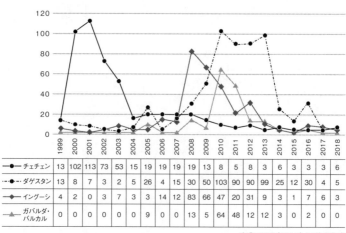

| | 1999 | 2000 | 2001 | 2002 | 2003 | 2004 | 2005 | 2006 | 2007 | 2008 | 2009 | 2010 | 2011 | 2012 | 2013 | 2014 | 2015 | 2016 | 2017 | 2018 |
|---|---|---|---|---|---|---|---|---|---|---|---|---|---|---|---|---|---|---|---|---|
| チェチェン | 13 | 102 | 113 | 73 | 53 | 15 | 19 | 19 | 19 | 19 | 13 | 8 | 5 | 8 | 3 | 6 | 3 | 3 | 3 | 6 |
| ダゲスタン | 13 | 8 | 7 | 3 | 2 | 5 | 26 | 4 | 15 | 30 | 50 | 103 | 90 | 90 | 99 | 25 | 12 | 30 | 4 | 5 |
| イングーシ | 4 | 2 | 0 | 3 | 7 | 3 | 3 | 14 | 12 | 83 | 66 | 47 | 20 | 31 | 9 | 3 | 1 | 7 | 6 | 3 |
| ガバルダ・バルカル | 0 | 0 | 0 | 0 | 0 | 0 | 9 | 0 | 0 | 13 | 5 | 64 | 48 | 12 | 12 | 3 | 0 | 2 | 0 | 0 |

出典：GTD（2018）より筆者作成

**図9：北コーカサスの主要共和国におけるテロの量的特徴**（1999～2018年）

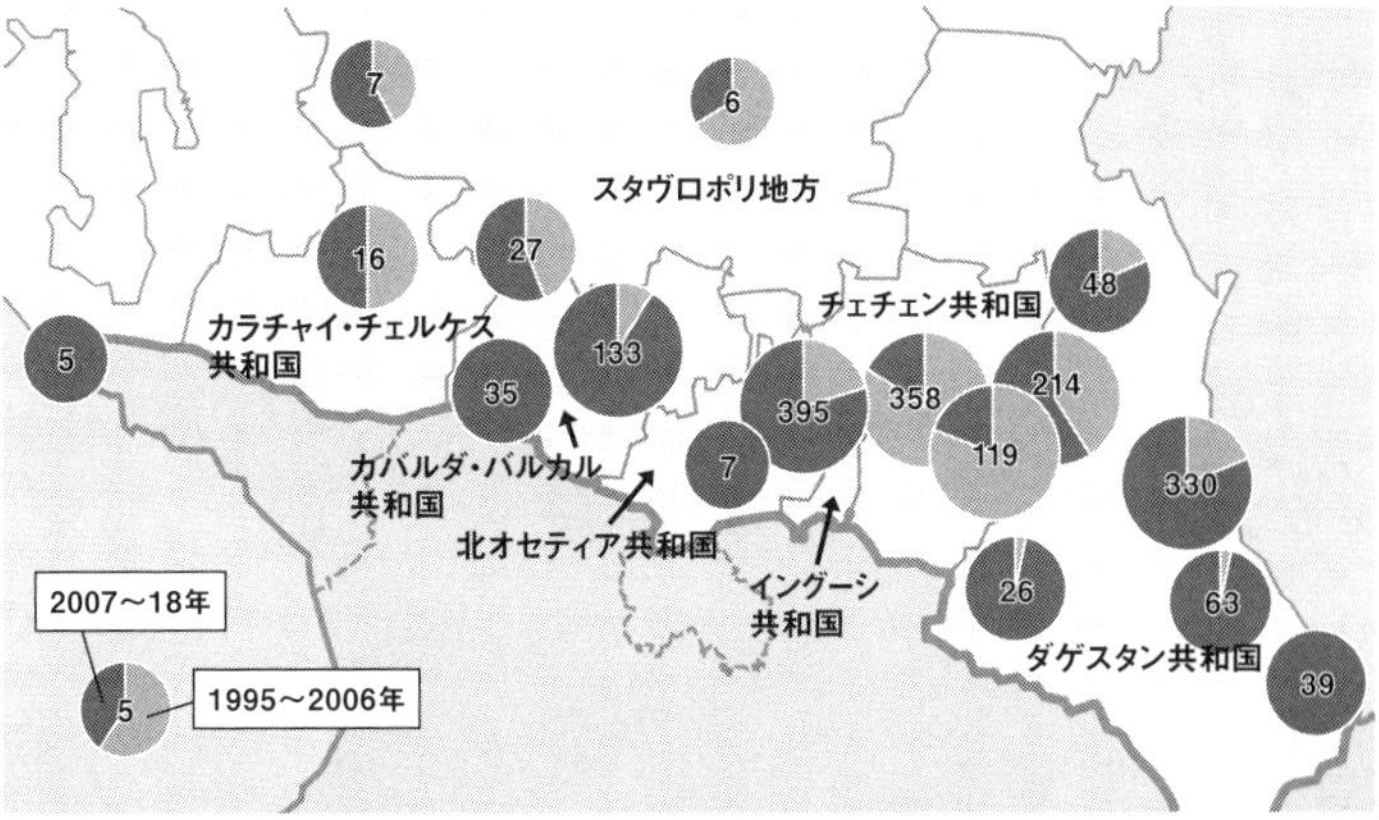


**図10：北コーカサスにおけるテロのマッピング**（1997〜2018年）　出典:GTDデータより筆者作成

はテロが極めて少ない他の共和国を同じ図に併記することが困難である（**図9**）。そのため、ここで紹介するGTDのデータは、比較的テロが多く発生しているチェチェン、イングーシ、ダゲスタン、カバルダ・バルカルを中心に取り上げる。

まずGTDを見ると、北コーカサスにおけるテロの特徴を以下のように要約できる。

第一に、1999年の第二次チェチェン紛争の発生から2007年の「首長国」の創設まで、一貫してテロが多発していた地域はチェチェンである。しかし、2007年を分水嶺として隣接するダゲスタンやイングーシにおけるテロが急増し、対照的にチェチェンにおけるテロはそれ以前と比して大幅に減少していることが観察できる（**図9**）。2007年は既述のように「首長国」の創設年であり、テロや反乱が地域的に拡散したことが確認できる。

このことは、テロ発生場所（緯度経度情報）をマッピングした**図10**でも確認できる。**図10**は、1995〜

2006年と2007〜18年の各12年間に分けてテロ発生件数をマッピングしたものである。北コーカサスはテロ多発地域なので、一つ一つのテロの発生地点を表示することは困難であり、ここではテロが最も多い地域を中心にして、その周辺のテロはグループ化して表示している。この図を見ると、チェチェンでは、1995〜2006年に発生しているテロ（薄い色）の方が全体に占める割合が多いが、多くの周辺共和国では2007年以降に発生しているテロ（濃い色）の方が多いことが分かる。

以上のように2007年を境にテロはチェチェンの隣接共和国に広がりを見せたが、他方で、テロの発生は単純に「首長国」の勢力拡大だけでは読み取れない要素がある。

たとえば、イングーシにおけるテロは2006〜13年の期間がそれまでと比べて高い水準にあるが、これは「首長国」とイングーシ当局の闘争の結果生じたのではなく、イングーシのジャジコフ政権（当時）

**表57：北コーカサスの主要地域におけるテロの標的**（%、2006〜13年）

| | チェチェン | ダゲスタン | イングーシ | カバルダ・バルカル |
|---|---|---|---|---|
| ビジネス関係 | 3.3 | 10.6 | 13.1 | 6.6 |
| 政府関係 | 14.1 | 14.6 | 24.1 | 11.9 |
| 警察関係 | 35.9 | 36.1 | 32.6 | 51.0 |
| 軍関係 | 13.0 | 3.1 | 2.5 | 2.0 |
| 民間関係 | 23.9 | 10.4 | 16.7 | 11.3 |
| 宗教者・組織関係 | 2.2 | 6.9 | 3.2 | 2.0 |
| 交通運輸通信関係 | | 7.7 | 3.5 | 7.9 |
| 公共団体関係 | | 3.8 | | |
| その他・不明 | 7.5 | 6.7 | 4.3 | 7.4 |

出典：GTDより筆者作成。全ての共和国で2%未満の攻撃対象は「その他・不明」に合算している。

と議会外野党など反対派の権力闘争が激化したことが主な原因である（テロが急増している２００７～08年が「イングーシ危機」の年である）。この混乱に乗じて、「首長国」などイスラーム過激派はイングーシに足場を固めたが、イングーシにおけるテロの標的を見てみても、テロには政治・経済勢力間の利権争いという側面もあることが読み取れる（**表57**）。

他にもチェチェンでは、連邦軍関連への攻撃が多く、ダゲスタンでは宗教関連への攻撃が他の共和国よりも多いことが見て取れる。ダゲスタンでは１９８０年代から急進的イスラームを宗教思想面から学び広める勢力が出現していたことは既述したが、それゆえに、単純に武装抵抗の戦略として急進的イスラームを導入したチェチェンよりも、根強い支持と社会的基盤がある。当初からダゲスタンでは、伝統的イスラームと急進的イスラームが激しく対立するという闘争の性質があったが、こうした傾向は現在も残っていることをこの表は示唆している。

さて、**図9**からは北コーカサスにおけるテロの第二の特徴として、２０１４年以降、テロ件数が大幅に減少していることが観察できる。

２０１４年とは、ロシアでソチ五輪が開催された年であり、北コーカサスと隣接するソチでの五輪開催のため、連邦は治安面への取り組みを開催前から強化していた。五輪開催後もテロは減少し続け、たとえば、２０１８年現在のテロ件数は、２００８年の１／10以下である。しかし、テロの件数は減少していても、「強度」はどうだろうか。つまり、テロや反乱によってどれだけの人が犠牲になっているのか、また対テロ作戦によって武装勢力は勢力を減退させているると言えるのか。それを考えるために、次にＣＫのデータに目を向けてみよう。

２０１０年から18年まで（ＣＫは２０１０年以降のデータしか公開していない）の北コーカサスにおける武力衝突死傷者数（**図11**）の推移を見てみると、ここでも傾向として２０１４年にそれまでと比して死傷者数が大きく減少していることが観察できる。減少したのはテロの件数だけではなかったのである。これが北コーカサスのテロや反乱の第三の特徴として指摘できる。

　チェチェンのように２０１４年や２０１７年

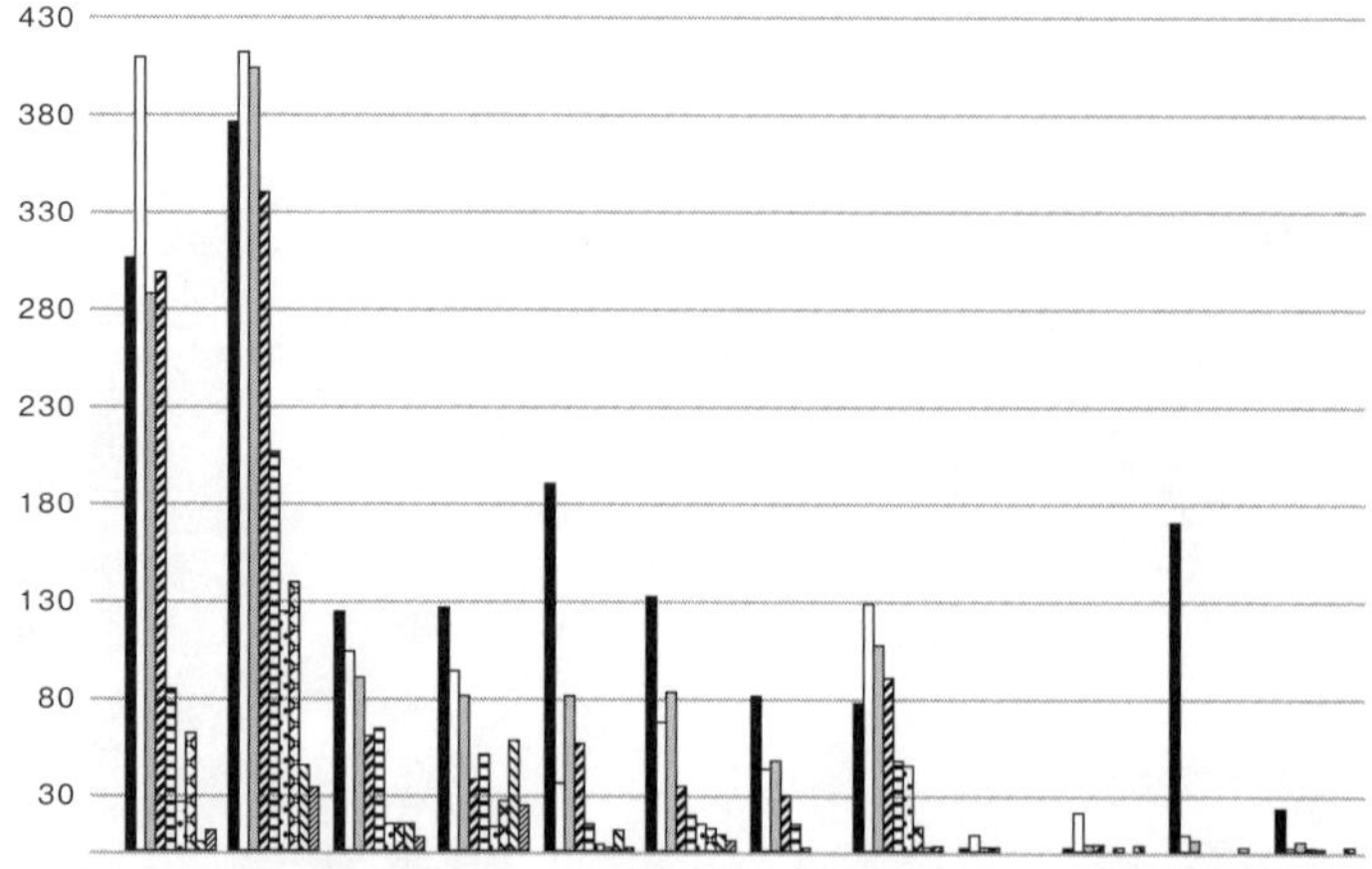

| | 負傷者 | 死者 | 負傷者 | 死者 | 負傷者 | 死者 | 負傷者 | 死者 | 負傷者 | 死者 | 負傷者 | 死者 |
|---|---|---|---|---|---|---|---|---|---|---|---|---|
| | ダゲスタン | | チェチェン | | イングーシ | | カバルダ・バルカル | | カラチャイ・チェルケス | | 北オセティア | |
| ■2010 | 307 | 378 | 123 | 127 | 192 | 134 | 82 | 79 | 2 | 2 | 171 | 24 |
| □2011 | 411 | 413 | 106 | 95 | 38 | 70 | 44 | 129 | 10 | 22 | 10 | 4 |
| ▨2012 | 290 | 405 | 92 | 82 | 83 | 84 | 49 | 107 | 2 | 5 | 7 | 7 |
| ◪2013 | 300 | 341 | 62 | 39 | 58 | 36 | 31 | 92 | 2 | 5 | 0 | 3 |
| ⬓2014 | 56 | 208 | 65 | 52 | 16 | 21 | 17 | 49 | 0 | 0 | 0 | 1 |
| ◲2015 | 27 | 126 | 16 | 14 | 5 | 16 | 1 | 47 | 0 | 4 | 0 | 0 |
| ◩2016 | 64 | 140 | 16 | 27 | 4 | 15 | 1 | 14 | 0 | 0 | 0 | 0 |
| ◪2017 | 8 | 47 | 16 | 59 | 13 | 11 | 0 | 1 | 0 | 5 | 4 | 5 |
| ▨2018 | 13 | 36 | 9 | 26 | 2 | 8 | 0 | 6 | 0 | 0 | 0 | 0 |

出典：Кавказский узелのデータより筆者作成

**図11：北コーカサス民族共和国における武力衝突の死傷者数推移**（2010〜18年）

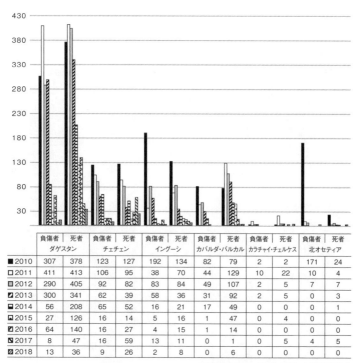

に一時的に死傷者数が増えている例外もあるが、ダゲスタンでは、武力衝突による死傷者数は２０１１年比で約65％減少している。武力衝突とは単にテロによる犠牲者のみならず、体制側による対テロ作戦による武装勢力側の死傷者や一般市民の犠牲をも含むが、それでもテロや反乱の強度が低下していることが観察できる。

　北コーカサスのテロや反乱の第四の特徴として、２０１０年以降、一部例外を除いて、武力衝突に

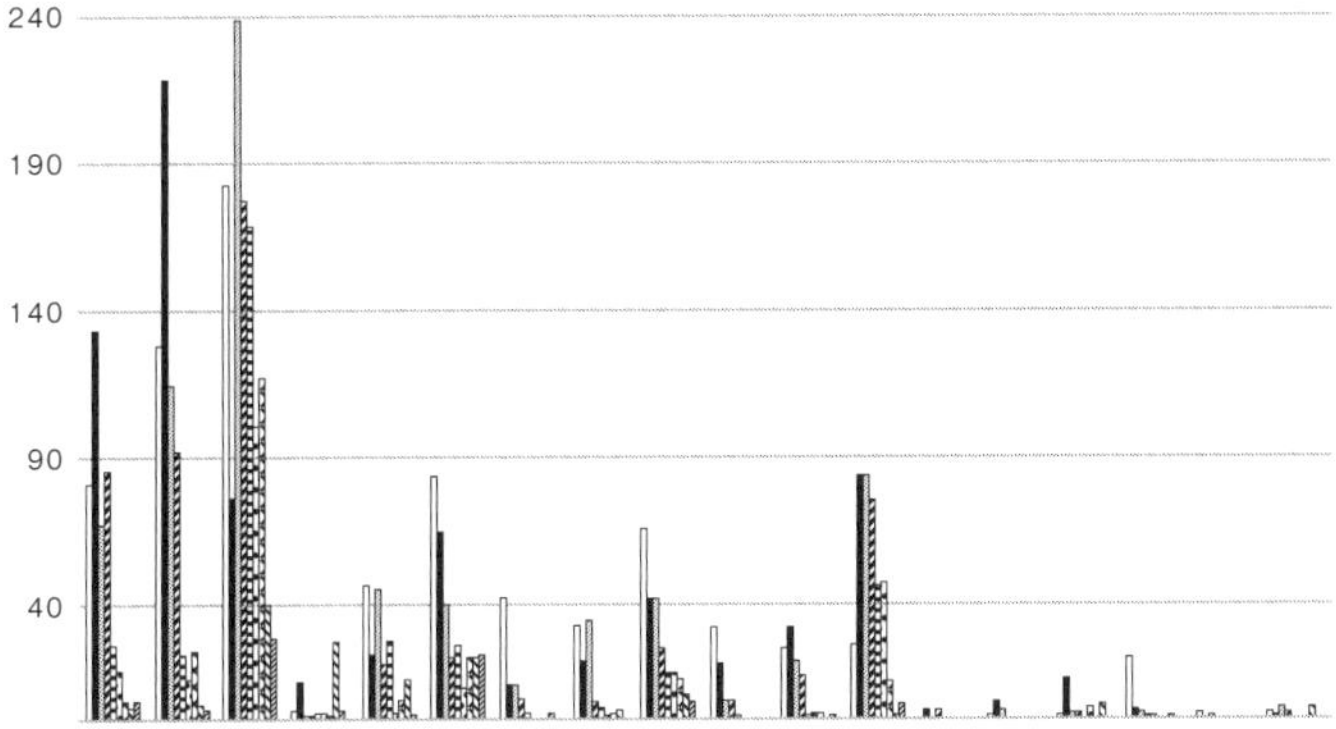


| | ダゲスタン | | | チェチェン | | | イングーシ | | | カバルダ・バルカル | | | カラチャイ・チェルケス | | | 北オセティア | | |
|---|---|---|---|---|---|---|---|---|---|---|---|---|---|---|---|---|---|---|
| | 市民 | 治安機関 | 戦闘員 | 市民 | 治安機関 | 戦闘員 | 市民 | 治安機関 | 戦闘員 | 市民 | 治安機関 | 戦闘員 | 市民 | 治安機関 | 戦闘員 | 市民 | 治安機関 | 戦闘員 |
| □2010 | 78 | 124 | 176 | 3 | 44 | 80 | 40 | 31 | 63 | 31 | 23 | 25 | 0 | 1 | 1 | 20 | 2 | 2 |
| ■2011 | 129 | 211 | 73 | 12 | 21 | 62 | 11 | 19 | 40 | 18 | 31 | 80 | 3 | 6 | 13 | 3 | 0 | 1 |
| 2012 | 64 | 110 | 231 | 1 | 43 | 38 | 11 | 33 | 40 | 6 | 19 | 80 | 0 | 3 | 2 | 2 | 1 | 4 |
| 2013 | 82 | 88 | 171 | 1 | 18 | 20 | 7 | 6 | 23 | 6 | 14 | 72 | 3 | 0 | 2 | 1 | 0 | 2 |
| 2014 | 24 | 21 | 163 | 2 | 26 | 24 | 2 | 4 | 15 | 1 | 1 | 44 | 0 | 0 | 0 | 1 | 0 | 0 |
| 2015 | 16 | 13 | 97 | 2 | 2 | 10 | 0 | 1 | 15 | 0 | 2 | 45 | 0 | 0 | 4 | 0 | 0 | 0 |
| 2016 | 6 | 22 | 112 | 1 | 6 | 20 | 0 | 2 | 13 | 0 | 2 | 12 | 0 | 0 | 0 | 0 | 0 | 0 |
| 2017 | 4 | 5 | 38 | 26 | 13 | 20 | 0 | 3 | 8 | 0 | 0 | 1 | 0 | 0 | 5 | 1 | 0 | 4 |
| 2018 | 6 | 3 | 27 | 3 | 2 | 21 | 2 | 0 | 6 | 0 | 1 | 5 | 0 | 0 | 0 | 0 | 0 | 0 |

出典：Кавказский узелのデータより筆者作成

**図12：北コーカサスの民族共和国における武力衝突の属性別死者数推移**（2010～18年）

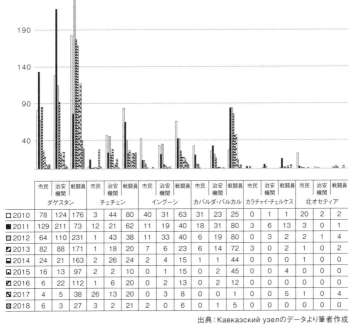

よる人的損失は、治安機関よりも戦闘員（反乱勢力）側の犠牲が多くなっている（**図12**）。特にこれは、ここ数年テロの件数もその強度も高くなっているダゲスタンとカバルダ・バルカルにおいて顕著である。

このことは、そもそも反乱勢力側が物的資源や人員面で共和国・連邦政府側から大きく劣っているという前提条件を確認すると、大きな意味を持ってくる。すなわち、反乱勢力側は失った人員を継続的に補充することができなければ、勢力を減退させることが予測されるからである。この意味で、特にソチ五輪（2014年）に向けて連邦・共和国当局が強化してきた対テロ作戦は一定の成果を生んできたと言える。現在は、テロの発生件数も、そして一般市民の死者数も大幅に減少し、現地の治安は大きく改善されてきたということがデータ上は読み取れるのである。

もちろん、これは北コーカサスにおけるテロの可能性を否定するものではないが、全体的傾向として以前と比較すれば北コーカサスが少なくとも安定してきていると主張することはできる。

このような理解は、その時々の現地の状況を丁寧に観察し続ければ理解できることである。しかし、単に個別の出来事を羅列するのではなく、以上のようにデータを分類し、複数の視点から見てきたのは、長期的な傾向を見出すためである。テロが収束しつつある、という2014年以降現在まで続いている傾向にしても、何らかの出来事によって一変しないとは限らない。そうなった時に、ここに挙げてきた個々の指標とそれを分析する本書の枠組みが、現状の分析と将来の予測に役立つのである。

コラム 5

## 境界と検問――安全保障装置？　安定のバロメータ？

北コーカサスの共和国は、いわば地方自治体なので、本来、その境界の往来は自由であるはずである。だが、長年、紛争やテロが発生していたこともあり、チェチェンなど一部地域では厳しい境界管理と検問体制が近年まで敷かれてきた。しかし、現在は大分様子が違う。

まずチェチェン内の検問は、グローズヌィから出入りする幹線道路に内務省部隊の詰所があるが、ここで止められる車両はほとんどない。私は、夜に隣接共和国やチェチェンの他地域からここを通ることもあったが、日中と様子は変わらなかった。山岳部には遺跡があり、私は観光目的でシャトイとイトゥム・カレを訪問したが、グローズヌィとシャトイ間に検問所は1カ所、シャトイとイトゥム・カレ間も1カ所、つまり、地区の境界地点にそれぞれ1カ所の検問しかないのである。かつて山岳部は、独立派やイスラーム過激派の拠点と言われていたことに鑑みれば、山岳部の検問もこの程度で問題ないほど安定しているということであろう。私は検問で旅券登録を求められたが、それでも

シャトイの塔

私のような外国人の往来も自由なのである。

だが、事前登録なく外国人が山岳部を訪問できるのは、なかなかすごいことである。たとえば、イングーシにも山岳部に塔の遺跡があるが、同地では事前に旅行会社に申し込み、会社側が内務省に旅行者の登録をしなければならない。当然、私的に山岳部を訪問しようとすれば検問に引っ掛かり、最悪の場合、逮捕されることになる。

一つ面白い話をすると、グローズヌィから国際便で去る際に出国管理官に尋問を受け、山岳部に行った話をすると、彼は驚き、「何の目的で行ったのだ？　あなたが行くことができる場所なのか？」と質問してきた。私は、「観光ですよ。塔の遺跡があり、皆行っていますよ」と伝えたが、観光政策をチェチェン政府が推進しており、観光客が簡単に山岳部に行けることを、このロシア人係官は知らないようであった。

もう一つ面白い話をすると、チェチェンとイングーシでは検問の警備は現地の内務省部隊が、身分証審査と登録業務はロシア人がそれぞれ行なっている。チェチェンの空港も出入国管理官は全てロシア人である。ところが、北オセティアでは検問における身分証審査と登録業務もオセット人が行なっているのである。私は、グローズヌィからヴラディカフカスに乗合バスで向かったことがあるが、北オセティアとの境界で止められ、「男は全員降りろ」と指示を受けた。その中で、なぜか私だけ別室で簡単な尋問を受けたが、これで北オセティアがイングーシやチェチェンとの境界管理に力を入れ、警戒していると感じた。これはダゲスタンやイングーシでは強く感じなかったことでもある。

## ［3］ISによって分裂と内紛へと向かう北コーカサスのイスラーム主義

### ❶「コーカサス首長国」とISの対立

以上のように北コーカサスにおけるテロや反乱は大幅に減り、現地の治安状況も改善されてきたが、実は、これは連邦や共和国当局による対テロ作戦や弾圧が成功したことのみによるのではない。むしろ、急進的イスラーム運動側の「敵失」にも助けられた側面がある。

それは、ISという新しいグローバル・ジハード運動によって「首長国」の動員資源が奪われたこと、そしてその後、十分な対応策を取ることができなかったことである。

2014年とは、ソチ五輪開催の年のみならず、ISの建国年でもある。以下では、「首長国」の勢力減退が連邦や共和国当局による対テロ作戦のみによるのではなく、シリア情勢も一定の関係があったことを明らかにする。具体的には、「首長国」がシリア情勢やISに対してどのような対応をとってきたのか、そしてその際に何が問題となったのかをまとめる。

2012年10月頃、「首長国」系のウェブサイトである「カフカース・ツェントル」が、「首長国」系のイスラーム武装勢力がシリア内戦に参加していることを認める発表をした。ところが、翌11月に出されたウマーロフの声明は、シリアでのジハードへの賛同よりも不満を前面に出したものであった。

声明は、同胞に対して、シリアのジハードに対して行っている支援を自分たちにもしてほしいと訴え、「コーカサスにはジハードはない、ジハードが終わったからシリアに来たのだ」と述べている人たちは誤っていると批判し、コーカサスではシリアよりも過酷で困難なジハードが遂行されていると述べる。それにもかかわらず、誰からの支援も支持もないのだと、ウマーロフは大きな不満を表明しているのである。

ウマーロフは、他にもチェチェン人たちがシリアで戦い、「首長国」と共にチェチェンで戦わないことを遺憾に思うと発言したり、チェチェンで戦うことの方がシリアで戦うことよりも簡単に実践できると述べたりした。こうした発言に見られるようにウマーロフは、チェチェン系イスラーム武装勢力のシリア参戦に基本的に反発していたのである。

このようなウマーロフの不満や懸念に対して、シリアのチェチェン系イスラーム武装勢力の側からも反応があった。マルゴシヴィリは、既述のように「コーカサスでのジハードを物理的に支援できないからシリアで戦っている」と表明し、「今も精神的にはコーカサスでのジハードとつながっている」と主張した。逆に、クシュタナシヴィリは、コーカサスでのジハードに参加できるのにシリアに来ている勢力を批判する形でウマーロフへの賛意を示した。ウマーロフ自身は、現にシリアで展開されているジハードを支持する一方、イチケリア（チェチェン）にシンパシーを感じる者は「首長国」の闘争に加わるよう求めつづけた。

このようなウマーロフの姿勢の背景には、当時「首長国」がロシア政府と親露派チェチェン当局の攻撃によって勢力を減退させており、こうした中でソチ五輪を控えるロシアに打撃を加えるためにも、貴重な人員をシリアに割かれることは避けたかったという事情がある。「首長国」にとって、自らの動員対象である急進的なイスラーム思想の信奉者がシリアに続々と向かっているとすれば、それは看過できないことであった。

一方、このような「首長国」の姿勢は、コーカサスでの「ジハード」経験がなく、シリアへ向かったバティラシヴィリらには彼らの正統性への攻撃と映った。「首長国」の主張に従えば、彼らは、コーカサスでの「ジハード」を見てみぬふりをして、シリアへ向かったことになるからである。これに対し、ISが物理的に即座に攻撃できないロシアに「ジハード」を宣言したこと（2015年）は、過激派の中でのバティラシヴィリらの正統性と権威を保つための行為であった可能性も排除できない。バティラシヴィリらは、当時、最も注目を集めており、急進的な人々を魅了する「チェチェン人」であり、その正統性が攻撃されることはISにとっても打撃になる。また、バティラシヴィリらと「首長国」の対立は、彼らがISとバグダーディ以外への忠誠を拒否しながらも、バティラシヴィリの副官であるアタビエフに見られるように「首長国」の名を時に利用しようとする姿勢からも生まれてきた。

そもそも「首長国」は、バティラシヴィリだけではなく、ISという組織そのものとも対立してきた。ウマーロフの死後、首長国のアミールに就任したケベコフは、アサド政権とのジハードに専念せず、ヌスラ戦線やアル＝カーイダとも対立するバグダーディの誤りを指摘し、ISが「首長国」へのネガティブ・プロパガンダを展開していると反発していた。ケベコフは、シリアへ向かう人々に対しても、どんなに「首長国」がその人物を必要としていようとその人物が望むのであれば、シリアへの渡航を認めてきたとしつつも、いかなる法学者もジハードの指導者もシリアに渡航することを求めていないと強く牽制した。そして、誰もバグダーディをカリフと認めていないと、その正統性を激しく批判した。

「首長国」とＩＳの意見の相違は、シリアで戦っていたチェチェン系イスラーム武装勢力の内部分裂に見られたように単純に現下の目的と手段が一致しないということだけではなく、以下のような、より深刻な競合関係から生じてきた。

第一に、シリア内戦の発生によって「首長国」をこれまで支援してきたディアスポラ（離散民）組織がシリアのイスラーム勢力の支援に注力することになった。たとえば、「首長国」において、たとえ数は多くないとは言え、それまで一定のプレゼンスを有していた名の知れた外国人義勇兵は２０１２年までには全員殺害されてしまい、「首長国」の勢力は減退していた。そんな中、それまで機能していたリクルーティング・ネットワークはシリアで戦うチェチェン系イスラーム勢力の支援へと回ったと言われている。従って、首長国は、シリア内戦発生後にエスノナショナルな要素でつながった在外の支援組織を失ったのである。

これは、北コーカサスでのジハードに参戦していた武装勢力がトルコ（あるいはジョージア）で治療を受け、療養していたことと関係する。彼らを受け入れ、北コーカサスへと戻す支援をしていた団体はシリアにおける惨状に目を奪われ、この支援に注力することとなった。これらの組織は、シリアへ行く戦闘員の金銭面、ロジスティック面での支援を行ったとされる。加えて、チェチェンや北コーカサスに戻るのが困難になっていた義勇兵もシリアへ向かうようになったのである。彼らは、アサド政権打倒後、コーカサスに再び戻ることができるのであれば、戻ることを想定していた。

第二に、ＩＳが台頭し、これと並行しアル＝カーイダやタリバンが衰退することで、これらの組織が首長国の望む支援や正統性を提供することができなくなった。アル＝カーイダやタリバンが実際に北コーカサスへの支援をどれほど行なっていたのかは、既述のように不透明である。だが、これらの組織と「首長国」の間に存在する精神的連帯は、少なくとも「首長国」にとって自らが北コーカサスで行なっている対露ジハードを正当化し、この地域の人々を動員することを可能にしてきた。しかし、アル＝カーイダの衰退が各方面から指摘されている中で「首長国」は、チェチェン人義勇兵の動員や闘争手法をめぐり、ISやその傘下のチェチェン系武装勢力と対立していたのである。ISに対抗する際に後ろ盾となり得るアル＝カーイダの衰退によって、「首長国」は自らの主張の正統性をいかに担保するのかという悩ましい問題に直面したのである。

第三に、ISの強力な広報戦略、資金、動員力等々によって、首長国は自分たちの活動する地域においてすら十分な人材を獲得することが困難になった。ISやシリアに向かった義勇兵については、様々な数字が出ており、実態は不明であるが、コーカサス出身者がロシアから現地へ向かった3400人の大部分を占めていると考えられる。必ずしも元々熱心な宗教者ではない人々もISに吸い込まれている背景には、給与などの魅力的な条件を提示するというだけではなく、教育水準も低く社会的に阻害されやすい出稼ぎ労働者を取り込むなど巧みな動員戦略も指摘されている。コーカサス出身者は北コーカサスだけではなく、モスクワ等の大都市においてもリクルーティングされているのである。

こうした状況の中で首長国は、コーカサスで唯一のイスラーム武装勢力として長い間、対露闘争を独自に闘い抜いてきたという自負心から、ISに対抗する姿勢を見せた。この際に問題となるのが、「首長国」のイデオロギー面での中東依存とそれがもたらすディレンマである。首長国は、中東の急進的イスラームをいわば「模倣」することで、ロシア内部からは十分に得られない支援を中東から獲得しようとする戦略をとってきた。彼らがロシア語での発言の前後にアラビア語でクルアーンを引用し、名前を中東のムスリム風に改めて、ヒジュラ暦を採用し、アル＝カーイダなどへの共感を表明するようになった理由は、ここにある。

しかし、このような「首長国」のイデオロギー面における中東の急進的イスラームへの依存は、競合関係が生じた時に自らを不利にしてしまう。このように今までは自分たちが支援を獲得するための手段として活用してきたイデオロギー的な親和性は、ＩＳの出現によって自分たちの周りから中東のジハードに加わる者が出てくるという、当初は想定していなかった問題との対面を「首長国」にせまることになったのである。

## ❷ＩＳへの対応の失敗と「首長国」の分裂・消滅

ロシアとの闘争により「首長国」は勢力が減退する中で、活動を継続させるために必要なヒト・モノ・カネが世界中の衆目を集めるＩＳに流れ、一層苦境に立たされることとなった。「首長国」は、ＩＳに対抗する姿勢を見せたが、今度は「首長国」内部からＩＳに忠誠を誓う者が現れるようになったのである。そして、結果的にケベコフ指導部以外の司令官は、ほとんどＩＳに忠誠を誓うという事態に至った。以下では、この経緯と何が「首長国」の分裂に繋がったのか、つまり「首長国」のＩＳ

への対応の失敗について取り上げる。

「首長国」支配地域で戦う戦闘員がＩＳに忠誠を表明した最初のケースは、２０１４年11月にダゲスタンのハサヴユルト司令部のアウホフ地区司令官であるスレイマン・ザイラナビトフが挙げられる。しかし、これはジャマーアト、つまり下位部隊レベルの忠誠表明であり、当初はさほど重大なことだとは理解されていなかった。それが翌月末にはダゲスタン司令部の司令官であるルスラン・アシリディロフがＩＳへの忠誠を表明し、事態は急変する。アシリディロフは、「首長国」のダゲスタン全域を代表する司令官であり、いわば「首長国」のアミールであるケベコフのお膝元から「首長国」が対立するＩＳに忠誠を誓う幹部が出現したことになるからである。

アシリディロフのＩＳへの忠誠を受け、ケベコフはアシリディロフをダゲスタン司令官から解任し、彼らの行動を強く批判した。だが、翌年2月にはイングーシ司令部のベスラン・マハウリもＩＳに忠誠を表明した。マハウリは、ウマーロフの腹心と言われていた人物であり、「首長国」からの離脱とＩＳへの忠誠表明の動きを「首長国」が止めることに失敗したことを示している。その4カ月後にはチェチェン司令部を代表し、ビュトゥカエフがＩＳへの忠誠を表明した。さらに、その9日後には「首長国」の全司令官の名の下にＩＳへの忠誠が表明されたのである。ここにきて、ＩＳ側も彼らの動きに反応し、ＩＳコーカサス州を設置し、その司令官にアシリディロフを任命した。

「首長国」は、なぜこのように分裂してしまったのだろうか。

第一には、それまでの路線対立の表面化である。ウマーロフの引退の話が出た際には、チェチェン人のバダロフが後継者に指名されたと報じられたが、2013年のウマーロフの死後、実際にアミールに就任したのは、2010年より首長国のシャリーア（イスラーム法）最高裁判長（カーディー）であったケベコフであった。彼は、第一次・第二次共にチェチェン紛争に参加した経験がなく、しかも2009年頃に対露闘争に参加したという新顔であった。それにもかかわらず、ケベコフが就任したのは、イスラーム聖職者としての正統性があったからである。しかし、新たなグローバル・ジハード運動の旗手たるISと「首長国」が対立する中で、元戦闘員ではないケベコフが唯一有していた指導者としての正統性の根拠（イスラーム聖職者であること）が意味をなさなくなった。

第二に、ケベコフ指導部が初期の離反者に十分な対応を取ることができなかった点も組織分裂を加速させた。2014年12月のダゲスタン司令部最高司令官のアシリディロフなどによるISへの忠誠表明に対して、彼らの更迭と新指導部の任命などで対応したが、「首長国」の新たな闘争戦略を発表するなど組織としての方向性を提示することができなかった。このため、アシリディロフの声明後、イングーシの司令官もISへの忠誠を表明した。ケベコフは、「首長国」としての方向性を十分に示すことができないまま、2015年4月にダゲスタンのブイナクスクで行われた対テロ特殊作戦によって殺害されてしまった。

第三に、ケベコフの死後の後継者選定をめぐる問題も分裂の一因である。ケベコフの死後、チェチェン司令部と全司令官によるISへの忠誠表明までは2カ月を要し、この間、後継者をめぐる議論がなされたと思われる。しかし、結果的にケベコフの後任となったのは側近のスレイマノフであった。首長国のダゲスタン・シャリーア裁判長であった1976年生まれのスレイマノフの経歴は、ケベコフ指導部に不満を募らせる反対派に攻撃材料を与えるのに十分であった。すなわち、彼は家族の説得を受け、一度、武装闘争から離脱したことがある人物で、急進的な宗教者として著作などは多数あったものの軍事司令官としては無名に等しかった。スレイマノフのアミール就任の発表がケベコフ死後から3カ月もずれ込んだのは、この間、指導部に反発する勢力との調整が行われ、それが失敗したことを推測させる。そしてスレイマノフは、何の取り組みもできないうちに特殊作戦で殺害されたのである。

さて、「首長国」は現在、組織として消滅したのだろうか。組織としては事実上消滅したが、ＩＳに忠誠を誓っていない「首長国」派の司令官はまだ存在している。

**表58：「コーカサス首長国」からISへの忠誠表明の流れ**

| 年月日 | 出来事 |
|---|---|
| 2014年11月21日 | ダゲスタン州ハサヴユルト司令部アウホフ地区司令官スレイマン・ザイラナビドフがISに忠誠を表明 |
| 12月28日 | ダゲスタン司令部司令官ルスラン・アシリディロフ(別名:アブー・ムハンマド)がISに忠誠を表明。ケベコフはアシリディロフを激しく批判 |
| 2015年2月14日 | イングーシ(ガルガイ・ヴィラヤート)司令官ベスラン・マハウリがISに忠誠を表明 |
| 4月19日 | ケベコフ「首長国」アミールが連邦による特殊作戦で殺害される |
| 6月12日 | アスラン・ビュトゥカエフ(チェチェン司令部・「死の部隊」司令官)がチェチェン(ノフチィチョ・ヴィラヤート)の全戦闘員を代表しISへの忠誠を表明 |
| 6月21日 | 「首長国」の全司令官(ダゲスタン、ノフチィチョ、ガルガイ各ヴィラヤート、カバルダ・バルカル・カラチャイ統合ヴィラヤート)の名の下にISに忠誠を誓う旨、表明される。<br>→ISが「コーカサス州」を設置し、司令官にアシリディロフを任命する |
| 7月5日 | 「首長国」のアミールとしてムハンマド・スレイマノフ(別名:アブー・ウスマン・ギムリンスキー)の就任を発表 |
| 8月10日 | スレイマノフ「首長国」アミールが連邦による特殊作戦で殺害される |

出典：各種報道より筆者作成

実は、チェチェンの全戦闘員を代表してISに忠誠を誓ったビュトゥカエフは、チェチェン司令部最高司令官ではない。彼は、2010年に主要なチェチェン人指導者がウマーロフと対立した際に後者を支持した人物であり、むしろチェチェンでは少数派的立場であったとも言える。そして、チェチェン司令部最高司令官は、当時ウマーロフと対立したアスランベク・バダロフであり、彼はISに忠誠を表明していないのである。2010年にバダロフと行動を共にしたタルハン・ガッジエフもISに忠誠を表明していない。

また、カバルダ・バルカル・カラチャイ統合司令部のザンキエフはISに忠誠を表明したが、同司令官のゼリム・シャブズホフは、この決定に賛意を示さず、後にISを批判している。そもそも「首長国」の全司令官によるISへの忠誠とは、音声データによる忠誠であり、実際に全ての司令官を代表するものなのかも不透明である。シャブズホフは、後に事実上「首長国」のアミールのような扱いを受けたが、2016年に殺害された際にはサンクトペテルブルクに潜伏しており、北コーカサスにはいなかった。バダロフ、ガッジエフは2020年現在も存命（トルコに滞在、もしくは拘留中）とされるが、ケベコフやスレイマノフ亡き後の「首長国」の継続を主張している様子もないのである。

以上❶と❷では、ISというグローバル・ジハード運動の旗手が北コーカサスの土着的な急進的イスラーム運動を分断し、内紛に向かわせ、その結果として組織の崩壊や再編を招いたことを明らかにした。ISと「首長国」のアンビバレントな関係（動員対象が競合し、潜在的な対立関係を抱えているものの、完全に距離を置くことが困難な関係）は、結果的に2014年から2015年に一定数の司令官にＩＳへの忠誠という決断を迫ったが、これは、「首長国」を事実上の解体と消滅に向かわせることとなった。

## ❸ＩＳコーカサス州の現状とシリアからの帰還者をめぐる問題

最後に、ＩＳコーカサス州がその後、どのような状況にあるかということと、本章の冒頭に述べたようなシリアからの帰還者をめぐる治安・安全保障面でのリスクについて触れる。

北コーカサスのテロや反乱についてはデータで見てきたが、２０１５年のＩＳコーカサス州設置後のデータを改めて確認してみると、２０１６年にダゲスタンやイングーシにおいてテロの件数が増加し、チェチェンでも２０１８年に増加していることが確認できる。２０１８年にはロシア・サッカーW杯が行われたが、ＩＳはこの大会期間中におけるテロを呼びかけていた。結果的に大会期間中にはテロは発生しなかったが、２０１８年8月にはチェチェンで複数の都市で同時にテロが発生した。ＩＳコーカサス州の活動は今後、活発化するのであろうか。

第一に理解する必要があるのは、どれほどの人員が継続してＩＳコーカサス州において活動を行なっているのかという点である。実は、２０１５年以降に「首長国」から離反し、ＩＳに忠誠を誓った司令官のほとんどは連邦による対テロ作戦で殺害されているのである（**表59**）。２０１６年末にはボルトニコフ・ロシア連邦保安庁（ＦＳＢ）長官が、ＩＳに忠誠を誓った「首長国」の主要な司令官26人のうちすでに20人を殺害したと発表しており、ＩＳ支持勢力はかなり劣勢に追い込まれていると見

表59：ISに忠誠を誓った主要な指導者のその後（2020年現在）

| 名前 | ISへの忠誠表明 | 生死の有無 | 備考 |
|---|---|---|---|
| スレイマン・ザイラナビドフ | 2014年11月 | 【死亡】2015年6月 | 最初にISに忠誠を表明したダゲスタン司令部ハサヴユルト・アウホフ地区司令官 |
| ルスラン・アシリディロフ | 2014年12月 | 【死亡】2016年12月 | 「首長国」のダゲスタン司令部最高司令官 |
| アルスラナリ・カムブラトフ | 同上 | 【死亡】2015年4月 | アシリディロフと共にISに忠誠。マハチカラのシャミーリカリンスキーの司令官 |
| ムグトディン・マザノフ | 同上 | 【死亡】2015年4月 | アシリディロフと共にISに忠誠。カスピスク地区の司令官 |
| ベスラン・マハウリ | 2015年2月 | 【死亡】2015年10月 | ウマーロフの腹心。イングーシ司令部司令官 |
| アスラン・ビュトゥカエフ | 2015年6月 | 【存命】（トルコに滞在?） | チェチェン司令部「死の部隊」司令官 |
| アブドゥッラー・ザンキエフ | 2015年8月 | 【死亡】2015年11月 | カバルダ・バルカル司令部司令官 |

出典：各種報道から筆者作成

られる。

第二に、確かにISコーカサス州が犯行を主張するテロはここ数年発生しているが、その規模や数は最盛期の「首長国」（年間200件以上）には遠く及ばない。つまり、2015年当時に追い込まれていた劣勢から、ISに忠誠を誓ったことで挽回できるようなことはなかったのである。チェチェンで2018年8月に起きた同時テロもその実、銃火器やミサイル、爆弾を駆使したような大規模テロではなく、自動車による体当たりやナイフによる襲撃という程度のものだった。逆に言えば、このような成功する見込みすら低く、成功したところで、政権に何ら打撃とならないテロしか行うことができない状況なのである。

「首長国」から離反しISに忠誠を誓っ

た勢力は、ＩＳと動員資源が競合する中で、北コーカサスにおいて劣勢にある自らの組織に対する支援を獲得しようと期待していた。しかし、このように期待していた支援は得られずに、ＩＳ本体の方も徐々に衰退していった。では、なぜＩＳは、支援を提供しなかったのだろうか。ＩＳは、その広報戦略によって新たな「グローバル・ジハード」運動の旗手としてのイメージを植え付け、世界中から闘争のための資源をかき集めてきた。よって、ＩＳは元来、支援の「出し手」ではなく、「受け手」なのである。

このようなＩＳの特性から、筆者は、「首長国」の多くの司令官がＩＳに忠誠を誓うことで、ＩＳから十分な支援を得られると短絡的に考えていたとは必ずしも思わない。むしろ、ＩＳに流れてしまったエスノナショナルな紐帯（これまで自組織を支援していたディアスポラ組織、動員対象である自民族）を、ＩＳの支部としての看板を掲げることで引き戻そうとした要素の方が強いと考えている。しかし、このような目的すらも実際には達成することができなかったのである。

それはＩＳ側が人的資源の供給地として、コーカサスだけでなく広く旧ソ連ムスリム地域への働きかけを強めていたためである。このようにＩＳは、その支部に闘争資源を供給するのではなく、むしろ、これらの周縁地域から資源を収奪するという特徴があり、これはシリア内戦が激化する中で一層顕著に進んでいったように思われる。ＩＳには、ロシア語、ウズベク語、カザフ語、キルギス語など様々な言語によるＳＮＳ及びツイッターの広報アカウントが存在したが、Soufan Groupによれば、ロシア語はアラビア語や英語に次ぐ広報言語として使用されてきたという。そして動員のための各種プロパガンダ動画も多数存在する。これらは、ロシアやコーカサスがＩＳにとって、あくまでも資源や人材の調達場であったことを示している。

こうして、ＩＳに忠誠を誓った勢力は、ＩＳから直接支援を受けることはもちろん、動員資源を担保する上での配慮すらしてもらえない状況下で瓦解していった。では今後、ＩＳが現在、組織として終焉を迎える中で、シリアからの帰還者が続出することで、北コーカサスの急進的イスラーム運動は新しい局面を迎えるのであろうか。

筆者は、このような見方には懐疑的である。第一に、彼らが戻る先には、かつてのようにこの地域を代表するエスノナショナルな急進的イスラーム主義組織の姿はもはやなく、ＩＳによって分裂と内紛、そして再編を強いられ、瀕死の状態で点在するイスラーム過激派武装勢力が残っているだけなのである。しかも、帰還者がどちら側（ＩＳ側かヌスラ戦線側か）で戦ったのかということすら受入先では火種になりかねない。帰還者が連携して、何らかの新しい運動や闘争を展開できる環境に、少なくとも現状の北コーカサスはない。

第二に、「第一の波」でシリアへ向かった多くの戦闘員は、コーカサスにおけるジハード経験もあり、十分な戦力になるが、「第二の波」で現地に行き戦況が悪くなったため戻ってきた末端の戦闘員は、十分な戦力になるか未知数である。当然、著名な司令官が多い前者のグループは、ロシアに秘密裏に潜伏することが困難であるのに対し、後者については、それ以前にマークされていない人物であれば帰国することもできるかもしれない。しかし、このような人物がテロや反乱を活性化させる大きな要素になるとは思えない。

第三に、「第一の波」でシリアへ向かった多くの戦闘員は、コーカサスでのジハードへの賛意とその継続への支援を表明していたが、「第二の波」でシリアに向かった多くの戦闘員は、ＩＳのイデオロギーに魅了され、北コーカサスにおける闘争を捨てた人々である。すなわち、彼らがそもそもコーカサスに帰還するのか、帰還したとしても闘争を継続するのかという部分には疑問がある。戦争が終わった後の外国人義勇兵の選択肢は、戦地に留まる、母国に帰る、第三国に移住する、そして新しい戦地を探すというものが想定されるが、刑事罰が課せられる恐れがある母国への帰国は数としてはさほど多くないと筆者は考える。

第四に、ロシアは国境警備を強化し、過激派の個人情報を相当程度蓄積しており、物理的にこれを潜り抜け帰還し、潜伏するのは困難である。一部アナリストは、ロシア政府が意図的に国内にいる過激派をシリアに向かわせ、国内テロのリスクを軽減させ、可能であればアサド政府軍を支援する過程で、彼の地でせん滅しようとしてきたと述べる。実際にロシア軍の空爆によってチェチェン系指導者が死亡したケースも少なくない。また「首長国」が分裂した際には、これを好機と見なし、素早く両陣営の指導者を特殊作戦によって殺害するなど、ロシアのテロ対策は実に巧妙である。組織が壊滅状態である中で、帰還する個々人がこのような局面を打開できるとは思えない。

ただ、以上のようなことは、北コーカサスにおけるテロや反乱の要因が払拭されていることを意味しない。なぜならば、厳しい経済・社会環境や体制による暴力は継続して存在しており、人々は少なからぬ不満を蓄積し続けているからである。また、かつてアフガン戦争のアラブ義勇兵がその後、戦地を転々としたように、シリアで戦ったチェチェンやコーカサス系の武装勢力が戦地を転々とし存続すれば、再びロシアにとって大きな脅威を与えることも排除できない。さらに、量的には大幅に減少しているテロも、質的には、たった一件のテロが状況によっては政権に打撃を与える可能性も排除できない。

北コーカサスにおける急進的イスラーム主義の動向と国際的なイスラーム運動の連動については、今後も注視し続ける必要があるだろう。

# 第6章——未承認国家問題とコーカサス

## ［1］国際政治と未承認国家問題

本章では、第5章に引き続き、コーカサスの紛争及びそれらから付随的に発生した問題が現在に投げかけている課題を考えたい。ここでは、分離主義地域が中央政府の統制を離れ、独立国家を主張するという問題、すなわちコーカサスの未承認国家問題が国際社会にどのような問題を提起しているのかという点を明らかにする。

### ❶未承認国家と旧ソ連・コーカサス地域

旧ソ連地域の未承認国家問題は、第5章で取り上げたＩＳなどのグローバル・ジハード運動と同様、国際政治の主要な課題として現在注目されている。たとえば２０１４年のウクライナ危機以降、東部ウクライナのルガンスク及びドネツクは、それぞれ「国家」を自称し、現在に至るまでウクライナ政府の統制を離れている。このように、ある地域が中央政府の統制を離れ、独立を主張し、その状態を一定期間継続することは、どのようにして可能になるのだろうか。そして、このような状況が継続していることは、紛争の平和的解決にいかなる問題を提起するのであろうか。

第１部では中央政府の視点から捉えてきた分離主義問題を、分離主義地域と、そして国際社会の視点から捉え直し、コーカサス地域の紛争が提起している問題を再考することが本章のねらいである。

はじめに、未承認国家とは、一体何なのか、その定義を明らかにした上で、旧ソ連・コーカサス地域の事例の重要性について触れたい。

未承認国家とは、端的に言えば、自らの支配地域、政府、住民を有し、国家であることを主張しているものの、当該地域の領有権を国際的に認められた中央政府や、一部支援国を除く大多数の国からは承認されていない政体である。

未承認国家の定義として、第一に、当該政体は自らを独立国家と主張するために「国家の要件」を満たし、その統治の正統性を証明できなければならない。つまり、①国家の基盤となる特定の地域を実効支配し（それを自らの領土と主張し）、かつ②その地域に永住している住民がおり（住民は統治者の権威を受容しており）、③彼らに一定の公的サービスを提供する政治機構（独自の司法・立法・行政機関等の機能）を有している必要がある。未承認国家は、外部から見れば、ある程度の国家的体裁を整えており、完璧ではないにせよ「内的主権」（後述）を有している必要がある。従って、他国から独立した政府や行政機関がない場合、たとえば日本国や関東軍と強く一体化していた満洲国のような事例は未承認国家に該当しない。

第二に、国家的体裁をなしている当該政体の指導者は、選挙や住民投票などを通して住民の支持を得た上で、暴力的手段に訴え犠牲を払うことをいとわないほどの強い分離要求を表明している必要がある。少なくとも当該地域の指導者や住民は、既存の領域的・政治的・制度的枠組みの中では、自分たちの要求は満たされないという強い自覚があり、そのことをいかなる方法・形態であれ、表明していなければならない（新憲法制定、独立宣言、武力紛争など）。実態面では、中央政府の意向が地方に反映されておらず、中央の統制が十分に及ばない地域（いわゆる「地方のボス」が統治する地域）があっても、当該地域が既存の領域的・政治的・制度的枠組みからの分離独立要求を表明していない場合は、未承認国家には該当しない（たとえば、カディロフのもとで独自色を強める現在のチェチェン）。

第三に、このような分離独立要求が、当該地域の領有権を国際的に認められている中央政府からも、そしてそれ以外の多くの国からも認められていないこと、すなわち当該地域が国家としての国際承認を得ていないことが挙げられる。よって、この政体は、国家としての事実上の特徴を有していても（内的主権の担保）、国際的にそれが認められていない（外的主権の欠如）ということになる（外的主権についても後述する）。当然、この政体は国際社会の行為主体とはなり得ず、いかなる法的権利や保護も国際社会に要求することが困難である。したがって分離主義地域の問題は、その国際法的な帰属国（中央政府）の内政問題となる。未承認国家は原理的には中央政府による軍事的排除のリスクを常に抱え、そのことが対外的働きかけを行う強いインセンティブとなっている。

第四に、以上のような特徴を有し、その政体を一定期間、存続させていなければならない。具体的には、ある分離主義地域が未承認国家に該当するためには、上記特徴を有し、2年間は存続していなければならないと考えられている。これは、少なくとも一定期間、安定的に国家的機能を提供できるような政体でなければ、第一の定義である国家の要件を満たしていると判断し得ないという理由による。ただ、年数については1年や3年を主張する研究者もおり、明確に定まっているわけではない。年数については、少なくとも数ヶ月などの短命の試みであれば、当該地域の各種データを入手し、十分に検証することが困難であるという技術的理由による。

なお、未承認国家は、事実上の国家、不規則な国家、分離主義国家、非公式国家、国家の中の国家など別の名前でも形容される。本書では、「(国家) 承認」をめぐる問題と切り離せない側面があることを確認する意味でも、未承認国家という名称を用いるが、未承認とするか、非承認とするかも論者によって違いがある。未承認とすると、現在は承認されていないが、今後は承認される可能性があるという含意があり、非承認とすると、現在承認されていない事実を重視していると指摘する向きもある。ただ、本書の名称（未承認国家）にはそうした意図はなく、便宜的なものに過ぎない。

さて、以上のように定義付けられる未承認国家は、どれほどの数が存在し、なかでも旧ソ連・コーカサスにおける事例を見ることがなぜ重要なのであろうか。

上述のルガンスクやドネツクのように領域の再編と新しい「国家」の独立が主張される状況は、2008年のコソヴォの独立にも見られた現象であるが、量的に最も多くの事例が生じたのは冷戦終結後である。すなわち冷戦後、旧社会主義圏で多民族連邦国家が解体することによって大規模に表出した問題である（**表60**）。

**表60**を見ると、未承認国家として取り上げられる事例の半数以上が冷戦終結後に出現していることが分かる。そして、そのうち約7割が旧社会主義圏の事例である。旧社会主義圏の重要性は、現存す

る未承認国家に焦点を絞っても同様で、約6割が旧社会主義圏に存在する。近年、未承認国家の仲間入りをし、まだ十分に研究の進んでいないルガンスクやドネツクを除くと、現存している未承認国家の3件に1件はコーカサスの事例である。また、冷戦期と冷戦後では未承認国家の生成・生存メカニズムも異なることから、冷戦後の事例のみを対象として見ると、約半数がコーカサスということになる。

つまり、コーカサスの未承認国家という事例を見ることで、少数派の分離独立とそれに対する国際社会の対応を考える上でも、そしてルガンスクやドネツクという旧ソ連地域で現在注目を集める新しい未承認国家の動向を理解する上でも重要な分析視角を得ることができる。

**表60：未承認国家の数と分類**

| | 旧社会主義国 | | それ以外の国 | |
|---|---|---|---|---|
| | 第二次世界大戦以後 | 冷戦後 | 第二次世界大戦以後 | 冷戦後 |
| 過去に存在した未承認国家 | なし | クライナ・スルプスカ、スルプスカ、**チェチェン**、ガガウジア | ビアフラ、カタンガ、エリトリア、タミール・イーラム、ブーゲンヴィル | クルディスタン、東ティモール、アンジュアン |
| 数 | 0 | 4 | 5 | 3 |
| | 第二次世界大戦以後 | 冷戦後 | 第二次世界大戦以後 | 冷戦後 |
| 現存する未承認国家 | なし | **南オセティア、アブハジア、ナゴルノ・カラバフ**、沿ドニエストル、コソヴォ、ドネツク、ルガンスク | 台湾、パレスチナ、北キプロス | ソマリランド |
| 数 | 0 | 7 | 3 | 1 |
| 合計 | 0 | 11 | 8 | 4 |

出典：Caspersen and Stanfield（2014）を元に筆者作成
〔付記〕太字はコーカサスの事例。下線はその後、独立した、もしくは多数の国に独立が承認された地域。そもそも未承認国家にどの地域まで含むのかということも論争的であり、たとえばパレスチナ、クルディスタンは除外する論者やモンテネグロ、南スーダン、西サハラ共和国などを事例に加える論者もいる。

## ❷国家とは何か

国際政治、あるいは国際関係とは、国家間の政治や関係を指すものであり、国際社会の構成員は国家である。しかし、では国家とはいかなるものであり、どのような主体であれば、国際社会の成員になり得るのか。この問いに端的に答えることは困難である。確かに、国際社会は常にその成員たる国家の数を増やしてきた。たとえば、国際社会の代表的な機関である国連の加盟国をとっても、創設当時は51カ国に過ぎなかったものが、現在は193カ国に増加している。

だが、本書のコーカサスの歴史でも紹介したように、たとえばロシア革命期の南北コーカサスにおける様々な政治主体による国家独立の試みも、あるいはソ連解体後の分離主義地域の独立宣言も、現実にはほとんど承認されなかった。つまり、一般的に言って新しい国家としての独立の試みは、コーカサスの事例を見ても、広く受け入れられてこなかったのは明らかな歴史的事実である。では、一体、どのような主体であれば、国家として十分に認知・承認されるのであろうか。

国際社会の成員たる国家とは何かと説明する際に必ず言及されるのが、1933年にアメリカと中南米諸国の間で署名された「モンテビデオ条約」（国家の権利及び義務に関する条約）である。同条約は慣習法として締約国以外にも広く受け入れられているが、その第一条では国家の要件が定められている。すなわち国際法人格としての国家は、①永久的住民、②明確な領域、③政府、④他国と関係を取り結ぶ能力を備えている、とする。つまり、これらの能力を備えている政治集団が国際社会に出現・成立し、自らを国家として宣言した場合、理論的には国家が誕生したということになる。

これを国際法では、「宣言的効果説」という。宣言的効果説では、内的主権、すなわち明確な領域を有し、そこに永住する住民がおり、彼らを国内外において代表する政府が統治を担っているという実態を重視している。この説では、他国からの承認がなされなくても国家の要件を満たしていれば、国家は出現していることになる。むろん、現実には国家の要件を満たしているか否かを確認する主体は、国際社会に中央集権的組織が存在しない以上、他の個々の国家にならざるを得ない。それでもこの説において重要なことは、承認は国家としての要件を備えているかの事後的判断に過ぎず、仮に承認がなされなくても、理論的には国家は誕生しうるという点である。

だが、このように他国からの承認無くして誕生した国家は、国際社会の構成員になり得るのであろうか。つまり、他国と外交関係を構築することなく、自らの生存を担保することなど可能であろうか。既述のように、独立国家形成を希求する集団は、歴史的に多数存在してきた。しかし、国際社会の構成員たる国家になること（「主権国家クラブ」のメンバーシップを獲得すること）は、第二次大戦後から徐々に困難になってきた。

確かに20世紀初頭、レーニンも、そしてアメリカのウィルソン大統領も民族問題の解決方法として民族自決を主張した。また、第二次大戦後も民族自決権が国連において認められてきた。しかし、民族自決による独立は、第一次大戦後は東欧の民族問題解決のために提案されたものであり、第二次大戦後はアジア・アフリカ諸国の植民地解放のために認められてきたものであった。現状では、民族自決による独立国家形成は、仮に国家としての要件を満たしていても、認められることがほとんどない。そもそも民族自決には、外的自決権（分離独立と国家建設）だけではなく、内的自決権（国内における自治権等の付与）もあり、後者では領域の再編や独立を必須としない。このため、現在に至るまで、外的自決権の実現ではなく、内的自決権の制度的担保によって少数派の保護を図ろうとする動きが加速している。

未承認国家問題が出現するようになったのは、このように世界的に国家の領域が固定化され、国家の独立は法的に担保されるべきものとされ、各国の主権尊重から領土保全原則が受け入れられるようになったからである。つまり宣言的効果説が捉えるように、仮に独立を主張する集団が内的に「国家の要件」を満たし、「国家」として国際社会に登場しても、他国との関係を結び、「主権国家クラブ」に仲間入りしようとすれば、おのずと既存国家による承認が必要不可欠になるのである。そしてそのような状況下において、承認なき状態に留め置かれ、実態としては国際社会の構成員たり得ない行為主体を国家などと形容することができるのか、という疑問が生じるのである。

現に国家の要件を備えていても、国際社会の成員たる大多数の既存国家が当該地域に承認を与えない場合、その地域は国際社会において国家として扱われなくなる。このような見地に立つと、国家の主権とは他国の承認によって初めて生じ、従って主権国家とは他国から認められ受け入れられた国家であることになる。つまり、国家の誕生には、単に国家の要件を満たしているか否かということのみならず、既存国家からの承認が欠かせないという理解が成り立つ。これは、他国による国家承認という行為こそが新しい国家を創設するというものであり、国際法ではこれを「創設的効果説」という。創設的効果説に立脚すると、国家の要件においても外交能力の重要性が増すことになる。つまり、「外的主権」、すなわち他国と外交関係を樹立し、自らの主権を認めさせ、それを国家承認に繋げる能力が新生国家には必要不可欠となるのである。

現在の国際法では、宣言的効果説の方が支配的になっている。確かに国家として他国に広く承認されない分離主義地域もあるが、宣言的効果説の見地に立てば、それはその地域がそもそも国家の要件を十分に満たしていないことに問題があるということになる。他国による国家承認は宣言的な意味しかないので、要件さえ満たされていれば、自ずと国家承認へと繋がる可能性がある。この見地に立脚すれば、内的統治を高め、それを国際社会に広く開示することで、その分離主義地域は独立を得ることができるということになる。つまり、自助努力によって国家承認は可能になると解釈できる。

上記いずれの見地に立つにしろ、国家承認を求める主体は、それが内的であれ外的であれ、主権的機能を備え、それを行使することを通して、他国からの認知を得て自らの存在を国際社会において確立する必要があるということである。よって、国家の証明たる主権とは他国との関係性の中で認知されて、はじめて成立するものである。その意味において主権は、「こうあるべきである」という規範的概念でもある。

では、未承認国家は、主権についてどのような課題を抱え、そして未承認国家自身が国際社会にどのような問題を提起しているのだろうか。以下で主権と未承認国家をめぐる議論に目を向けたい。

## ❸内的主権と外的主権

国際社会には、中央集権的な権力機構は存在せず、このことが国家間関係の水平的・分権的特徴の基礎となってきた。中央集権的な権力機構が存在しないことが、秩序を形成しようとする大国の出現を生んだり、あるいは逆に国際的な制度形成を促進したりすることはあっても、基本的には国家間の水平的関係は維持されてきた。そして、個々の国家が有する主権は、他国が侵すことのできない至高の権利であり、主権こそが国際関係における内政不干渉原則を担保していると考えられている。

このように主権を捉えると、至高の権利たる主権を内的・外的などと二分し、内的主権は有しているが、外的主権は保持しないなどという議論は不毛に見えるかもしれない。確かに法原理や政治哲学としてはそうかもしれないが、現実には、このような片手落ちの状態は生じており、そこに目を向けることで未承認国家問題の理解が進む。

未承認国家とは、主権をめぐる自己認識と現実の間に不一致が生じているために発生している問題であるが、同様の理由から発生している別の問題として「破綻国家」が挙げられる。

破綻国家は、国家としての国際的承認は得ているものの、国内において領域の実効支配、住民からの支持、公的サービス提供などを含む政治行政機能の全て、あるいはそのいずれかを著しく欠いている国を指す。このような状態に至った国は、擬似国家、失敗国家、脆弱国家、崩壊国家などとも形容されるが、いずれの場合も内的主権を事実上失

**表61：内的・外的主権と未承認国家および破綻国家**

| | 内容 | 破綻国家 | 未承認国家 |
|---|---|---|---|
| 内的主権 | 一元的政治機構が明確な領域を実効支配し、その地域に永住している住民からの支持を得つつ、彼らに対して安全を保障し、公的サービスを提供していること | × | ○ |
| 外的主権 | 対外的に当該地域を代表する政治機構が他国から国家承認を得て、政治・経済・文化的対外関係を構築し、外的な脅威から自国の生存を担保できていること | ○ | × |

出典：筆者作成

っている点は共通しており、その事例の多くはアフリカにある。

破綻国家となった多くの国は、植民地解放に伴い独立し、冷戦構造下では米ソからの支援を受け、十分な統治能力を有さずとも国家として存続できていた。しかし、冷戦終結によって支援を受けられなくなると、国家としての機能を十分に果たせなくなったのである。つまり、破綻国家は、本来、国家の要件を失っている。それにもかかわらず、破綻国家は、国際社会において国家として承認されたままでいる（ただし、「破綻国家は国家として機能していないため、テロリストの拠点や人道危機の温床となり、国際の平和と安定の脅威となっている」などと主張し、当該地域への介入を正当化する議論も存在する。結果的にこれが、当該国の外的主権を制限することにつながっている事例もある）。

これに対して、未承認国家は、内的主権は程度の差はあれ備えている一方、国際的な承認を得ていない。もちろん、未承認国家が備えている内的主権の内実が厳密には国家の要件を満たす水準ではないと指摘することも理論的には可能であろう。なぜならば、現存する未承認国家は、外部支援者（パトロン）によって内的主権を確立していると いう側面があるからである。その支援内容は、**表62**のように多岐にわ

**表62：パトロンによる未承認国家への支援**

| | 内容 |
|---|---|
| 経済的支援 | 開発援助（無償資金協力、有償資金協力）、予算支援、投資、自国通貨の流通、貿易協定締結など |
| 政治的支援 | 国家承認、官僚育成、政治家の派遣など |
| 軍事的支援 | 軍備支給、士官教育、合同演習、軍の駐留など |
| 社会文化的支援 | 旅券の支給、査証優遇、市民権の提供、社会保障サービスの提供など |

出典：筆者作成

たる。

これらは、確かに内的主権の一部を代替するか、もしくは外部支援によって内的主権を強く補強する役割を担っている。当然、このような関係を継続すれば、本来、未承認国家が独立を主張する以上保持していなければならない内的主権は損なわれてしまう。よって、いかにパトロンからの自立性を担保するのかも未承認国家にとっては重要な問題となる。

他方で、独立国家においても自ら主権にかかわる事項の一部を他国や地域機構に委ねることはある。たとえば、日本には自衛隊という実質的な軍隊が存在するが、駐留米軍との協力によって安全保障を担保している。あるいはEU加盟国のほとんどでは、共通通貨ユーロが導入され、欧州中央銀行による一元的金融政策が実施されている。また上述の破綻国家の中には経済が破綻し、自国通貨が暴落したため、近隣諸国の通貨やドルやユーロなど国際基軸通貨の国内使用を容認している国もある。二重国籍を認めている国では、国民が複数の旅券を保持し、他国からも公的サービスを受けている。日本など先進国の中には、開発援助の文脈で他国の官僚を受け入れ育成し、あるいは自国の専門家を他国の地方自治体や政府機関などに派遣する国もある。つまり、独立国家においても軍事・安全保障、政治・外交、通貨・金融・貿易、そして社会政策などにおいて自らの主権にかかわる権能を他国や国際機関に一部委ねたり、あるいは共有したりといったことはある。従って、未承認国家とパトロンの関係と類似した現象を独立国家の間で見出すことは不可能ではないのである。

未承認国家の内的主権について、長年蓄積されてきた未承認国家に対する研究を総覧していくと興味深いことが分かる。第一に当初、その否定的な側面を強調するものが多かったということである（**表63**）。これは、未承認国家が国家としての国際的な承認を得ていないため、不法な経済活動を行ったり、国内において国家の生存の危機を強調することで権威主義的体制を構築することを正当化したりしてきたという特徴を捉えたものである。先ほどあげたパトロンに依存した国家運営についても、広範な国際承認の欠如に起因するものとして、これらと併せて捉えられてきた。

しかし、第二に、2000年代中頃から未承認国家の内的主権について肯定的特徴を指摘する研究が増えてきたということである。これは、コソヴォ独立承認に至るまでの過程で欧米諸国がコソヴォにおいて法の支配、人権、民主主義などの制度構築を支援し、この条件を満たすことでコソヴォは独立を獲得したのだという議論（「獲得した独立論」）が背景にある。これを受けて旧ソ連地域をはじめとする未承認国家側もコソヴォと同様に民主的制度があり、実際に機能していると主張し始めるようになり、実際にそうした特徴を指摘し肯定的に評価する研究も現れている。

しかし、これは国家としての承認を獲得するために民主的制度を内在化させ、その機能を外部に誇示しているだけではないか、と否定的

**表63：既存研究が指摘する未承認国家の内的主権の特徴**

| | 内容 | 主張された時期 |
|---|---|---|
| 否定的特徴 | ①未承認国家における不法な経済活動を可能にする<br>②国家の生存の危機を強調し、権威主義的統治体制を構築<br>③外部支援者（パトロン）への依存と傀儡国家的特徴 | 1990年代から2000年代初頭 |
| 肯定的特徴 | ①国際的正統性を獲得するために民主的制度を内在化<br>②国内の団結と統治の機能的必要性から民主的政治運営<br>③外部支援者（パトロン）に依存しつつも独自の政策を実施 | 2000年代から2010年代 |

出典：筆者作成

に捉える論者もいた。そうした主張に対して、未承認国家内部の政治運営をより精緻に研究する論者は、未承認国家側は実現しそうもない国際的承認を期待し、対外的プロパガンダから民主的政治運営を行なっているのではないと主張する。これらの研究では、未承認国家当局側が紛争後に安定的政治運営を行う上では、一定の競争原理と政治的多元性の尊重が不可欠だと為政者自身が認識していると指摘する。たとえば、大統領選挙や議会選挙には、一定の自由と競争原理が存在し、このような過程を通して国内の団結と機能的統治が実現していくと主張する。

同じくパトロンとの関係についても、未承認国家は確かにパトロンに依存している側面はあるが、むしろパトロンへの過度の依存と政治的自律性が損なわれることを警戒しており、一定の距離感とバランスをとろうとしていると指摘される。本書の3章で既述したように、南オセティアでもアブハジアでもロシアからの経済支援やそれに伴う汚職などが与党と反対派の間で政治的争点になりやすいが、これはパトロンと政治的・経済的な距離感をどのように図るべきなのかという議論と結びついている。

以上は、未承認国家全般に関する議論であった。では、本書で取り上げる、現存する未承認国家の3件に1件の割合を占めているコーカサスの事例が有している特徴は何であろうか。以下で検討していきたい。

## [2]コーカサス地域の未承認国家の現状

### ❶旧ソ連・コーカサス地域における未承認国家の特徴

**表64**は、コーカサス地域の未承認国家をまとめ、比較したものである。ここでは、参考のため、既に消滅した未承認国家であるチェチェン・イチケリア共和国（チェチェン独立派による国家）もあげている。

既述のようにコーカサス地域の未承認国家は、もともとソ連体制下で民族自治単位を形成していたため、人口や面積は地方自治体級で決して大きくない（むろん、規模が大きければ国家として認められるというような国際的な基準が存在するわけではない）。領域的に最も大きなチェチェンでも面積で言えば、日本の岩手県と同程度で、南オセティアはその半分と決して大きくない。また人口で見ても、最も多いチェチェンでも100万人に満たず、南オセティアは5万人と地方の街程度でしかない。なお、ここでは取り上げないが、沿ドニエストルも面積や人口の規模としてはコーカサスの事例と大差がないのに対し、ルガンスクやドネツクは少なくとも人口についてコーカサスの事例よりも規模が大きい（2020年現在、前者は約140万人、後者は約220万人の人口を自称している）。

人口については、コーカサスの未承認国家の多くがその誕生過程で紛争や暴力衝突を経験していることもあり、ソ連時代（1989年）と比較すると減少が顕著である。チェチェンについても自治共和国時代は100万人を上回っていた人口（**表1**）が紛争によって7割程度まで減少した。アブハジアについては、半数以上の人口が流出したことになる。本書の2～4章で述べたように南コーカサスでは分離主義地域が紛争に勝利し、敗北した側の民族は難民として流出したため、結果として勝利した側の民族が全人口に占める割合（民族的凝集度）は増加している。アブハジアでは、ソ連時代以降で初めてアブハズ人の全人口に占める割合が過半数を超えた（ただし、ロシア帝国のスフーミ管区時代はアブハズ人が人口の多数派を占めていたとされる）。

民族構成については、多数派民族が圧倒的優位（9割）の南オセティアやナゴルノ・カラバフに対して、チェチェンでは人口の約3割、アブハジアでは約半分が他の民族で構成されている。南オセティアやカラバフでは、国家のイデオロギーや統合の象徴として多数派民族のナショナリズムを強く掲げることに、少なくとも支配地域に居住する他民族から批判の声が出てくる可能性は低い。これに対して、チェチェンやアブハジアは、域内における団結や統合、あるいは政権の支持基盤の形成や政策への理解を得るといった国内的必要性の面から、あるいは民主主義や政治的多元性を重んじていることを対外的にアピールするといった国際的必要性の面からも、少数派に対する一定の配慮が求められる。

**表64**を見ると、コーカサスに誕生した未承認国家4つのうち3つが少なくとも現状まで存続していることになる。消滅したチェチェンの事例も、独立派政権樹立から第一次チェチェン紛争までの約3年間、第一次チェチェン紛争終了から第二次紛争発生までの約2年間、未承認国家であったと考えることができるため、約5年間存続していたことになる。現状、ドネツクとルガンスクも上記未承認国家の定義を概ね満たしていると思われるが、両事例の存続期間もチェチェンとほぼ同程度ということ

**表64：コーカサス地域の未承認国家の比較**

| 自称国家名 | アブハジア共和国 | 南オセティア・アラニア共和国 | アルツァフ共和国（ナゴルノ・カラバフ） | チェチェン・イチケリア共和国* |
|---|---|---|---|---|
| 未承認国家としての存続期間 | 1991～現在 | 1991～現在 | 1989～現在 | 1991～99 |
| 法的帰属先（中央政府） | ジョージア | | アゼルバイジャン | ロシア |
| 領域 | 8,660㎢ | 3,900㎢ | 11,432㎢ | 15,300㎢ |
| 人口 | 240,705人（2011年） | 53,532人（2015年） | 145,053人（2015年） | 865,000人（1996年） |
| 1989年からの人口の増減 | -54.1% | -45.7% | -23.3% | -31.9% |
| 民族構成（%） | アブハズ（50.7）、アルメニア（17.4）、ジョージア（17.9）、ロシア（10.8）、メグレル（1.7） | オセット（89.9）、ジョージア（7.4）、ロシア（1.1） | アルメニア（99.7） | チェチェン（68.0）、ロシア（17.6）、イングーシ（2.3）【92年調査時】 |
| 1989年からの人口の増減（%）（△増加）（▼減少） | アブハズ（△32.9）、ジョージア（▼27.8）、アルメニア（△2.8）、ロシア（▼3.5） | オセット（△23.7）、ジョージア（▼21.6）、ロシア（▼1.1） | アルメニア（△22.8）、アゼリ人（▼21.5）、ロシア（▼1） | チェチェン（△10.2）、ロシア（▼5.5）、イングーシ（▼10.6）【92年調査時】 |
| パトロン国家（支援国） | ロシア | ロシア | アルメニア | なし |
| 通貨 | ロシア・ルーブル | | アルメニア・ドラム | ロシア・ルーブル |
| 主要産業 | 果物、観光、ワイン、ナッツ類 | 農業他 | 金・銅採掘、農業、アルコール | 石油関連産業、農業・牧畜 |

出典：筆者作成
〔付記〕
1）チェチェンのみ「消滅した未承認国家」であるため、1991～99年を対象としたデータを扱う。
2）人口は各地域で行われているセンサス調査より。ただし、チェチェンでは1996年夏に翌年の選挙を控えて行われたと見られる調査に基づく推計値（Музаев 1999）である。
3）民族構成は、センサス調査に基づく最新のデータだが、チェチェンは1992年の調査に基づく推計値（Музаев 1999）。

になる。これに対して、それ以外の旧ソ連地域の事例（上記コーカサスの3事例と沿ドニエストル）は30年近く存続している（ただし、いつから未承認国家の要件を満たしたのかは論争的である。たとえば、国家の法的基盤たる憲法を見ても、アブハジアや南オセティアは90年代に制定しているが、カラバフは2006年に制定しているなど違いもある）。

分離主義を掲げる地域が中央政府の統制を離れ、内的主権を担保し、存続するためには、一義的には中央政府と分離主義地域のパワー・バランスが重要な意味を持つ。ここでいうパワーとは、双方が有する政治（制度）的・軍事的・経済的能力や資源を指す用語である。通常、これらのパワーは中央政府が分離主義地域よりも優位にあるが、このパワー・バランスが何らかの形で拮抗する状態になることで、分離主義地域は中央政府の統制を離れることができる。つまり、前提として、中央政府と分離主義地域の間に著しいパワーの格差がある場合、未承認国家は誕生しないか、存続が困難となる。

このようなパワーの格差は、国家の解体や再編、体制転換や権力移行（政権交代）などによって是正される。分離主義地域が法的に帰属する国家（中央政府）の安定性が揺らげば、分離主義地域は中央政府の統制を離れやすくなり、また中央政府も軍事的オプションをとりづらくなる。それでも中央政府とのパワーの格差が残っている場合、分離主義地域は外部から支援を獲得することによって、これを改善しようとする。外部からの支援は、国家や非国家主体が当該国（中央政府）の内政問題に干渉することを意味し、当該国の強い反発を招く。特に大国の場合、干渉する国家はそれ相応の報復を受ける可能性があり、干渉には慎重にならざるを得ない。従って、中央政府が大国である未承認国家は、パトロンを獲得することが困難な構造的環境下に置かれることになる。逆に中央政府が中・小国であり、干渉する国家が大国である場合、関与はより容易になる。

整理すると、中央政府が中小国であり、分離主義地域が外部からの支援者を獲得すると未承認国家として誕生・存続しやすくなり、逆に中央政府が大国であり、分離主義地域が外部支援者を獲得できないと未承認国家として誕生しづらく存続も困難である。実際に、**表64**を見ると現存する未承認国家は全て前者に該当し、消滅したチェチェンの事例は後者に該当することがわかる。

では、コーカサスの未承認国家の統治の内実や直面している課題はどのようなものがあるのだろうか。

## ❷政治面での統治の内実と課題

コーカサスの未承認国家の政治形態をまとめたものが**表65**である。これを見ると、ナゴルノ・カラバフを除き、いずれの地域も国家元首を大統領とし首相が内閣を率いるという半大統領制を採用していることが分かる。ナゴルノ・カラバフも以前は半大統領制であったが、２０１６年の住民投票に基づき大統領制へ移行した。カラバフを含め、いずれの未承認国家も大統領の任期は5年、連続2期までの再選制限がある。これは旧ソ連地域の独立国と比較しても、一般的な任期と再選制限であるが、実際の運用はどうだろうか。

コーカサスの未承認国家では、与党系（現職大統領が支援する公認候補）が盤石に権力を維持し続けてきたのは、ナゴルノ・カラバフのみである。カラバフは、１９９４年のコチャリアン政権以後、与党候補者が大統領選挙の第1回投票で勝利し、サハキィアン大統領は13年間政権を維持していた（2020年に退任）。サハキィアンは、コーカサスの未承認国家の大統領ではアルズィンバに次ぐ長期政権になる。上述のようにカラバフは2017年に住民投票に基づき半大統領制から大統領制に移行した。この際、2017～20年は移行期間とされ、同期間の大統領は議会によって選出されることとなり、サハキィアンが選出された。移行期間の議会による選出は、憲法

**表65：コーカサスの未承認国家の政治形態**

| 自称国家名 | アブハジア共和国 | 南オセティア・アラニア共和国 | アルツァフ共和国（ナゴルノ・カラバフ） | チェチェン・イチケリア共和国 |
|---|---|---|---|---|
| 政治システム | 半大統領制 | 半大統領制 | 大統領制 | 半大統領制 |
| 大統領の任期 | 5年 | 5年 | 5年 | 5年 |
| 大統領の任期制限 | あり（連続2期まで） | あり（連続2期まで） | あり（連続2期まで） | あり（連続2期まで） |
| 歴代最長政権 | アルズィンバ（1990.12～2005.2） | ココィトィ（2001.11～2011.11） | サハキィアン（2007.9～2020.5） | ドゥダーエフ（1991.10～1996.4） |
| 現職大統領は軍部出身か? | 軍人 | 軍人 | 文民 | 軍人 |
| 議会選挙システム | 小選挙区制 | 比例代表制 | 比例代表制 | 小選挙区制 |
| 複数政党制の有無 | あり | あり | あり | あり |
| 選挙による政権交代の有無 | あり | あり | なし | あり |
| 外国軍の駐留有無 | あり（ロシア軍） | あり（ロシア軍） | あり（アルメニア軍） | なし |

出典：筆者作成。大統領任期や再選制限等は各地域の憲法参照。なおカラバフの憲法は2006年に制定され、2017年に改正された。

〔付記〕

1）チェチェンのみ消滅した未承認国家であるため、ここで言う現職大統領は1991～99年の大統領（ドゥダーエフとマスハドフ）を指し、いずれも軍人であるため、軍人と記載。

2）カラバフは2020年に大統領が軍人から文民へ、逆にアブハジアでは同年、文民から軍人に変化した。

3）選挙による政権交代とは、大統領選挙において現職、もしくは与党系候補者が敗北した場合を指す。

の連続3選禁止の適用を受けないとされた。このような制度改定（憲法改正）に基づく3選禁止の適用除外や再選回数のリセットは旧ソ連地域の権威主義体制が多用する手段である。

しかし、カラバフでは制度改定に伴う権力維持は失敗に終わった。具体的には、アルメニアにおける抗議運動と政権交代の影響もあり、２０１８年6月にカラバフでも抗議運動が発生した。この際、治安部隊と民間人が衝突し、死傷者が出た。アルメニアのパシニアン新首相が対話を呼びかけ事態は収拾したが、カラバフ当局側は国家安全保障大臣の辞任とサハキィアンの２０２０年以降の大統領再選を求めない旨を表明せざるを得なくなったのである（２０２０年5月に行われた選挙にはサハキィアンは立候補せず、14名が乱立した選挙では元首相で大統領顧問であったハルチュニアンが決選投票の末、88・1％の得票〔投票率45％〕で選出された）。

カラバフ以外の未承認国家に目を向けると、アブハジアでは、大統領制導入以前に最高会議議長を務めていたアルズィンバは同議長職時代を含めれば15年間、最高権力者であったことになるが、大統領の3選禁止条項を結果的には遵守した。南オセティアのココイトィも権威主義的な統治体制を構築していたが、汚職の蔓延に内外から強い批判を受け、3選禁止条項を無視して立候補することはできなかった。いずれの場合も自身の後継者を大統領候補に推したが、選挙は激戦となり、結果として抗議運動やその後の混乱を招いたことは共通する。すなわち、与党側の思惑通りに進まなかったという点はアブハジアも南オセティアも同様である。両地域は、その後も選挙によって政権交代（現職大統領の敗北など）が生じている。

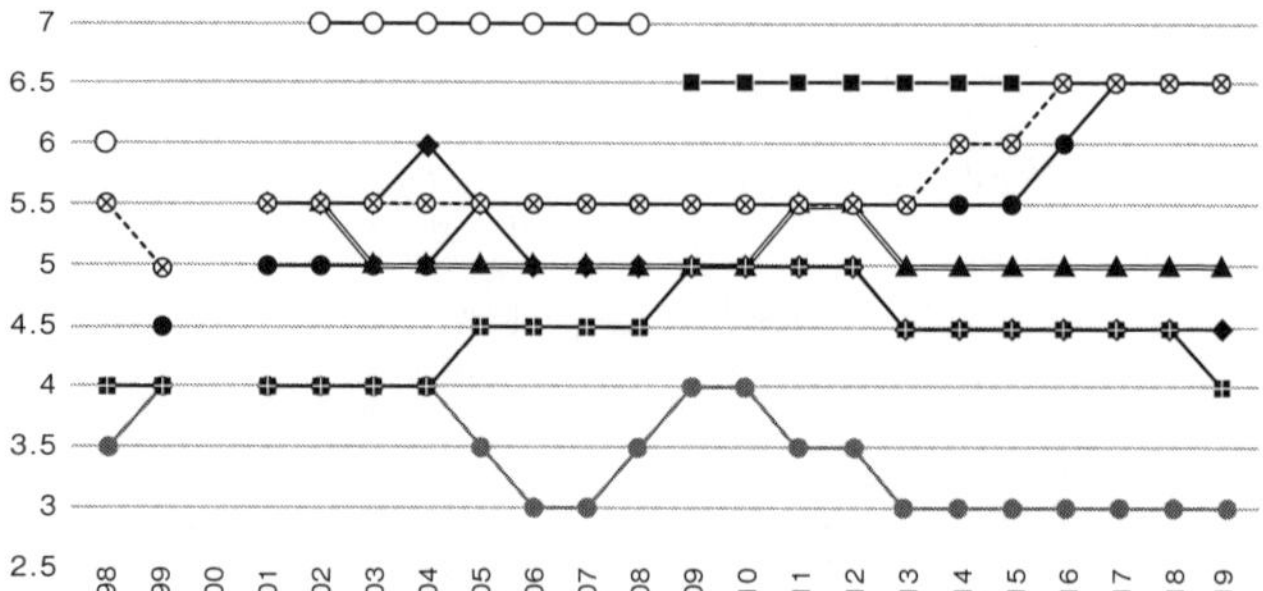


| | 1998 | 1999 | 2000 | 2001 | 2002 | 2003 | 2004 | 2005 | 2006 | 2007 | 2008 | 2009 | 2010 | 2011 | 2012 | 2013 | 2014 | 2015 | 2016 | 2017 | 2018 | 2019 |
|---|---|---|---|---|---|---|---|---|---|---|---|---|---|---|---|---|---|---|---|---|---|---|
| アブハジア | 5.5 | | | | 5.5 | 5.5 | 6 | 5.5 | 5 | 5 | 5 | 5 | 5 | 5 | 5 | 4.5 | 4.5 | 4.5 | 4.5 | 4.5 | 4.5 | 4.5 |
| 南オセティア | | | | | | | | | | | | 6.5 | 6.5 | 6.5 | 6.5 | 6.5 | 6.5 | 6.5 | 6.5 | 6.5 | 6.5 | 6.5 |
| ジョージア | 3.5 | 4 | | 4 | 4 | 4 | 4 | 3.5 | 3 | 3 | 3.5 | 4 | 4 | 3.5 | 3.5 | 3 | 3 | 3 | 3 | 3 | 3 | 3 |
| チェチェン | 6 | | | | 7 | 7 | 7 | 7 | 7 | 7 | 7 | | | | | | | | | | | |
| ロシア | | 4.5 | | 5 | 5 | 5 | 5 | 5.5 | 5.5 | 5.5 | 5.5 | 5.5 | 5.5 | 5.5 | 5.5 | 5.5 | 5.5 | 5.5 | 6 | 6.5 | 6.5 | 6.5 |
| ナゴルノ・カラバフ | 5.5 | | | | 5.5 | 5 | 5 | 5 | 5 | 5 | 5 | 5 | 5 | 5.5 | 5.5 | 5 | 5 | 5 | 5 | 5 | 5 | 5 |
| アゼルバイジャン | 5.5 | 5 | | 5.5 | 5.5 | 5.5 | 5.5 | 5.5 | 5.5 | 5.5 | 5.5 | 5.5 | 5.5 | 5.5 | 5.5 | 5.5 | 6 | 6 | 6.5 | 6.5 | 6.5 | 6.5 |
| アルメニア | 4 | 4 | | 4 | 4 | 4 | 4 | 4.5 | 4.5 | 4.5 | 4.5 | 5 | 5 | 5 | 5 | 4.5 | 4.5 | 4.5 | 4.5 | 4.5 | 4.5 | 4 |

出典：Freedom Houseウェブサイトより筆者作成。1が最高評価、7が最低評価。

**図13：未承認国家と中央政府の自由度指数（フリーダム・ハウス）の比較**

アメリカのＮＧＯフリーダム・ハウスによる自由度指数（市民的自由と政治的自由で構成）においても未承認国家は、決して最低評価を得ているというわけではない（**図13**）。かつて「脅迫国家」（国家の危機を強調し、権威主義体制による強固な統治を構築している）と指摘されていたことを踏まえると、最低評価（7）を得ていてもいいものだが、アブハジアに対する評価（4・5）は、ロシアやアゼルバイジャンに対する評価（6・5）よりも高い。アブハジアは、20年前にはチェチェンやカラバフとほぼ横並びの評価であったが、現在ではコーカサスの未承認国家の中で最も高い評価を得ている。ちなみにコソヴォは、独立後最初の調査（２０１０年）で「部分的自由」と評

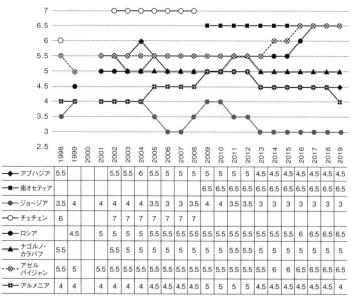

価されたが、これはアブハジアと同じ評価（4・5）である。

カラバフについても、長期政権が維持されているものの、中央政府であるアゼルバイジャンの強固な権威主義と比較すると、市民的・政治的自由ともにより高い評価を得ている。このように自由度評価が決して低くない事実は、少なくとも未承認国家にとって自らの体制や統治の正統性の根拠となっている。アブハジアは、「コソヴォと同様の評価を得ながらもなぜ国際承認が得られないのだ」と、カラバフは、「アゼルバイジャンでは、現在自分たちが享受しているような市民的自由も政治的自由も得られないので共存はできない」と主張することが（少なくとも論理的には）可能になるのである。

南オセティアは、政権交代が発生しているものの、自由度は6・5と調査開始（2009年）以来、変化していない。フリーダム・ハウスは、ロシアの影響力が政治の各方面に及び、大統領・議会選挙でも競争が欠如していると指摘している。これは3章で既述した2011年の大統領選挙による混乱とその後の政治展開にも見いだせる。2011年の選挙でロシアからの支援の履行状況や当局の汚職に疑問を提起し、当初は選挙に勝利したと報じられたジオエヴァ元教育相が敗北して以降、ティビロフ大統領（2012～15年）、ビビロフ大統領（2015年～）と政権交代は生じているが、ロシアへの統合論が南オセティア当局内部で強まっている。つまり、南オセティアの政治的自立性は低いままで、有権者に政治的代替性を提供可能な候補者がいないことになる。ビビロフ政権下では、政党の数を制限し、選挙制度も一方的に改正しようとする動きがあるとフリーダム・ハウスは批判的である。

チェチェンについて、現在、ラムザン・カドィロフ統治下（2007年以降）のチェチェンではイチケリア（独立派政権）時代は「カオスだった」と強調される傾向にあるが、少なくとも自由度評価では現体制よりも高い評価を得ていると言えよう（2008年以降、チェチェンでは調査すらできていない）。確かに1997年の議会選挙を振り返ってみても、ほとんどの選挙区で誰も当選に必要な有効得票数を第1回投票で集められないというカオスとも言うべき状況ではあったが、これは逆に言えば、それだけ多数の候補者が立候補したという自由の裏返しでもある。チェチェンのように部分的自由が混乱を生み出すという点は、アブハジアについても指摘できる。

アブハジアでは、これまで肯定的に評価されてきた政治的自由度が、むしろ近年、共和国を分断し、政治的安定性を損なう形で表出している。大統領選挙をめぐる混乱と衝突は、2004年、2014年、そして2020年と定期的に発生しており、大規模な武力衝突には至っていないが、選挙における与野党候補の対立は激しさを増している。しかも2019年には、野党候補と目されていた人物が毒を盛られ立候補を辞退する事態にまでなり、まさにウクライナ大統領選挙のようである。このように選挙のたびに分断や対立が生じていれば、仮にそれが自由の表れであっても、政治的には混乱するという状況に陥ってしまう。

未承認国家の政治運営において、もう一つ重要な問題となるのが軍と政治の関係である。消滅した未承認国家であるイチケリア（チェチェン）で深刻な問題であったのは、軍人が政治に関与し影響力を行使するという状況であった。現職大統領が軍歴を有していたり、軍部出身であったりする未承認国家は、カラバフ（2020年まで）や南オセティアも該当する。コーカサスの未承認国家は、いずれも武力紛争の後に成立しているため、「祖国」を守り、「国家」建設に貢献した軍人は強い発言力を持ちがちである。また紛争後の政治運営においても「国家」の安全が常に中央政府による軍事的脅威にさらされているため、安全保障の優先順位は高くなり、軍部の責任や役割も大きくなる。

　しかし、軍人が政権で強い権限を担うことは文民統制の観点からも危険である。武力紛争は本来回避するべき最終手段であるが、前回の紛争で中央政府の統制から離れたという成果は、対立の際に武力を行使する誘因となりうる。そのような軍部の考えを押さえ、政治的解決策を探るのが文民の役割であるが、軍人が政権に圧力を行使できる状況下では、政権はむしろ暴力機構である軍部の意向に配慮しようとしがちである（ただし、2020年のアブハジアの事例のように国内政治対立が激化する中で、逆に安定のために軍出身者が大統領に選出されたケースもある）。

　ちなみに、旧ソ連地域における権威主義体制の持続要因の一つとして軍部の政府への従属が指摘されることがある。軍部が政府に従属するのは、ソ連時代の党＝国家体制（共産党と国家機構が表裏一体となる体制）によって軍部も共産党の統制を受け、粛清や愛国教育によって国家（＝党）への貢献を第一と考えるメンタリティが生じたためである。加えて、複数の治安維持機関（内務省、軍、特務機関）による相互抑止・監視機能があることで、軍部の政府への従属は可能になっている。このような制度や慣習に根付いた軍の政府への従属が、旧ソ連地域の一部の国で権威主義体制下における政治的安定性を担保する一因になっていると指摘される。

　1997～99年のチェチェンでは、マスハドフ大統領（元ソ連軍大佐、独立派元参謀総長）は、当初、親露派や穏健派・実務家や知識人を登用し、軍人（独立派野戦司令官）とのバランスを取ろうとしたが、最終的には軍人の圧力に屈し、内閣に占める軍人の割合が増加してしまった。チェチェンは、まさに事実上の紛争勝利によって軍部の発言力が強くなり、その軍部を統制する装置を持たなかったのである。従って、チェチェン独立派政権の脱軍部化の失敗が未承認国家としての政治運営を破綻させた要因だと指摘されることも多い。

ただ、他のコーカサスの未承認国家で、軍部出身の大統領がいたり、軍部が一定の政治的影響力を有していたりしても文民統制が可能になった理由として、外国軍（パトロン）の駐留が挙げられることも忘れてはなるまい。そもそもチェチェン以外の事例では、パトロンの支援無くして紛争を敗北なき停戦へと導くことは困難であった。逆に言えば、パトロンの軍事的役割が大きければ、未承認国家内部における軍部の紛争勝利への貢献度も相対的に低下せざるを得ない。結果として、軍部の発言権はパトロンがいないケースよりも弱まる。加えて、政権の脱軍部化は、紛争後、徐々に国家が安定に向かう過程で行われるものである。その際にパトロンが軍事的安全保障を提供することでスムーズに文民統制へと向かうことが可能になる。逆に言えば、チェチェン以外の未承認国家の事例もパトロンの支援がなければ、現在に至る政治体制を構築できたのかは疑問が残るのである。

このように、政治制度的にはコーカサスの未承認国家は類似性があり、国家元首たる大統領の任期や再選制限も設定されているが、実際の運用上では種々の課題がある。また未承認国家に対するイメージとしてありがちな強固な権威主義体制というのは、実際の政治運営上も徐々に機能しなくなり、むしろ民主的な要素や政治的自由度が一定程度担保されているからこそ、政治変動による不安定性がもたらされている側面がある。それにもかかわらず、未承認国家において国内対立が大規模な衝突に至らないのは、消滅した未承認国家であるチェチェンの事例が示すように軍人が政治をコントロールするという状況には至っていないためである。そして、これは現存するコーカサスの未承認国家全てにおいて外国軍が駐屯し、安全保障を担保することで、相対的に国内政治における軍のプレゼンスが低下しているためである。

では経済面での統治の内実と課題はいかなるものであろうか。

## ❸経済面での統治の内実と課題

未承認国家が内的主権を備え、支配領域を統治する上で必要なのは、安全保障面の役割を除けば、公的サービスを住民に提供すると同時に、域内で住民が十分な経済活動を行えるような環境を整備することである。そのためには、未承認国家が財政的な自立性を担保し、過度に外部に依存しない経済体制を構築することも必要になってくる。ここでは、主に現存する未承認国家に焦点を当てて、経済状況について比較し、現状と課題を明らかにしたい。

なお、現存する未承認国家に焦点を当てるのは、データの入手が比較的容易であり、また同じ年のデータを比較できるからである。消滅した未承認国家であるチェチェンについては、このようなデータを入手し、比較することが困難であるため、ここでは表で比較することはしないが、適宜、比較の観点から言及することとしたい。

まず、コーカサスの未承認国家の経済指標を比較したものが**表66**である。

ここでは、単位をロシア・ルーブルで表記しているが、カラバフの公式データではアルメニア通貨（ドラム）で記載されている。ロシア・ルーブルに換算している（2019年12月現在レート）のは、比較のためだが、数値は厳密ではないことに留意されたい。この数値を評価するに当たって、北コーカサス地域の経済・社会指標（**表9**）と比較すると理解に役立つだろう。一人当たりの域内総生産（GDPと理解可能）について、アブハジアはチェチェンと同規模、南オセティアは北オセティアの半分、カラバフは北コーカサスのいずれの共和国よりも高い数値である。しかし、平均賃金で見てみると、カラバフはチェチェン、北オセティア、ダゲスタンよりも劣っており、アブハジアや南オセティアは北コーカサスで最も経済的に苦しいイングーシの平均賃金を下回っている。

失業率は、南オセティアもカラバフも高い水準であり、北コーカサスの民族共和国と大差がない。しかし、アブハジアの数値については、異常な高さである。これは、公式統計に基づき労働可能人口に占める就労者数を算出した結果から導き出したものだが、アブハジア当局者や現地の専門家は、7割とは大げさであり、実際には2～3割程度であると述べている。このような事態が生じるのは、2017年の労働法が雇用の実態を把握する法律としては欠陥だらけであり、自営業者が就労者に含まれていないためだ

**表66：コーカサスの未承認国家の経済指標**（2017年）

| | アブハジア | 南オセティア | ナゴルノ・カラバフ |
|---|---|---|---|
| 一人当たりの域内総生産（ルーブル） | 126,284 | 91,172 | 243,652 |
| 失業率（%） | 70.8 | 16.3 | 12.9 |
| 平均賃金（ルーブル） | 10,317 | 13,543 | 20,190 |

出典：各地域の国家統計局データより筆者作成

という。そしてアブハジア経済の中心を占めているのは農村部等における自営業者の経済活動であるので、彼らの労働人口に占める割合は5割程度にもなる。これを反映すると、実際の失業率は2〜3割だというのである。

しかし、筆者が見た限り、2017年以前の統計でも労働可能人口に占める就労者の割合を算出すると3割に満たず、7割以上が失業者となってしまう事実は変化しない。仮に彼らの主張を鵜呑みにして失業率を3割と見なしても、北コーカサスで最貧困のイングーシ共和国とほぼ同様ということになってしまう。逆に公的データから導き出される数値をそのまま用いれば、アブハジア労働社会保障省労働雇用局長がメディアに語ったように（2018年1月）、この数値は、コンゴ民主共和国やリベリアなど破綻国家と同水準になってしまうのである。

チェチェンが未承認国家として存続できなかったのも、紛争後に経済が混沌とし、自力では安定させることができなかったためである。当時のチェチェンでも公式な統計は存在しなかったが、失業率は8割程度とされており、これが野戦司令官らの武装解除・動員解除・社会復帰、さらに治安部門改革の大きな足かせとなった。他方、アブハジアは、パトロンによって安全保障を担保されており、またすでに紛争移行期ではなく、チェチェンと状況は異なる。また日雇いや季節労働者なども広く含めれば、失業率はチェチェンよりもはるかに良いと思われる。しかし、それでも一定数の住民が常勤の定職につけていないという状況は、上述した与野党対立や大統領選挙の激化、国内分断の一因になっている可能性もある。

コーカサスの未承認国家の経済的脆弱性は、輸出入取引を見ても明らかである。いずれも貿易取引では赤字を出しているが、これは輸出可能な産品よりも輸入に頼らざるを得ない産品が多いためである。アブハジアでは、輸入高は輸出高の3・6倍、南オセティアでは同3・2倍、カラバフでも同1・7倍となっている（各分離主義地域の統計局データ、2018年）。輸出品についてアブハジアは柑橘類や丸太など農林産品で、南オセティアは繊維製品や靴などの加工製品、カラバフは鉱物資源などとなっている。当然、希少価値の高い一次産品を輸出しているカラバフの貿易赤字幅が最も小さくなっているが、輸入品は、工業製品や食料品、エネルギーなど多岐にわたる。こうした取引は、当然のことながら、未承認国家が中央政府から経済的に封鎖され国際的にも承認を得ていない中で、主にパトロンとの間でなされている。このような交易がなければ未承認国家の経済は機能しなくなってしまう。

さて、未承認国家の経済的自立性を論じる際に、未承認国家が財政面において中央政府から独立できているのかを問うことが多い。これは、中央政府に財政的に依存していながら、独立国家を主張することは論理的に矛盾しているだけではなく、内的主権を担保できていないことの証左（支配地域内部において自律的に公共サービス等を提供する能力の欠如）であるという考えによる。このような視座からチェチェンを未承認国家として扱うのは不適切だとの主張もある。確かにイチケリア時代のチェチェン財政に目を向けると、1997年の国家予算の97％は何らかの形でロシアからの拠出に依存していた旨、当時の新聞にも記載されていたことを筆者も確認している。むろん、チェチェン側は、これは中央政府と地方の間の予算支給ではなく、国家間の合意に基づく資金供与だと主張していた。

ただ当事者の認識はどうであれ、これらの合意は結局、履行されず、チェチェン経済は破綻したことも事実である。つまり、結果的にロシアの資金無くして、チェチェン経済は成り立たなかったのである。

チェチェンに限らず、元々は地方自治体であった分離主義地域が中央政府から財政的独立性を担保するためには、域内で十分な財源を確保できるだけの資源や経済力を有している必要性がある。しかし、仮に資源があり、域内で一定の経済活動が行われていたとしても、上述のようにパトロンを除く国と取引を行うことは事実上、困難である。現にチェチェンも国際的な石油取引や石油関連事業への投資を呼びかけたが、これは成功しなかった。つまり、未承認国家である以上、対外経済活動による外貨の獲得や税収はあまり期待できないのである。従って、自立するだけの資源や経済力のない分離主義地域が未承認国家として存続するためには、外部資金の獲得（パトロンからの財政援助）が欠かせない。**表67**を見ると、コーカサスの現存する未承認国家もこうした例に当てはまることが分かる。

なお、各地域の統計上、パトロンからの財政支出は異なった表記がなされている。アブハジアは、２０１６年以降では、「ロシアからの社会経済発展のための財政援助」と記載されているが、それ以前は「その他の税収」という表記であった。この表記では、ロシアからの財政援助以外も含まれ

**表67：未承認国家の対外的財政依存度の推移**(%、2009〜18年)

| | 2009 | 2010 | 2011 | 2012 | 2013 | 2014 | 2015 | 2016 | 2017 | 2018 |
|---|---|---|---|---|---|---|---|---|---|---|
| アブハジア | 65.24 | 59.41 | 76.58 | 75.05 | 65.20 | 68.61 | 50.04 | 52.28 | 52.51 | 45.29 |
| 南オセティア | | | | | 92.88 | 89.19 | 88.68 | 90.24 | 84.81 | 80.50 |
| ナゴルノ・カラバフ | 60.93 | 58.23 | 57.86 | 55.55 | 58.46 | 57.60 | 56.93 | 58.37 | 53.42 | 48.65 |

出典：各地域の国家統計局データより筆者作成。2009〜12年の南オセティアはデータがない。

ている可能性が排除できないが、仮に含まれていたとしても数値的に見ればごくわずかであると推測される（たとえば２０１６年には、ロシアからの財政支援以外には、アブハジア共和国住民あるいは非居住者からの援助が計上されているが、これは全体の１・９％しか占めていない）。南オセティアでは、単に財政援助と記載されており、カラバフでは、国家間債務と記載されている。この項目名では理論的には、アブハジアの「その他の税収」と同様に、パトロン（前者はロシア、後者はアルメニア）以外からの財政支援も含まれることになる。このため**表67**は「対外的財政依存度」と記載しているが、現実にはパトロン以外からの財政支援はほとんどないと見られる。

**表67**を見ると、未承認国家のパトロンへの財政的依存度は逓減傾向にあるものの、それでもアブハジアやカラバフでも50％近く、南オセティアでは80％以上、依存していることになる。これは、財源面で自立できず、連邦補助金に過度に依存している北コーカサスの共和国（**表11**）と同程度の財政的自立性であることが分かる。加えて、未承認国家は、これ以外にも個別の開発援助や投資事業などによってパトロン側から資金を得ているのである。

中央政府から財政的に独立していることが未承認国家の条件であるとの議論を紹介したが、そもそも財政的な独立性が自律的な国家的機能を担保するという考え方からすれば、中央政府への依存度のみを問題にする議論はおかしい。パトロンの財政援助がなければ、十分な公的サービスを提供することができないのであれば、それは内的主権を備えているとは言い難いからである。

この意味で、コーカサスの現存する未承認国家は、確かにその中央政府（ジョージアやアゼルバイジャン）からは、ほぼ完全に財政的に独立しているが、それは未承認国家自身によって担保されているのではなく、パトロンの支援によって実現しているのである。

では、このようにパトロンの支援を受けつつも、内的主権を行使し続け、中央政府の統制を離れている未承認国家は、今後どのようになっていくのであろうか。最後に、未承認国家問題の将来とその平和的解決の可能性について検討を加える。

## [3] 未承認国家問題の将来と平和的解決の可能性

### ❶外的主権と国家承認獲得の試み

コーカサスの未承認国家の将来として4つの可能性が考えられる。

第一に、現状維持である。コーカサスの現存する未承認国家は、30年近く存続しており、中央政府、未承認国家、そしてパトロンのパワー・バランスが大きく変化しない限り、現状が維持される可能性は十分にある。この点で述べれば、パトロンが大国のロシアであるアブハジアや南オセティアに対して、パトロンが小国のアルメニアであるカラバフの方が現状維持は困難かもしれない。また、パトロンの存在しなかったチェチェンの事例は、内的統治を盤石なものにできなかったことが原因（特に経済の破綻と軍人の影響力の拡大が主因）であるため、現状維持のためには未承認国家は、パトロンとの良好な関係性を維持しつつ、上記［2］で既述した内的主権をより強固なものにする努力を継続していく必要がある。

第二に、中央政府による軍事的奪還、すなわち未承認国家の消滅が挙げられる。未承認国家の軍事的奪還の試みは、既述のように1994年と1999年のチェチェン、2008年の南オセティア、2016年のカラバフの例がある。このうち、1994年のチェチェン、2008年の南オセティアは、中央政府側の事実上の敗北、すなわち軍事的奪還の失敗で終わった。1999年のチェチェンでは最終的に中央政府が分離主義地域の支配を回復した。2016年のカラバフでは、中央政府であるアゼルバイジャンが支配領域をごく一部とは言え、奪還している。これは、パワー・バランスに変化が起きたこと、つまりアゼルバイジャンが徐々にアルメニアに対する軍事的優位性を確保していったことが中央政府に軍事的オプションを取りやすくしたと言える（2020年の紛争再発とその結果については補論を参照のこと）。

第三に、双方が妥協し、独立でも軍事的奪還（勝者総取り）でもない形、すなわち和平合意による解決が挙げられる。和平案については第4章の**表37**で示しているが、いずれの案であれ、このように当事者が妥協することが可能になる環境が整備されない限り困難である。このような環境を整備する要因として、国際的な和平支援や仲介圧力、未承認国家・中央政府・パトロンのパワー・バランスの変化などが考えられるが、もう一つ重要なものとして世論が挙げられる。中央政府側の世論については4章で取り上げているので、本章では未承認国家側の世論を以下の❷でとりあげたい。

第四に、未承認国家がパトロン国家に統合されるという解決策が挙げられる。この解決策は、後述するように未承認国家内部の世論や考えとしては提示されている一方、実現可能性は極めて低いと言わざるを得ない。未承認国家が分離独立を国際社会に求めておきながら、国家承認の後に他の国家と統合するというのでは、論理矛盾を引き起こす。なぜならば、中央政府がいかなる国家であれ、内的自決権（民族自治）の担保で解決できる問題だとすれば、外的自決権の行使（分離独立）の必要はないからである。つまり、これは帰属する国家（中央政府）を選んでいるのであり、そうであれば、真に独立する必要性が認められないからである。未承認国家ではないが、ロシアはクリミアに対して領土編入を実行したが、ルガンスクやドネツクに対しては慎重であるのも、国際社会に受け入れられる方法ではなく、その代償（経済制裁等）が大きいためである。

さて、最後の解決策として挙げられ、ここでその可能性を検討するのが、未承認国家が国家承認を得て、独立を認められるというものである。未承認国家から独立国家へと仲間入りした事例は、エリトリア、東ティモールの二つに限られる（南スーダンやモンテネグロを未承認国家だったと扱う論者は両国をこれに加える）。コソヴォは、現在98カ国（国連加盟国の51％）から国家承認を受けているが、国連加盟国ではないので、国際社会の一員にはなり得ないと主張する論者もいる。98カ国と外交関係を構築している地域を国際社会の構成員として完全に否定することができるのかは疑問であるが、いずれにしてもコソヴォは広く国家承認を獲得する過程にある未承認国家であるのは間違いないだろう。

未承認国家が独立を獲得するためには、国家承認を得ることが必要不可欠であり、国家承認は個別国家が行う政治的行為である以上、他国に対して働きかけを行う能力が求められる。このような外交能力、すなわち外的主権の行使の対象は、個別国家に限定されない。なぜならば、和平の仲介であれ、文化的交流であれ、国際機関や地域機関との関係性を樹立し、その関係性を継続させて行けば、結果的に未承認国家の行為主体性（国際社会において何らかの取り決めや合意を形成可能な主体であること）は認知されていくからである。またこのような地域・国際機関が未承認国家に関与し続けていれば、中央政府による軍事的奪還の試みを抑止する機能を果たすかもしれない。

しかし、実際には、未承認国家が大多数の国から国家承認を得ていない以上、中身のある対外的関係は存在しないか、一定の文化的・経済的関係性を有していても、それが外的主権の行使と評価できるような性質のものではないことが多い。これはコーカサスの未承認国家についても同様に指摘できる。**表68**は、コーカサスの未承認国家の対外関係と国際機関の紛争地への関与（交渉枠組み）をまとめたものである。これを見ると、コーカサスの現存する未承認国家は、その30年近くの長きにわたる存続期間において外的主権を効果的に行使し、国家承認を獲得してきたとは言い難い。

**表68：未承認国家の対外関係と交渉枠組み**

| | アブハジア | 南オセティア | ナゴルノ・カラバフ | チェチェン |
|---|---|---|---|---|
| 国家承認国数 | 5カ国 | 5カ国 | なし | なし（ただし1991年と99年に各1カ国が承認） |
| 承認撤回国数 | 2カ国 | 1カ国 | なし | なし |
| 在外代表部数 | 17（13カ国・4地域） | 6（3カ国・3地域） | 7（7カ国） | 25（18カ国・5地域・2機関） |
| 交渉枠組み | ジェノヴァ対話（国連・EU・OSCE） | ジェノヴァ対話（国連・EU・OSCE） | ミンスク・グループ（OSCE） | チェチェン支援グループ（OSCE） |

出典：筆者作成
〔付記〕在外代表部の数は、アブハジアとカラバフはいずれも自称「外務省」ウェブサイトより、南オセティアは報道ベース、チェチェンについては富樫（2015a, p.242）。

むろん、一体どれほどの数の国から国家承認を得れば、国家として国際社会において認められていると言えるのかも問題である。たとえば、台湾はかつて中華民国として国連の代表権を保持していたが、現在の承認国は23カ国に過ぎない。コソヴォの承認国は98カ国だが、今までに承認を撤回した国も14カ国ある。しかし、それでも承認国を増やすことが未承認国家の対外的働きかけの重要な課題だとすれば、コーカサスの未承認国家は厳しい環境にある。

アブハジアと南オセティアの国家承認国は、わずか5カ国に過ぎず、そのうち1カ国はパトロンのロシアである。それ以外の国は、ベネズエラ、ニカラグア、ナウル、シリアであるが、実は南オセティアはツバルから、アブハジアはこれに加えバヌアツから承認撤回を受けているのである。そもそもカラバフは、パトロンを含めどの国の承認も得ていない。消滅した未承認国家であるチェチェンは、91年にガムサフルディア政権下のジョージアが国家承認をしたが、同政権が崩壊後、承認は引き継がれなかった（正式に撤回されたのではなく、ガムサフルディア政権下の決定が正式なものではなかったという扱いであったと見られる）。また１９９９年にはアフガニスタン・タリバン政権と国交を樹立し、国家承認を得たが、２００１年にタリバン政権は米軍との戦争によって崩壊する。このように見ると、コーカサスのいずれの未承認国家も十分な対外的働きかけを行い、国家承認を獲得してきたとは言い難い。

未承認国家は、相互に独立を承認することで外的主権を誇示しようとする傾向があり、コーカサスの現存する未承認国家においてもこれは見られる。だが、このような未承認国家間の連携は、国家承認という意味においては、独立国との外交関係を代替する役割を果たし得ない。加えて、独立国との

**表69：「未承認国家」への国際社会の対応**

| 分類 | 説明 | 例 |
|---|---|---|
| ①完全排除 | 国家承認をせず、法的・政治的・経済的・軍事的に排除しようと試みる | 分離主義地域の中央政府(「未承認国家」を抱えている国) |
| ②否定 | 国家承認をせず、その存在の違法性を認める | 大多数の国家 |
| ③無視 | 国家承認はしないものの、特段それ以上の措置はせず | |
| ④限定的受容(＝寛容) | 国家承認はしないものの、実務的な必要性から存在そのものは否定せず対応する | 国際・地域機関:和平などの実務的必要性 |
| ⑤疑似承認 | 国家承認はしないものの、経済文化交流や協力協定などを結び、一定の関係性を持っている | 一部の国家や国際・地域機関 |
| ⑥承認 | 国家承認をする | ごく一部の国、「未承認国家」同士 |
| ⑦積極的支援 | 国家承認をし、法的・政治的・経済的・軍事的に支援を行い、存続を強固なものにしようとする | 「パトロン」国家 |

出典：富樫(2015a, p.92)、表1-11を一部変更

関係を悪化させてまで優先するべき関係性でもない。たとえば、チェチェンのマスハドフ大統領は、1997年当初、アブハジア、南オセティア、沿ドニエストルで構成される未承認国家連合の会合に参加予定であったが、ジョージア政府や議会団との接触を重ねる中で後者との関係構築を優先し、前者への参加を取り止めたのである。

ただ、コーカサスの未承認国家は、確かに十分に国家承認を得ていないが、未承認国家の対外関係を単に承認国家数で見るのは誤りである。未承認国家を国家として承認することは、その領有権を国際的に認められた国に対する内政干渉になるため、慎重にならざるを得ない。一度承認しても、その後、撤回をする国がコソヴォに対してであれ、アブハジアに対してであれ見られるのはその証左である。しかし、未承認国家を承認していないからといって、その国が未承認国家に対して明確な排除の姿勢を持っていると捉えることも問題であ

る。多くの国にとって、未承認国家問題は自国とは関係ない問題であり、特段の利益もないため、積極的に承認せず、必要があれば違法性も認めるといった対応を取っているのである（**表69**）。

このことは、未承認国家の側から見れば、当該国に働きかけ、文化的であれ経済的であれ一定の関係性を構築し、それを維持・強化することができれば、将来における国家承認への糸口となると理解することもできる。この意味で、当該国には公式代表部として認知されなくとも（すなわち名称は文化センターや単なる民間団体の事務所であろうとも）、在外代表部を開設し、政治的・経済的・文化的関係性を構築しようと働きかけることが重要になる。

このような積極的働きかけを行ったのは、消滅した未承認国家のチェチェンである。チェチェンが未承認国家として存続したのは、わずか5年に過ぎないが、その間に設置した在外代表部は、現存する未承認国家のアブハジアが30年近くかけて開設した代表部の数を上回る。チェチェンのマスハドフ政権が欧米諸国を訪問し、政府高官とも会談するなど積極的に働きかけたのは、チェチェンがパトロンを持たず、内的主権を確立するためにも外部からの支援が必要不可欠であったからである。チェチェンに関して言えば、欧米の民間関係者は石油関連事業への投資などには一定の関心を示したが、現地の政情が不安定化し、実現しなかった。

アブハジアは、中国やドイツ、トルコ、イスラエルなど13カ国に在外代表部を開設しているが、アブハジア側が大使館と称しているのは、国家承認を得ているロシアとベネズエラにある事務所のみである。なお、アブハジア「外務省」によれば、アブハジア領内には国際機関やＮＧＯなどの11の事務所が開設されている。南オセティアは、３カ国、すなわちロシア、イタリア、ボスニア・ヘルツェゴビナ（スルプスカ共和国）に代表部を持ち、モスクワのみ大使館を自称する。なお南オセティアとアブハジアは、相互に代表部を相手地域に開設しており、これは沿ドニエストルについても同様である。カラバフは、いずれの国からも国家承認されていない一方、常設代表部を7カ国に開設している。しかも、アルメニアとロシアを除くと、アメリカ、カナダ、フランス、ドイツ、オーストラリアといった西側の国が多い。カラバフの西側諸国における在外代表部の数（5カ国）は、消滅した未承認国家であるチェチェンの7カ国に次ぐ数である。カラバフは西側諸国以外に代表部を開設していない。そして、カラバフ代表部の開設国はアルメニア離散民が多数いる地域であり、代表部は、このようなアルメニア離散民の政治的・経済的支援を受けながら運営されているものと考えられる。

以上のようにコーカサスの未承認国家は、対外関係の構築に失敗してきたが、これは未承認国家である以上、生じる構造的な問題であり、多くの未承認国家が直面してきた問題である。むしろ、中央政府たるセルビアの意向を無視して、一方的に国家承認を獲得してきたコソヴォが逸脱事例に過ぎないのである（アブハジアなどはコソヴォが逸脱事例である理由を欧米が論理的に説明できない以上、同様の現象は自分たちにも認められるべきであるという立場をとっている）。そのため、現存する多くの未承認国家がパトロンの支援によって国際承認の不在による問題に対処してきた。

未承認国家は個別国家と対外的関係を十分に構築できてはいないが、国際機関との間では実務的な関係を構築できているケースも少なくない。そして、中央政府も交渉の仲介など国際社会が未承認国家に関与することを認めることが多い。これは、未承認国家と中央政府が、国際社会の仲介なしに対話できない状態に陥っており、現状の悪化を食い止めたくとも自分たちだけでは困難なためである（従ってパトロンによる仲介すら中央政府は受け入れざるを得ないということが実際に生じている）。また、国際機関が未承認国家問題の和平や停戦監視に従事する中で未承認国家地域が抱える問題が認知され、医療や教育など人道的な支援活動が行われるケースも多々ある。消滅した未承認国家であるチェチェンの事例が示すように、国際的な仲介者の不在は紛争再発のリスクを高める。ロシア政府は、チェチェンとの平和条約締結が現実味を帯びた97年3月に「ＯＳＣＥの仲介業務の役割は果たされ、今後その必要性はない」とする声明をＯＳＣＥ常任理事会の場で出したため、以後、ＯＳＣＥは交渉からは排除され、その活動は人道支援などに限定されていた。この活動も98年12月以降、治安の悪化から休止されることになった。その後、１９９９年9月に第二次チェチェン紛争が発生したのは周知の事実である。

以上のように、未承認国家の対外関係を見る限り、未承認国家が広く国家承認を得て、独立を達成するという将来は現状において想定することが困難である。では、双方が妥協し、何らかの平和的解決を得ることは、実現しそうだろうか。以下では、平和的解決の可能性を、未承認国家地域の住民世論に注目し、考察する。

## ❷住民世論から考える平和的解決の可能性

ここまでは主に未承認国家当局、パトロン国家、国際社会などの観点に重心をおきながら未承認国家の現状や今後の展望を考察してきたが、住民世論はどのような解決策を支持しているのであろうか。

未承認国家地域の住民世論調査に関しては、様々な障害があり、これまで十分に研究されてこなかったが、近年、未承認国家自身もその統治の正統性を内外に示す意味でも現地での調査に幾分協力的になってきた。

**表70**は、バージニア工科大学のジェラルド・トールとコロラド大学ボルダー校のジョン・オローリンらの研究グループが２０１０〜11年と２０１３〜14年に未承認国家において当局の許可を得て行った世論調査結果から、コーカサス地域の未承認国家に関するデータを抽出したものである。

トールらは、複数の学術論文において世論調査結果を分析の上、提示しており、現地世論の理解に役立つ（しかし、各論文で提示されているデータは基本的に図化されたもので、数値を全て提示しているわけではないため、詳細な検討が可能ではなく、

**表70：未承認国家地域の将来の地位に関する住民世論の比較**
（%、2010〜11年と2013〜14年）

| | | アブハジア | | | | 南オセティア | ナゴルノ・カラバフ |
|---|---|---|---|---|---|---|---|
| | | アブハズ人（50.7%） | アルメニア人（17.4%） | ジョージア人（19.6%*） | ロシア人（10.8%） | | |
| ① | パトロンと統合 | 18.94 | **51.09** | 7.93 | 37.25 | **81.48** | 41.75 |
| | 中央政府と統合 | 0.48 | 1.63 | 15.42 | 1.96 | 0.22 | |
| | 現状維持（独立） | **79.14** | 44.02 | **48.46** | **58.82** | 15.47 | **50.88** |
| | 無回答 | 1.44 | 3.26 | 28.19 | 1.96 | 2.83 | 2.13 |
| ② | パトロンと統合 | 18.26 | 40.6 | 17.85 | **57.89** | **69.87** | **51.8** |
| | 中央政府と統合 | 0.27 | 1.5 | 22.56 | 0 | 1.92 | |
| | 現状維持（独立） | **77.11** | **50.38** | **51.79** | 39.47 | 25 | 41.5 |
| | 無回答 | 4.36 | 7.52 | 7.7 | 2.64 | 3.21 | 6.7 |

出典：いずれもToal and O'loughlin（2017）より筆者作成
〔付記〕①と②は調査実施時期で、アブハジアは①2010年3月、②14年12月、南オセティアは①10年10月、②14年12月、カラバフは①11年11月、②が13年（実施月不明）。なおアブハジアの民族名の後に記載されているのは人口に占める割合。ジョージア人の割合（*）のみ、センサス調査においてジョージア人とミングレル人と回答した人々を合算した。太字は最も回答者の多い項目。なお小数点以下の表記に一部統一性がないのは出典のデータに起因する。

二次利用にも不向きである)。調査のサンプル母数は500～1000人程度となっており、ロシア語のみならず現地語での質問も行っているなど、英語で参照可能なものでは最も体系的な調査と言えるだろう。

**表70**を見るに当たって、未承認国家地域の住民構成を改めて踏まえておく必要がある。既述のように南オセティアとカラバフは、ほぼ単一民族による人口構成であるが、アブハジアは複数の民族で人口が構成されている。当然、アブハジアでは、人口の約半分を占める非アブハズ人が共和国の将来をどのように考えているのかも考慮に入れなければならない。

まず、いずれの調査対象地域でも将来について中央政府との再統合を求める世論はほとんどないことが指摘できる。しかし、ほぼ単一民族で構成される南オセティアとカラバフであっても、住民世論が再統合以外の特定の解決策を一貫して(調査時期を問わず)圧倒的多数で支持しているとも言い難い。カラバフについては、2010～11年の調査では、現状維持、すなわち独立が過半数の支持を得ていたが、2013～14年にはアルメニアへの統合が過半数

**表71：カラバフの将来的な地位に関するアルメニア及びカラバフ世論の比較**(%)

| | アルメニア | | ナゴルノ・カラバフ | |
|---|---|---|---|---|
| (年) | 2004 | 2017 | 2015 | 2016 |
| アルメニアへの統合 | 59.7 | 53.6 | 63.7 | 50.5 |
| 独立国家 | 38.6 | 46.1 | 35.1 | 48.9 |
| アゼルバイジャン領内での自治 | 1.1 | 0.3 | 0 | 0 |
| 他の解決策 | 0.5 | 0.1 | 1.1 | 0.6 |

出典：Mikaelian (2017, pp.24-25)

の支持を獲得し、反転している。

だが、別の調査（**表71**）に目を向けてみると、その後、一層高まったアルメニアへの統合論は、軍事衝突のあった2016年にはまた減少し、独立国家との回答と拮抗していることが分かる。さらに別の報告書を見ると、カラバフ世論では、アルメニアが独立を承認するべきであるとの回答――「仮にそれが和平交渉を損ねるとしても」という条件付き回答を含む――が6割に達している。しかも、これは2016年の軍事衝突後に行われた調査で、「アゼルバイジャンの軍事侵攻があった場合には独立承認するべきだ」との回答（24％）を含めると、8割はアルメニアにカラバフの独立承認を求めている（IPSC 2016）。

それにもかかわらず、アルメニアは独立承認を決断しなかった。ここで興味深いのは、アルメニア世論である。第4章で紹介した世論（**表42**）は、個々の選択肢に対する選好を示したものであり、複数の解決策のいずれに最も強い選好を有しているのか示すものではなかったが、**表71**を見ると、これが分かる。つまり、アルメニア本国も5～6割が継続してカラバフのアルメニアへの統合を求めているが、最近はカラバフが独立国家となることを支持する世論も強まってきているのである。いずれもアゼルバイジャン領内での自治を全く支持しない点では共通するものの、カラバフもアルメニア本国住民もどのような地位をカラバフ自身が得ることが好ましいのか、明確な結論は出ていないのである。

南オセティアは、ロシアへの編入を2010～11年、2013～14年共に大多数の住民が支持しているが、二度目の調査では支持の割合は減少している。前者は、ココイトィ政権末期であり、後者は、ココイトィ以後の政権だということも影響しているかもしれない。ただ南オセティアのロシアへの統合が大きな問題となるのは、同じオセット人の共和国である北オセティアとの統合を意味するからである。つまり、北オセティアの賛同が得られなければ、これは実現しないのである。しかし、**表72**をみると、北オセティア側では統合に肯定的な世論は5割程度に過ぎず、否定的な世論に「どちらとも言えない」や「回答困難」など態度を決めかねている人々を加えれば、47％が即座には賛同しかねる状況にあることが分かる。

分離主義地域内部の世論が必ずしも常に一致団結しているわけでも、あるいは統合の対象となる国家が常に歓迎しているわけでもないことは、アブハジアについても指摘できる。**表70**のアブハジア世論に目を向けると、二度にわたる調査のいずれにおいてもアブハズ人の約8割近くは、現状維持、すなわち事実上の独立を継続することを望んでいることが分かる。これに対して、アルメニア人とロシア人は、独立かロシアとの統合かで世論は二分され揺れ動いていることが分かる。

２０１０～11年の調査ではアルメニア人の半数はロシアとの統合を主張していたが、13～14年では現状維持を主張するようになった。逆にロシア人は、前者では現状維持が6割近くの支持を得ていた

**表72：南北統一と将来的な南オセティアのロシアへの編入の可能性についてどう思うか？**（%、2011年）

| | 南オセティア | 北オセティア |
|---|---|---|
| 肯定 | 93.5 | 53.0 |
| 否定 | 2.4 | 19.4 |
| どちらとも言えない | 3.1 | 23.0 |
| 回答困難 | 0.8 | 4.5 |

出典：*15-й Регион*, 7 октября 2011г.と*Regnum.ru*, 3 октября 2011г.より筆者作成

〔付記〕調査はロシアの調査機関（SOCIUM）と北オセティアのロシア科学アカデミー社会調査研究センターによって2011年9月29日から10月2日に実施、北では1350人、南では700人が調査対象。

肯定・否定いずれも「どちらかと言えば」を合算。

が、後者の時期の調査では、これが反転し、ロシアとの統合支持へと向かっている。対して、アブハジア在住のジョージア人（ここにはジョージア人としての帰属意識を持つ少数民族、ミングレル人などが合算されていると見られる）は、いずれの調査時期でも現状維持を約半数が支持しているが、一度目の調査で約3割近くあった無回答が二度目の調査では減り、ジョージアへの統合を求める声が2割を超える支持を集めていることも見過ごせない。

別の世論調査結果でも、このような民族ごとの回答の違いは指摘されている。情報調査会社であるMedium Orientは、2006年から2016年までにアブハジアで4回世論調査を行なっている（なお同調査を掲載した報道サイト上でも生データは公開されておらず、記事から内容を拾い上げることとしかできない。このため、比較的丁寧に回答データを紹介している2011年11月の世論調査結果を書き出したのが**表73**である）。**表73**を見ると、やはりアブハズ人は将来の地位として独立国家を支持している人が多いものの、それ以外の民族についてはロシアへの統合にも4割近くが支持を表明していることが分かる。

ただ、これが2013年の調査では、アブハズ人の独立への支持は50・8％へ減り、ロシアとの統合支持は18・3％に微増している。またアル

**表73：アブハジア共和国の将来的な地位に関する住民世論**（%、2011年）

| | アブハズ人 | アルメニア人 | ロシア人 | ジョージア人 |
|---|---|---|---|---|
| 独立国家 | 89 | 60 | 56 | 56 |
| ロシアとの統合 | 10.4 | 37.8 | 40.2 | 36 |
| ジョージアとの統合 | | | | 8 |

出典：*Caucasus Times*, 16 ноября 2011г.より筆者作成
〔付記〕小数点以下の有無は元データに基づく。

メニア人、ロシア人のいずれもロシアへの統合支持の割合（前者46・1%、後者60%）が増加している事実も確認できる。逆に、ジョージア人（ミングレル人）のロシアとの統合支持者は23・2%に減少している――なお、それ以外の項目についてのデータは開示されていないため、これだけでは十分な分析はできないことも付言しておく。民族別で世論を見ずとも、アブハジアの住民世論が一貫して特定の立場を明確に支持してきたわけではないことは、**表74**でも確認可能である。

**表74**をみると、2006年当時は、アブハジアの住民世論は7割近くがロシアとの統合を支持しており、独立国家として存続することは3割の支持しか得ていなかった。2008年のロシア・ジョージア戦争を受けて、ロシアからの国家承認を得たためか、2011年には独立国家への支持が逆に7割へと達した。以後の調査では、単に現状を維持するだけではなく、独立国としてCISやEUに加盟するという選択肢が設けられた。確かに、これらを合算すると、独立は最も高い支持を得ている

**表74：住民が支持するアブハジアの将来的地位**（%、2006～16年）

| | | 2006 | 2011 | 2013 | 2016 |
|---|---|---|---|---|---|
| 独立国家 | 現状維持 | 29 | 73 | 38.9 | 45.2 |
| | CIS加盟 | | | 20.0 | 16.7 |
| | EU加盟 | | | 5.8 | 1.6 |
| ロシアと統合 | | 68 | 24.6 | 28.4 | 27.0 |
| グルジアと統合 | | | 0.6 | | |
| 回答困難 | | 3 | 1.7 | 5.8 | 9.5 |

出典：*Caucasus Times*, 6 сентября 2006 г., 16 ноября 2011 г., 19 января 2014 г., 9 июня 2016 г.より筆者作成

〔付記〕いずれも情報調査会社であるMedium Orientが行った調査であり、サンプル母数は以下の通り。2006年400人、2011年345人、2013年500人、2016年1000人。2006年は現状維持と独立の数値を足している。小数点以下の有無は元データに基づく。

（２０１３年には64・7％、２０１６年には63・5％）が、それでも２０１１年の水準には及ばない。

では、パトロンであるロシアのアブハジアと南オセティアに関する世論はどうなっているのであろうか。**表75**と**76**を見ると、２００８年のロシア・ジョージア戦争までは、アブハジアと南オセティアが将来的にロシアに統合されると考える世論が最も多かったが——ただし独立国家を支持する者との差はあまり大きなものではない——、２００９年以降には独立国家を支持する世論が逆転し、２０１５年までに約半数近くの支持を受けるようになっている。分離主義地域がジョージアの一部に戻るべきだと考えるロシア世論は１割以下しかない。

なお、ここでは回答困難との答えが２割程

**表75：南オセティアの将来的な地位に関するロシア世論**（％、2004～15年）

| | 2004 | 2006 | 2007 | 2009 | 2010 | 2011 | 2012 | 2013 | 2014 | 2015 |
|---|---|---|---|---|---|---|---|---|---|---|
| ジョージアの一部 | 12 | 13 | 9 | 6 | 5 | 6 | 7 | 7 | 8 | 7 |
| ロシアへの統合 | 34 | 40 | 34 | 35 | 30 | 23 | 29 | 29 | 24 | 23 |
| 独立国家 | 30 | 26 | 32 | 40 | 46 | 53 | 44 | 43 | 51 | 48 |
| 回答困難 | 24 | 22 | 25 | 19 | 20 | 18 | 21 | 20 | 17 | 23 |

**表76：アブハジアの将来的な地位に関するロシア世論**（％、2003～15年）

| | 2003 | 2004 | 2006 | 2007 | 2009 | 2010 | 2011 | 2012 | 2013 | 2014 | 2015 |
|---|---|---|---|---|---|---|---|---|---|---|---|
| ジョージアの一部 | 15 | 14 | 13 | 7 | 6 | 3 | 6 | 7 | 9 | 8 | 8 |
| ロシアへの統合 | 40 | 32 | 41 | 34 | 35 | 30 | 25 | 31 | 30 | 25 | 22 |
| 独立国家 | 20 | 29 | 27 | 32 | 41 | 56 | 53 | 42 | 42 | 52 | 47 |
| 回答困難 | 25 | 26 | 19 | 27 | 19 | 11 | 17 | 20 | 19 | 15 | 23 |

出典：いずれもレヴァダセンターの調査（http://www.levada.ru/1970/01/01/politicheskij-status-abhazii-i-yuzhnoj-osetii/）より作成

度あるが、ロシアがパトロンとして役割を――少なくとも現状においては――果たしていないカラバフ紛争を見ると、同回答は4割へと増加する。カラバフに対しても独立国となるべきだと考える人々は、4割程度いるが、アルメニア・アゼルバイジャンいずれかの一部になるべきだと考える人々は1割程度と少ない。

少なくともロシア世論は、2008年の戦争以後、独立を主張している以上、額面通り独立するべきだと捉える人が相対的に多く、アブハジアや南オセティアに対してはロシアへの統合、カラバフに対してはアルメニアへの統合を支持する人々が決して多いわけではないことが観察できる。

**表77：カラバフの将来的な地位に関するロシア世論**（%、2013〜15年）

| | 2013 | 2014 | 2015 |
|---|---|---|---|
| アゼルバイジャンの一部 | 5 | 9 | 10 |
| アルメニアとの統合 | 14 | 13 | 9 |
| 独立国家 | 44 | 35 | 42 |
| 回答困難 | 37 | 43 | 39 |

出典：**表75、76**と同じ

世論の変化は、住民を取り囲む環境の変化によって生じることであり、それ自体は、その時々の政治・経済情勢、そして国際環境などに一定の影響を受けるものと思われる。また世論調査機関ごとに異なった結果が出ることもある。従って、世論において回答に一定の変化が生じること自体は驚くべきことではない。また現状、未承認国家となり中央政府の統制を離れている地域に住む人々が自ら中央政府の支配下に戻るような解決策を望まないということも容易に想像できることである。しかし、外部から見ると一枚岩的に捉えられる未承認国家内部においてその将来的な地位について同一民族内部でも、あるいは民族間においても、必ずしも一つの意見でまとまっているわけではないことは、確認する意味があるだろう。またパトロンへの統合という解決策についても、ここで明らかにしたようにパトロン国家側と未承認国家側の世論に微妙な温度差があることも理解する必要があるだろう。

つまり、ここまでの知見を踏まえると、この節の冒頭で示した解決策のうち、国家としての承認獲得（前項で既述）も、双方の妥協による平和的解決、あるいはパトロン国家への統合（それぞれ本項で言及）も容易には実現し得ないように思われる。軍事的奪還は、何度か試みられた例があるが、必ずしも当事者の思惑通りの結果が伴っていないことを踏まえれば、やはりコーカサスの未承認国家は、軍事衝突のリスクを常に伴いながら現状を維持すると思われる。

では、現状が維持される中で未承認国家地域の住民はどのような課題に直面しているのだろうか。そして前節で記述した未承認国家の内的主権について住民はどのような評価を下しているのだろうか。引き続き世論に注目して見ていき、本章の締めくくりとしたい。

## ❷住民世論から考える未承認国家の内的主権と課題

世論に目を向けることは、住民がどのような解決策を求めており、受け入れ可能かを検討するのみならず、解決策が得られない状況が継続する中で、未承認国家自身や住民たちが現状直面している、あるいは今後直面し得る課題を考える上でも有用である。

たとえば、多民族で構成されるアブハジアにおいて、現状、多数派民族であるアブハズ人の8割近くが強く支持する「独立」を、他の住民は同様の熱量をもって支持しているわけではないということが分かったが、これは、未承認国家としてアブハジアが存続し、国家運営を行い、他民族を含めた国民統合を進めていく上での課題になりうる。

また、南オセティアは独立よりも、むしろロシアへの統合に対して強い支持が見られるが、北オセティアもロシア世論も慎重である。つまり、南オセティア当局は、ロシア住民や北オセティア住民に十分に受け入れられていない解決策を今後も自地域の住民に提示し続けるのかという問題が生じる。

カラバフに関しては、カラバフ当局が、世論が二分されている解決策に対して政治的な方向性を示さずに国家であることを主張し続け、アルメニア当局は、カラバフを支援しながらも曖昧な立場を採り続けるならば、これは政策的矛盾を表出しかねない。

では、このような政策を採用している未承認国家の政権（大統領）は住民から十分な信頼を得ているのだろうか。まずそこから見ていこう。いずれの地域も大統領制であるので、ここではトールとオローリンの調査による未承認国家地域における大統領の信頼度に関する比較調査に目を向けてみたい（**表78**）。

**表78**を見ると、アブハジアにおける大統領の信頼度が２０１０年3月と２０１４年12月で大きく異なっていることがわかる。前者の調査時期の大統領は、２００４年から政権の座についていたバガプシュであり、２００９年の選挙でも6割の得票を得て再選していた。後者の大統領はハッジンバであり、２０１４年4月から開始されたアンクヴァブ政権への抗議運動に参加し、同年8月に同大統領辞

**表78： 未承認国家地域における大統領の信頼度**（%、2010〜11年と2013〜14年の比較）

| | | アブハジア | | | | 南オセティア | ナゴルノ・カラバフ |
|---|---|---|---|---|---|---|---|
| | | アブハズ人（50.7%） | アルメニア人（17.4%） | ジョージア人（19.6%*） | ロシア人（10.8%） | | |
| ① | 信頼している | **89.88** | **91.35** | **73.36** | **81.73** | **69.13** | **87.3** |
| | 回答困難 | 9.62 | 4.71 | 4.32 | 11.05 | 8.03 | 0.38 |
| | 信頼していない | 7.69 | 4.47 | 3.24 | 8.54 | 20.22 | 13 |
| | 回答拒否 | 0.96 | 0.94 | 1.08 | 7.03 | 2.61 | 0.25 |
| ② | 信頼している | **68.67** | **75.19** | 37.76 | **43.37** | **60.78** | **82.4** |
| | 回答困難 | 3.27 | 3.76 | 11.28 | 10.53 | 7.11 | 1.7 |
| | 信頼していない | 28.07 | 21.06 | **50.26** | 39.47 | 31.68 | 15.2 |
| | 回答拒否 | 0 | 9.99 | 9.4 | 2.63 | 0.43 | 0.7 |

出典：いずれもToal and O'loughlin（2017）より筆者作成。太字は最も回答者の多い項目。
〔付記〕①と②は調査実施時期で、アブハジアは①2010年3月、②14年12月、南オセティアは①10年10月、②14年12月、カラバフは①11年11月、②が13年（実施月不明）。なおアブハジアの民族名の後に記載されているのは人口に占める割合。ジョージア人の割合のみ、センサス調査においてジョージア人とミングレル人と回答した人々を合算した（*）。②の回答については、「完全に信頼している／いない」と「信頼している／いない」を合算している。なお彼らのデータを合算すると、アブハジアの世論について合計の数値が100%を超えてしまうところがあり、①のジョージア人の回答については全て足しても82%にしかならない。これらについては記載ミスだと思われるが、他の論文でも生のデータを公表していないため、検証することもできず、ここではそのまま転載した。

任に伴う大統領選挙で勝利した。従って、前者の時期はバガプシュ政権による安定的統治が行われていた時期であり、後者は政変と新政権誕生という移行期である。

このような政治状況が世論にも反映されているが、興味深いのは、バガプシュ政権への信頼度は民族ごとに差異はあるものの、極めて高いということである。ジョージア人は確かに他の民族よりも信頼度が15ポイント近く低いが、それでも7割から信頼を得ている。これに対して、抗議運動からアンクヴァプを辞任に追い込み誕生した政権であるハッジンバ大統領への信頼度は、バガプシュへの信頼度と比較すると軒並み低くなっている。特にロシア人は、「信頼する」と「していない」が拮抗しており、ジョージア人からは「信頼していない」との回答を半数から得ている。

バガプシュは、妻がジョージア人であったこと、ハッジンバは、KGB出身でもある経歴や、長年アルズィンバを後見人としていたこと、あるいはアンクヴァプ政権の対ジョージア政策を批判していたこともジョージア人の回答には影響しているかもしれない。しかし、一見すると大衆動員型の抗議運動から誕生し、正統性を持ちうる政権に対して各民族の中に冷めた反応を示す人々が一定数存在していたことは、政権に対する住民の評価や距離感を考える上で示唆的である。アブハズ人ですら3割はハッジンバ大統領を信頼していないことは、彼が2019年の選挙で過半数を超える支持を得られなかったことに影響しているのかもしれない。

南オセティアとカラバフは大統領への信頼度が調査時期を問わず、アブハジアほど顕著には変化していない。南オセティアでは、2010年11月の調査時はココイティ大統領、2014年12月はティビロフ大統領で、カラバフはいずれもサハキィアン大統領である。ココイティは、汚職等で人々の反発を買っていたと一般的には言われており、2011年11月の大統領選挙への立候補も断念したが、2010年11月時点では彼への信頼度はまだ高かったようである。逆に、2011年の混沌とした大統領選挙後のやり直し選挙で就任したティビロフ大統領に対する信頼度は、ココイティに対するよりも低くなっている点も興味深い。

ただし、翌年（2011年9～10月）に大統領選挙を控え行われた調査では、ココイティに投票すると答えた人は1割に過ぎず（候補者の中では2位だが）、態度未定の者が半数近くいたので、ココイティ政権への支持率や信頼度もその後、低下していった可能性は考えられる。カラバフについては、この当時はサハキィアンに対する高い信頼度が読み取れる。

次に、住民はどのような問題を抱えており、共和国当局が何を優先して取り組むべきだと考えているのであろうか。ここでは、異なった機関による違う時期の調査であるが、未承認国家地域の住民が認識する主要な課

**表79：アブハジアにおける最も深刻な問題は何か?**(%)

| (年) | 2013 | 2016 |
|---|---|---|
| 社会・経済問題(失業問題や所得水準の低さ) | 44.8 | 38.4 |
| 安全保障・治安(犯罪含む) | 34.5 | 35.1 |
| 汚職 | | 18.4 |
| 民族関係 | 2.6 | 2.3 |
| 宗教問題 | 3.0 | 1.1 |

出典：*Caucasus Times*, 19 января 2014 г., 9 июня 2016 г.
〔付記〕2013年の調査に関する報道では汚職についての記述がなされていなかったので空欄としている。

**表80：南オセティアにおける現実的な課題は何か?**(%)

| (年) | 2011 |
|---|---|
| 失業 | 57.0 |
| 貧困 | 31.8 |
| 年金や給与の金額 | 27.9 |
| 医療の質 | 22.9 |
| 汚職 | 21.6 |
| 若者の不安定な先行き | 20.2 |
| 年金や給与の支払い | 9.2 |
| 教育の質 | 8.1 |
| 公共料金の値上げ | 5.7 |
| 母子保健 | 4.7 |
| 犯罪 | 4.4 |
| その他 | 8.9 |
| 回答困難 | 6.8 |

出典：Дзуцев и Геворкян(2013)より筆者作成

**表81：カラバフにおける主要な課題は何か?**(%)

| (年) | 2015 | 2016 |
|---|---|---|
| 安全保障 | 49.0 | 50.4 |
| 失業率 | 20.3 | 21.5 |
| 国際承認 | 19.7 | 18.0 |
| 貧困 | 5.3 | 10.5 |
| 賃金の低さ | 2.8 | 3.1 |
| 移住 | 2.2 | 3.1 |
| 軍事関連の問題 | 2.2 | 2.3 |
| 道路建設 | 1.8 | 1.9 |
| 物価上昇 | 4.9 | 1.7 |
| 何もない | 2.8 | 4.5 |

出典：IPSC(2016)より筆者作成。なお、それぞれサンプル母数は、1080人。2015年3月と2016年7月に調査実施。

題について並列した（**表79～81**）。なお、南オセティアは複数回答であり、カラバフは二つ選択するという回答方式である。アブハジアでは最も深刻な問題を一つ回答するという方式のようだが、回答項目は社会・経済分野など幅広く、特にどの問題を回答者が意図していたのかについては読み解けない。

これらの表から明らかなのは、経済・社会問題がより深刻な問題として認識されているということである。アブハジアは、社会・経済問題と幅のある書き方ではあるが、例として記載されているのは、失業や所得水準の低さであり、２０１３年も２０１６年もこの回答が最も多い（２０１６年の汚職も経済・社会問題に含めることができるが、これを加えると回答者の半数を占める）。南オセティアも回答の上位は、失業や貧困、賃金水準などである。カラバフも失業が2番目に多い回答ではあるが、安全保障との回答はその2倍になる。これは２０１６年の軍事衝突以前の調査（２０１５年）でも同じである。

カラバフの回答で3番目に多い国際承認の不在は、未承認国家の生存にとってリスクをもたらすものであるので、このように見ると共和国が直面している課題においてカラバフ世論は安全保障や国家の生存に関わる事項を重視していることが読み取れる――他方、家族が直面している主要な課題という問いでは、住宅問題（21・４％）、失業率（19・３％）、健康・医療問題（７・４％）、低賃金（５・０％）、貧困（３・８％）と続く（２０１６年）。安全保障や治安問題が重要だと認識する世論はアブハジアにも見られるが、アブハジアの回答は、単に外部からの脅威を意味する安全保障というだけではなく、国内の治安を意味する犯罪なども回答に含まれている点に注意する必要がある。

　カラバフにとって安全保障がより緊迫した問題であるのは、パトロンであり軍事的安全保障を提供しているのが南オセティアやアブハジアのようにロシアという大国ではなく、アルメニアという小国であるためである。パトロンの存在によって未承認国家の安全保障が担保されている以上、アブハジアや南オセティアの住民たちもロシア軍の常駐を強く望んでいる。南オセティアでは回答者の95％、アブハジアではアブハズ人の95％、アルメニア人の97％、ロシア人の99％がロシア軍の駐留継続を求めている。これに対しジョージア人は35％が回答拒否、44％が「撤退するべき」と答えており、駐留継続を希望する回答は20％に過ぎない（２０１０～11年のトールらの調査）。

　カラバフでは、２０１６年の軍事衝突後には、政権に対する信頼度が低下し、疑念が生じたことが世論調査でも読み取れる。**表82**を見ると、共和国政権の政策やその努力について肯定的に評価する割合が２０１６年になっても依然として高いが、その割合は２０１５年と比較して、10ポイント程度下落している。反対に安全保障や資源の効率利用、改革等の政府の取り組みに対して疑問の声が増加している。何よりも重要なことは、現政権が自分やそ

**表82：政権に対するカラバフ住民の評価**（%、2015年と2016年）

| | | 政権は共和国を改革するために最善を尽くしている | | | | 政権は共和国の安全保障のために最善を尽くしている | | | | 政府は資源の効率的利用に関心を有している | | | | 現政権はあなたと家族に大きな変化をもたらしている | | | |
|---|---|---|---|---|---|---|---|---|---|---|---|---|---|---|---|---|---|
| | | 2015 | | 2016 | | 2015 | | 2016 | | 2015 | | 2016 | | 2015 | | 2016 | |
| 同意する | 全面的 | 78 | 40 | 66 | 29 | 87 | 54 | 71 | 36 | 76 | 36 | 63 | 29 | 44 | 12 | 32 | 8 |
| | する | | 38 | | 37 | | 33 | | 35 | | 40 | | 34 | | 32 | | 24 |
| 同意しない | しない | 22 | 13 | 35 | 19 | 13 | 7 | 29 | 17 | 24 | 15 | 37 | 21 | 56 | 25 | 68 | 22 |
| | 全面的 | | 9 | | 15 | | 6 | | 12 | | 9 | | 16 | | 31 | | 46 |

出典：IPSC（2016）より筆者作成

の家族に主要な変化をもたらしていないという評価が7割に迫っているということである。現体制の継続が問題解決に役立たないのであれば、それは政権支持へとは向かい難い。このようにして盤石な体制に見えたサハキィアン政権も2020年以降の継続が困難になったように思われる。

なおアブハジアでは、主要な課題として南オセティアやカラバフでは一切回答に出てきていない宗教問題や民族関係が少数とは言え、回答にある点は興味深い（**表79**）。2013年のデータでは、ジョージア人に限れば民族関係が主要な課題との回答は8・9％を占めている。また「最も頻繁に侵害されている権利」についての質問に対し、「民族籍について公表する権利」との回答が10・5％を占めているが、この回答者の3分の1はジョージア人（ミングレル人を含む）とされる。さらに「少数派の権利の保障は十分になされているのか」との問いに、全体では31・7％が「完全に尊重されている」、54・8％が「尊重されている」と答えているが、「完全に尊重されている」という回答はアブハズ人では40・8％なのに対して、ジョージア人では7・1％なのである（ロシア人34・3％、22・5％）。アブハジアでは、多数派のアブハズ人は少数派への配慮を十分に行なっていると考えているが、少数派は必ずしもそのように認識していないという特徴を読み取れる。

未承認国家の内的主権やその課題を世論から考える際に、人々を取り囲む状況が好転しているのか、それとも悪化しているのか、あるいは現状維持に留まっているのかということを考慮に入れることは重要だと思われる。なぜならば、原理的には住民を取り囲む状況を好転させることのできる政府は、住民に十分な公的サービスを提供できており、また経済政策等も成功を収めているはずだからである。

そしてこのような政府は住民の支持を得て安定的統治を行うことができるはずである。むろん、住民からの支持とは別に強固な権威主義体制を構築することで安定的統治を行うことも可能であろうが、コーカサスの未承認国家のように政権交代等を経験し、一定の政治的自由が存在する事例においては住民世論を完全に無視することはできないだろう。

そこで**表83**〜**85**に住民の近況認識についてまとめた。注意して欲しいのは、「共和国が良い方向に向かっているのか？」という国レベルの評価を問うている調査ではなく、住民を取り囲む環境への評価を問う調査であることである。ただし、南オセティアについては世論調査そのものが極めて少数し

**表83：アブハジア住民の近況認識**（%）

| この1年間で家族の経済状況はよくなったか? | | |
|---|---|---|
| | 2013 | 2016 |
| 改善した | 27.3 | 35.2 |
| どちらかと言えば改善 | 55 | 19 |
| どちらかと言えば悪化 | 2.8 | 11.5 |
| 悪化した | 10 | 20 |
| 回答困難 | 4.9 | 14.2 |

出典：*Caucasus Times*, 19 января 2014 г., 9 июня 2016 г.

**表84：南オセティア住民の近況認識**（%、2011年）

| 2008年戦争後の共和国復興のテンポと質についてどう思うか? | |
|---|---|
| 非常に満足 | 4.8 |
| 満足 | 23.8 |
| 満足していない | 65.1 |
| 回答困難 | 6.3 |

出典：Дзуцев и Геворкян（2013）より筆者作成

**表85：カラバフ住民の近況認識**（%）

| この1年間で家族の社会経済状況は良くなったか? | | |
|---|---|---|
| （年） | 2015 | 2016 |
| 改善した | 22.6 | 16.6 |
| 変化なし | 52.3 | 64.5 |
| 悪化した | 25.1 | 19.0 |

出典：IPSC（2016）より筆者作成

か行われておらず、２００８年戦争後の復興のテンポと質を問う質問（２０１１年実施）を提示している。

以上の表を見ると、アブハジアでは近況が過去１年間で改善したとの回答が２０１３年も16年も最も多いが、２０１６年には２０１３年比で30％近く下落し、逆に悪化したとの回答が20％近く増加したことが分かる（いずれも「どちらかと言えば」と合算）。南オセティアも２００８年戦争後の復興のテンポに満足していないとの回答が６割以上あり、これが直後の大統領選挙の一つの争点にもなった（ロシアからの支援の未履行や汚職・不正）。カラバフでは、２０１６年には「悪化／改善した」いずれの回答も減ったが、「変化なし」が10ポイント増加している。既述のように住民は様々な問題を抱えている以上、少なくとも改善が進まない状況は今後に決して明るい展望を抱いているわけではないことを示している。

コーカサスの未承認国家は、消滅した多くの歴史上の未承認国家と異なり、中央政府によって軍事的に奪還されるわけでも、和平合意によって妥協するわけでもなく、現状を維持することに成功している。しかし、その内的主権はパトロンの支援を必要不可欠とし、外的主権も十分に行使できているとは言い難い。このような種々の課題を内包しつつも、この政体は国家を自称し、国際社会において生存し続けている。コーカサスの未承認国家の主権の内実を各種データから検証し、またその統治面での課題を世論から考察すると、国家や統治に関わる重要な論点を提示していることに気が付く。これはコーカサスの未承認国家が実際にどのように機能しているのか、それがどういう問題を内包しているのかという未承認国家内部のミクロな論点と、コーカサスの未承認国家が国際社会に提起している問題というマクロな論点がある。

まずミクロな論点をまとめるが、これは端的に言えば、コーカサスの未承認国家が抱える矛盾を表している。

第一に、未承認国家としての生存と主権の二律背反する関係性が挙げられる。未承認国家は、確かに国家としての体裁を満たしている部分があるが、現状においてその機能を担保するためにパトロンという外部支援者の存在は欠かすことができない状態になっている。安定的な生存を早急に実現するためには外部支援に頼ることは合理的選択だが、この状態を維持し続けることは、未承認国家が自立した国家として対外的に主張する根拠となる内的主権（統治の機能）を低下させてしまう。

第二に、未承認国家内部における民族的凝集度の高まりと政治的団結の低下という問題が挙げられる。コーカサスの未承認国家は、紛争の結果、誕生したため、勝利した民族が人口に占める割合が増え、民族的凝集度が総じて高まっている。民族的凝集度の高まりは、支配民族を中心とした国民統合が可能になり、政治的にも一致団結するのではないかと思われるが、実際には、野党と与党が激しく対立し、政権交代が生じているケースが少なくない。このような背景を考える際にヒントを提示してくれるのが、以下の論点である。

第三に、未承認国家の抱える課題と住民世論の関係である。コーカサスの未承認国家は、紛争によって存在を確立した政治体で、常に中央政府からの軍事的奪還のリスクを抱えている。そう考えると世論も紛争の解決を最も大きな問題と認識し、同じ解決策を強く支持しているのではないかと予期させる。だが、実際には住民世論は必ずしも一枚岩ではなく、一つの解決策を圧倒的多数が望んでいるとまでは言えない状況である。他方で、各未承認国家の世論は、失業や貧困、汚職などといった経済社会問題に一定の関心を有していることは共通している。つまり、未承認国家内部における世論の関心は、紛争をいかに改善するのかということよりも、いかに国家（経済）を安定的に運営するのかということにあるのである。そして、このような世論の認識が以下の論点にもかかわってきている。

第四に、未承認国家内部における民主主義的な競争とその結果として生じている政治的分断という問題である。民主主義は、意見の相違を自由に表明し、それを討議の中でぶつけ合うことを認めている。これは討議を通した政治参画を高めることで、政治的安定性に寄与するはずである。未承認国家もその政治運営において「国家」の存続に脅威とならない限り自由な意見表明を認めている。しかし近年、上述した経済社会問題などと絡み政治指導者の間に激しい論争や対立が生じている。確かに権力維持を画策する政治指導者が野党や世論の反発で断念しているところを見ると、民主主義が肯定的に機能している部分もある。だが、時にこうした対立が未承認国家内部を分断し、政治的機能を低下させているのも事実である。民主主義は、容易には解決できない難問に直面すると、時にポピュリスト的な政治家を求める民衆の出現を招いたり、社会の分断を進めたりしかねないという側面もある。こうした問題は、コーカサスの未承認国家からも観察することができる。

さて、最後にマクロな視点、つまりコーカサス地域の未承認国家が国際社会にどのような問題を提起しているのかをまとめたい。

第一に、コーカサス地域の未承認国家は、規範的概念としての主権のあり様にかかわる問題を提起している。つまり、欧米を中心とする国際社会は、冷戦終結後、自由で民主的な政治的機能を国家のあるべき姿として広く世界に提示し、内的主権を十分に備えていない破綻国家に対しても、このような点に重点を置き支援を行なってきた。他方で、内的主権をある程度備え、部分的とはいえ民主的な政治体制を保持し、独立を求める政治集団を国際社会から排除してきた。主権や民主主義は、普遍的概念や価値と言われる。この普遍性とは、本来、相手に応じて評価や判断基準を変えることのできるものではない。しかし、現実にはコソヴォの独立は承認され、チェチェンやアブハジアは承認されていない。規範が全面に押し出されている冷戦後の国際社会において、コーカサスの未承認国家は、西側諸国が押し出す国際規範の矛盾を表象する存在となっている（しかし、だからと言って、これは未承認国家や彼らを支援するパトロン側の主張が正しいと主張しているのではないことも明確にしておきたい）。

第二に、コーカサスの現存する未承認国家は、「紛争の平和的解決のためには現状の安定を犠牲にしなければならず、逆に現状の安定を追求すれば双方の望む紛争の解決はあり得ない」という紛争地のアンビバレントな状況の上に成り立っている。国際社会は、コーカサスの紛争に限らず、分離主義紛争に対して紛争当事者による平和的解決を主張する。当然、分離主義地域が中央政府の統制から離れている現状を承認することも、維持し続けることも、平和的解決にとってプラスにならないと見なしている。しかし、現に未承認国家が曲がりなりにも安定的に機能し、紛争が一時的ではあれ凍結しているときに、平和を実現するために現状変更を試みることには、大きなリスクを伴うことも事実である。このようなディレンマに対して、紛争当事者や国際社会はいかに対応するべきなのかという難問をコーカサスの未承認国家は突きつけている。

コラム 6

## 民族間の紛争？――民族は一枚岩ではなく多様な意見を内包

「コーカサスの紛争は、民族紛争ですか？」と学生から質問を受けることがある。ある民族が他の民族に独立や帰属変更を求めているという意味では、民族紛争かもしれない。だが、この民族という用語にどれほどの人が内包されているのかというのは大きな問題である。

一つは、民族と国家の問題がある。たとえば、「日本人」という場合、これは民族を指すのか、あるいは国籍や永住権保持者を指すのだろうか。日本では、この違いをあまり意識しないが、たとえば、ロシア語では「ロシア国民」（Россиянин）と「ロシア人」（Русский）は明確に違う。ロシア国家（Россия）には、非ロシア人も多数いるから当然である。同じくチェチェンを「チェチェン人の国家」とする国家の国民にも非チェチェン人は含まれていたので、憲法でチェチェンを「チェチェン独立派の主張とは規定しなかった。多民族地域であるアブハジアも、憲法前文は「我々、アブハズ人は」ではなく、「我々、アブハジア国民は」で始まっている。

もう一点、同じ民族の中にも――当たり前だが――意見の相違は存在する。これはチェチェンで顕著だったが、アブハジアでも南オセティアでもそうである。アゼルバイジャンやアルメニアでも

トビリシの旧市街

皆が皆「ナショナリスト」でカラバフに関心を有しているとか、一切の妥協を許さないと見なすことも問題だろう。世論調査でも紛争の解決策としてアルメニアではカラバフをアゼルバイジャンの自治単位として、アゼルバイジャンではカラバフの独立を認めてもよいという回答が、ごくごくわずかだが、それでも存在するのである。

民族を一枚岩に捉えてしまうのは、理論化を求める国際関係学者がしがちで、地域研究者はこれを強く批判してきた。しかし、地域研究者も紛争を紹介する際に、極端に少数派の意見などを含む民族内の多様な意見を丁寧に紹介することはなかなかできず、結果的にある民族で支配的な運動に焦点を絞らざるを得ない。かといって目立つ意見に目を向けることで、見落としがちな意見もあるので、本書でも多様な世論を紹介しようと努めた。

最後に二つの話を。私は、10年ほど前、訪問したアゼルバイジャンでカラバフ紛争の避難民でありながら、自らのことを一切語らず、アフガンやクルド難民への支援を行う女性に会ったことがある。彼女の自宅にNGOの同僚と招待されたが、非常に質素だった。生活も苦しそうだったが、彼女の口からカラバフに関するイデオロギー的な話は一切、出てこなかった。同じく10年ほど前、ジョージアでトビリシに住むオセット人と会った。彼は、ジョージア国民としてのアイデンティティを持っており、南オセティア指導部には冷めた反応を示した。しかし、サーカシヴィリの改革やジョージア・ナショナリズムにも突き放した評価をしていた。当時はまだ2008年戦争の直後で、ジョージアではナショナリズムが高まっていた。事実上の敗戦もあり、不満のはけ口求めていたのだろうか。私は当時、「中国人」と罵倒され投石されたり、ロシア語で話しかけると無視され、ジョージア語で回答されたりした。そういう状況下においてオセット人である彼の冷静な見方には、驚きさえした。

# 終章

コーカサス地域は、その内部に多様な民族、宗教、文化を内包し、国家の構築と解体、境界の画定と再編を繰り返すことで、多数の紛争を経験してきた。これらの紛争は、単にコーカサス内部において支配的民族と少数民族が対立しているという図式で理解できるわけではなく、それぞれの民族集団内部にも意見の相違や、時に衝突も見られ、しかも境界を超えて移動する難民や避難民、あるいはテロ集団まで様々な行為主体が関与している。確かに、多くの紛争は、現在は均衡が保たれ、現地は安定している。しかし、この平和とも紛争中とも言えない危うい状況は、いつ崩れてしまうかも分からない。それは、単にこの地域の問題がコーカサスという地域（空間）で完結するものではなく、歴史を振り返ってみても、ロシア革命とその後の大国の介入、ソ連解体と新しい国際環境など外部からの影響を受けてきたことからも言える。しかし、コーカサス地域もこのような内部からは制御できない外的な変動にただ翻弄されるのではなく、時に強かにそれを利用しようとしてきた側面もある。これは、現在においても、急進的イスラーム主義者がグローバル・ジハード運動との連携を模索したり、分離主義地域が未承認国家としての生存を図るなどしていることを通して、国際社会に問題を提起していることに表れている。

このようにコーカサス地域の紛争やテロ、民族問題を理解することは、読者に今までとは異なる新しい視座を提供するものだと筆者は信じている。新しい視座とは、コーカサスを見る際の新しい視座であると同時に、コーカサスからロシアや旧ソ連を見る際の、そして国際政治を見る際の新しい視座でもある。民族や国家をめぐる問題は、カタルーニャやスコットランドに見られるように、西側先進国においても提起されている。決して、「野蛮で文明化されていない紛争地域の問題」などではない。そして、これらの問題は極めて複雑でもある。しかし、だからこそ、本書で示した様々な着眼点、データ、分析枠組みを、いわば「羅針盤」として読者の方々が活用してくれれば、コーカサスのみならず、他の地域で表出している問題にも理解が深まると信じている。

本書は、コーカサス地域を紛争やテロリズムなどに焦点を当てながら、この地域が現在の国際社会にどのような問題を提起しているのかを明らかにしようと試みてきた。

第1部ではコーカサスの5つの紛争を比較しつつ、概説したが、その特徴は以下のように要約できる。

第一に、コーカサスの紛争の争点は、ソ連形成期（あるいはそれ以後）の民族政策と深いつながりを有しており、ペレストロイカ期に表面化したということがあげられる。紛争の争点は、帰属変更と分離独立の2種類がある。

争点は、「領域をめぐる対立」、「政府をめぐる対立」と分類することもできる。一定領域の帰属変更や分離独立は、当然「領域をめぐる対立」に該当するが、当該領域に住んでいる住民が争点に対して共通の見解を持っていることは少ない。このことから、中央政府に領域の分離を要求する勢力、あるいは、これに異を唱え抵抗する勢力のいずれが正統な政治的権威を担うべきなのかという「政府をめぐる対立」に転化しやすい。コーカサスの紛争においても、たとえば中央政府は、分離主義地域を統制する「分離主義政府」の政治的権威を認めず、「亡命政権」の樹立や親中央政府的な政治集団を支援することが多く、「政府をめぐる対立」を内包している。

第二に、いずれの紛争も国家（ソ連邦）の解体、新生国家誕生の過程で生じたため、紛争当事者のナショナリズムが高揚し、また軍事機構が未整備なまま紛争が進展し、一般市民を多数巻き込んでいったということが共通している。このため、いずれの紛争でも多数の犠牲が出て、紛争に事実上「敗北した側」の避難民は今でも故郷に戻れていない。

さらに、紛争による避難民は、それ自体が国民統合とナショナリズムの動員資源になりうる存在である。つまり「不法に占拠された領土を奪還する」という政府の主張に正当性を付与する存在でもある。避難民の存在によって当該コミュニティは、同胞が故郷を追われ、自国領土が不法に占拠されていることを自覚し、彼らが帰還するためにも、この領域は自分たちに返還されなければならないということを「確認」するのである。従って、権利の要求主体である避難民が受け入れ社会に統合され、避難民としての地位を失うことは当該政府にとって実は「好ましからぬこと」であり、結果として「避難民である状態の長期化」が生じているのである。

第三に、紛争は、既存の国家や境界の変更などを求める少数派と現状維持を求める多数派の対立という共通点があるが、結果は、南北コーカサスで異なっている。

すなわち北コーカサスでは要求を掲げた側（チェチェンやイングーシ）は事実上の「敗者」となり、逆に南コーカサスでは要求を掲げた側（南オセティア、アブハジア、ナゴルノ・カラバフ）は、事実上の「勝者」となった。ここでいう「勝者」や「敗者」とは、紛争の争点に対して紛争当事者が有していた選好（つまり特定領域の帰属変更・分離独立、あるいはそれの阻止）のいずれが満たされたかで判断している。従って、中央政府の統制を離れた地域は（その状態を維持できれば）、事実上の「勝者」となるが、「勝者」の側が万事うまくいっているわけではない。特に、紛争における勝利が当該領域の分離や独立の法的正統性を担保するわけではないため、当該領域の国家性（内的主権と外的主権）をいかに確立して、国家としての国際的承認を得るのかという問題への対応を迫られる。

第四に、紛争の解決は、軍事的手段による解決と交渉による解決があり、コーカサスの紛争では、このいずれも紛争当事者によって試みられているが、一部例外を除き成功していない。

実際に軍事的手段によって紛争が解決した例（一方が支配領域を奪還することに成功した例）は、ロシアがチェチェンに対して行ったケース（第二次チェチェン紛争）しか存在せず、ジョージアは南オセティアでこれに失敗している。「領域をめぐる紛争」の交渉による解決では、自治権の付与から独立承認まで和平合意に幅が想定されるが、「敗者」の側は紛争発生前の状態を、「勝者」の側は紛争終了後の状態を交渉のスタートラインにするため、合意形成は極めて困難である。紛争当事者の世論調査を見ても、双方が歩み寄れる状況にはなく、これが紛争の最終解決の大きな障害になっている。このような結果、5つの紛争のうち、4つの紛争では紛争当事者が争点に対して明確な答えを得ることができないまま、現在に至っている。

続いて第2部では、コーカサス地域の紛争やテロが国際社会に提起している問題を考察した。

最初に第5章では、コーカサス地域のイスラーム主義運動と「イスラーム国」(IS)など「グローバル・ジハード運動」の関係を明らかにした。5章の要点は以下のとおりである。

第一に、シリア内戦には多数のチェチェン系イスラーム過激派勢力が参戦し、ISにおいても旧ソ連コーカサス地域出身者の存在感が一層強まってきたという経緯がある。このように述べると、コーカサスのイスラーム過激主義組織とISの間には組織的連携や協力があり、グローバルなジハード運動との強い連動によって北コーカサスにおけるテロの脅威も高まってきたように感じるかもしれないが、本書の主張は異なる。

すなわち第二に、コーカサス地域からシリアへ向かった義勇兵は、北コーカサスのイスラーム主義運動の活動の高まりやISとの組織的連携を背景としたものではなく、むしろ北コーカサス地域のイスラーム主義運動の衰退を背景としたものであった。そして、このような中で「グローバル・ジハード」の新たな旗手たるISに動員対象を奪われ、北コーカサスのイスラーム主義運動は組織存亡の危機に陥ったのである。

第三に、上記のような中で有効な対応策を講じることができなかった北コーカサスのイスラーム主義組織は、人材のさらなる流出や司令部からの離反を経験し、苦悩する中でロシア当局によって組織としてはせん滅させられたのである。従って、一見するとシリアのイスラーム過激派組織における旧ソ連地域を出身とする義勇兵のプレゼンスは非常に大きいように見えるが、その背後で北コーカサスのイスラーム主義は壊滅的打撃を受け、静かに黄昏を迎えていたということが言える。これは、イスラーム主義者という非国家主体(個々人)がその活動の場をコーカサス地域の外部へと移したことに起因している。

次に第6章では、分離主義地域が中央政府の統制を離れ国家を主張する未承認国家という問題においてコーカサスの紛争事例がどのような特徴を有しているのか、コーカサスの未承認国家地域の現状に迫った。

第一に、国家と主権をめぐる問題は古くて新しい——すなわち国際社会において常に提起されている——問題であるが、冷戦終結後におけるこの問題を考察する上でコーカサスの未承認国家は重要な問題提起をしている。

なぜならば、未承認国家の多くは長期的にその生存が困難にもかかわらず、旧ソ連・コーカサス地域の事例は長期にわたって存続・生存しているからである。コーカサス地域の未承認国家は、国際承認の不在によって生じる生存の危機（中央政府による軍事的奪還の試み）をパトロンの支援によって回避し、国家としての統治を強化してきた。

第二に、コーカサス地域の未承認国家に対しては、かつてその内的主権の否定的側面が強調されていたが、現在においては一定の民主主義的特徴を有し、機能的な統治を行っている側面も注目されている。

国際社会は、既存の国家・領域的枠組みへの再考を迫る分離主義問題に常に否定的な反応を示してきたが、仮に一定の内的主権を有し、民主主義的統治を行っている——すなわち国際規範を遵守し、国家的体裁を備えた——政体が現れたときにどのように対応するのかという問題をコーカサス地域の事例は提起している。

第三に、しかしコーカサスの未承認国家も現実的には外的主権の行使――すなわち国家としての承認を獲得するための他国への働きかけ――には失敗しており、従って、この地域の未承認国家は将来的に独立を獲得する可能性が極めて低い。そうであるならば、コーカサス地域の未承認国家は、今後、どのような道を歩むのであろうか、という見通しについて考える必要がある。

本書では、交渉による妥結、現状維持、中央政府による軍事的奪還、パトロンへの編入などの可能性を世論の観点から検討し、現状維持の可能性が最も高いと明らかにした。その上で、現状においても未承認国家地域には未承認国家ゆえの課題が山積しており、決して順風満帆な明るい未来があるわけではないことを明らかにした。

付記：本書は、東海大学総合研究支援機構（２０１７年度研究スタートアップ支援助成）、科研費・若手研究（課題番号１８K１２７２９）の成果である。

# おわりに

実は、「はじめに」で提示した「マイナーな地域を理解して、どんな意味があるのか？」という厳しく、しかし妥当な指摘は、これまでに何度も私に投げかけられ、私自身も答えようと試みてきた問いかけである。「はじめに」で述べたような本書の意義が看板倒れにならずに中身を伴うものであったのかは、読者の判断に委ねたい。

研究とはある意味で「独りよがり」である。自分がどうしても知的に惹きつけられる事象を研究せずにはいられない、そうした私的欲求と、自らを動かす途方もない熱量が最初にあるのだから、これは当たり前でもある。しかし、学問の真理を追求し、職業として生業にしている以上、社会的にその意義を説明できなければならない。マイナーな地域を研究している若手研究者は、自分の研究を理解して欲しいという欲求と、どうせ理解されないという諦めの間をゆれ動く時期が必ずある。

私もそうした思いを抱いていた時期が——本音を言えばつい最近まで——あったが、1～2年前にチェチェンで自分の居場所を見つけたと思わせるような言葉を掛けられた。現地の友人は、私のことを「チェチェンの専門家」と形容し、公的には紛争の歴史を語ることが許されない現地において「君こそ大学でチェチェンの現代史を教えるべきだ」と言ってくれた。また図書館で出会った女性は、交流する中で紛争経験について涙ながらに語ってくれたが、私の研究内容について聞くと、「それほどの熱意を持って私たちの歴史について学んでくれてありがとう」と感謝してくれた。自分の研究が少なくとも彼らにとって意味があるのだということを知ることができたのは、非常に勇気づけられるできごとだった。

さて、本書の企画について東洋書店新社の岩田さんからお話を頂いたのは、2016年夏だったと思う。その前年に東洋書店が廃業し、私のブックレットも含め本は全て処分され、絶版になった。岩田さんは別の会社で再スタートをし、著者らに版権譲渡を願い出て、世の中に求められている書籍を一つ一つ再出版するという途方もない作業に取り組んでいた。旧・東洋書店で刊行した私の前著もそれなりに売れていたと聞き、コーカサスの紛争について学びたいという読者は少なくないのだと感じ、岩田さんの提案に二つ返事をした。

しかし、私は当時、在ウズベキスタン日本大使館専門調査員としての仕事があり、なかなか執筆の時間は確保できなかった。2016年の9月にはウズベキスタンで25年間大統領を務めたカリモフ氏が死亡し、情勢分析に追われる日々となった。翌春には、東海大学教養学部に講師として着任し、授業準備や学生指導に追われ、原稿の約束をなかなか実現することができなかった。それでも少しずつデータや資料、論文、書籍等を集め、執筆の構想を練っていたが、本格的に作業に取り組めたのは3年目（2019年）に入ってからであった。執筆しては、新たな疑問点が生まれ、再度データや資料を集め、論文や書籍を読むという繰り返しだった。しかも、この作業の終盤には東海大学から同志社大学に移ることになり、研究室（本や研究資料）の片付けをしつつ執筆するという自分でも混乱する作業をすることとなったが、どうにか2020年3月末までに第一稿を脱稿することができた。その後も各地の政治情勢は展開したが、情報を更新できた部分とできなかった部分がある（2020年9月末のナゴルノ・カラバフ情勢の進展は、本書では取りあげるべき重要な問題との認識から補論として校正段階で大急ぎでまとめ、掲載することとした）。

まず本書の企画を提案してくれ、気長に原稿を待ってくれた岩田さんにお礼と、4年間待たせたことのお詫びをしたい。また本書は、東海大学教養学部在職中に執筆したものであり、私の研究に理解を示してくれた東海大学関係者、学部の先生方にもお礼申し上げたい。特に国際学科では、教育経験がなく不安な気持ちで着任した私を歓迎し、常に良き理解者として支援して下さり、また風通しの良い自由な職場環境を提供して下さった同僚の先生方（貴家先生、吉川先生、小貫先生、金先生、荒木先生、小山先生、和田先生、ファーデン先生、田辺先生）に心より感謝したい。私は、教育研究面で悩むこともあったが、和気あいあいとした学科の雰囲気の中で意見交換をすることが私の精神安定剤であった。

もう一つ、本書の執筆の大きな後押しになったのが、国際学科で3年間担当した「ユーラシア研究」の講義である。私が着任する以前には外部の非常勤の先生が担当されていたが、楽に単位をもらえる授業と評判だったようで、私が教え始めた時も受講者が多い授業だった。学生はもともと楽な授業と認識しているため、受講態度は最悪であったが、そこは旧ソ連研究者として権威主義的？ルールと秩序を導入し、すぐにクラスには平静がもたらされた。ロシアやコーカサスの民族問題や紛争、テロなどを国家の解体と再編という観点から講義する本授業は、思いの外、学生に好評だった。私は、他の授業ではグループワークやアクティブ・ラーニング等を導入していたが、この授業では、旧来的な授業運営方法——つまり教員による一方的講義と持ち込み不可の論述試験のみによる評価——を採用していた。この授業だけは、自分の好きなようにやると決めていたからである。しかし、毎回授業では学生の質問が絶えず、私の話す内容も学生は目を輝かせて聞いていてくれた。教える快感を強く感じたのがこの授業であった。そして、学生からは常々「授業の教科書はないのか」と求められていた。本書は、そういった学生とのやりとりの中で生まれた側面もある。

２０２０年3月で東海大学を退職し、4月より同志社大学政策学部に着任した。研究教育に邁進しようと思っていた矢先に世界的に新型コロナウイルスが蔓延し、大学も大変な状況である。こうした非常事態になると、平凡な日常の尊さを改めて実感する。早期に沈静化し、日常が戻ってくること、そして暖かく迎えて下さった同志社大学の先生や学生の皆さんに対して少しでも研究教育面で貢献できればと思っている。

最後に本書を百寿になる敬愛する祖父、本山新一に捧げたい。祖父は、私の博士号取得や大学教員就職など節目節目の出来事を誰よりも喜んでくれた。私は現在、シベリア抑留経験者である祖父のオーラル・ヒストリーの聴取と研究ノートの刊行に取り組んでいるが、これも早いうちに全て仕上げて、祖父に恩返ししなければと思っている。

富樫　耕介

洛北の自然の中で秋の訪れを感じながら

２０２０年9月

# 補論

## 第二次ナゴルノ・カラバフ紛争（戦争）（２０２０年9月27日～11月10日）

２０２０年9月27日にアゼルバイジャンとアルメニアの間でナゴルノ・カラバフをめぐる大規模な武力衝突が生じ、43日間にわたって紛争が展開された。紛争は、ロシアの仲介により11月10日に停戦合意に至るが、この結果、アゼルバイジャンはアルメニア側が実効支配していたカラバフと周辺領域の大部分を奪還することに成功した。

### ❶紛争発生までの政治的経緯

今回の武力紛争は、２０１６年の「４日間戦争」以来の大規模な衝突で、１９９４年の停戦以来はじめての全面的な紛争の再発であった。だが実は近年、カラバフ情勢は衝突事案も減り、極めて安定していた。たとえば、International Crisis Group（ＩＣＧ）によれば、２０１８年1月から２０１９年12月までの衝突事案はわずか17件で、年平均で見ると２０１７年比の１割程度である。つまり、近年まれに見る安定状態から、なぜ２０２０年9月に紛争再発へと至ったのであろうか。そこには、アルメニア・アゼルバイジャンの政治環境の変化があげられる。

最も大きな変化はアルメニアにおける政権交代である。2018年5月に議会選挙の不正をめぐる抗議運動を主導したパニシアンがアルメニアの首相に就任した。パシニアンは、長年にわたり政権を維持したS・サルキスィアン体制からの改革を訴え、大衆を取り込み、2018年12月のやり直し議会選挙では3分の2の議席を獲得した。この背景には、失業や汚職、貧困などの経済・社会問題が山積する中で、与党・共和党による長期政権下で閉塞感が強まったことがあった。パシニアンは、このような行き詰まりの打破を主張し、大衆の希望を引きつけたポピュリスト的な指導者として登場した。それゆえに旧政権の内外政策の刷新、改革を強く求めた。このことがカラバフ情勢にも影響を与えた。

パシニアン政権の改革は、内政面では三つの変化を生んだ。第一に、旧政権の指導者への政治的責任の追及である。これは、2008年の選挙後の争乱を弾圧したコチャリアン元大統領の逮捕（2018年7月）と、同じくサルキスィアン元大統領の背任罪での訴追（2018年12月）が挙げられる。両名は、カラバフ出身のアルメニア大統領であり、パシニアンは過去20年間の共和党政権と決別し、不正や汚職を追及する姿勢を見せた。

第二に、カラバフ出身者や軍・治安機関と強固な関係を有するS・サルキスィアン元大統領や共和党の人脈を行政機関から追い出すことで、自らの政治的影響力の拡大と改革の実現を目指そうとした。これによりヴィゲン・サルキスィアン国防相（共和党）は解任され、サルキスィアン政権で任命されたハコビアン参謀本部長（カラバフ元国防大臣）も罷免された。また、前政権を支持する憲法裁判所の判事の交代にも取り組もうとした。カラバフのサハキィアン大統領への抗議運動に対しても支持を表明し、サハキィアンは任期延長を断念した。

第三に、大衆が求める最低賃金や年金の引き上げ、教育や軍の改革に取り組む姿勢を見せた。しかし、これはアルメニアの限られた資源と経済状況、さらには国際環境から考えれば、早期に実現できる見込みは低かった。このため、パシニアン政権は対外政策でも二つの点で変化の姿勢を見せた。

第一に、ロシアへの依存を減らし、EUやイランとの関係を見直すことである。パシニアン政権は、ロシアとの関係強化がアルメニアの抱える問題の改善には繋がっていないことへの不満があった。また、ロシアがアルメニアと軍事同盟を締結しながらも、アゼルバイジャンに兵器販売を続けていることにも反発していた。このため、EUやイランとの関係強化を模索した。しかし、ロシアからすれば、これはサルキスィアン政権下でユーラシア経済同盟に加わったことで、一度話がついていた問題であった。これを蒸し返し、大衆の支持を背景として自国の利益を優先する姿勢をプーチン政権は警戒した。しかもロシアと強い交渉チャンネルを有した前政権の人脈が政府や軍から排除されたことにも、ロシアは不信感を抱いた。これは紛争発生後に、ロシアが突き放した対応をアルメニアにとる背景になったと見られる。

第二に、行き詰まるカラバフ問題について、交渉をゼロから見直し、新しい提案をすることで交渉の活性化を目指そうとした。パシニアンはマドリード基本原則を拒否する姿勢を見せたり、カラバフのアルメニアへの統合を主張したりした。実際には、これは観測気球的なもので、かつ国内（アルメニアやカラバフ住民）へのメッセージという色彩が強かった。また、カラバフ世論も２０２０年2月の調査ではアルメニアへの統合賛成33％、独立賛成55％とパシニアン提案への支持は決して高くなかった（Bakke, Toal, O'Loughlin 2020）。外相がその後、対外的影響を考え、発言を修正したが、これはアゼルバイジャン側の態度を極度に硬化させた。交渉で積み上げられた前提を破壊するものだと映ったからである。

筆者には、パシニアン政権に内外政策における明確な方向性があったとは思えない。大衆動員型の政変で誕生し、閉塞感や行き詰まりの打破を訴えていたこともあり、人々の支持を繫ぎ止めるために前のめりに政治メッセージを発出していた可能性が排除できない。アゼルバイジャン側は、パシニアン政権に強く反発しつつも様子見の姿勢が強く、それはこの間の武力衝突が極めて少なく、また2019年に両首脳が直接会談を4回行なっていることからも見て取れる（10月には前線での緊張緩和と両国のホットライン設置に合意）。

2020年に入っても両国の衝突は小規模なまま推移した。他方で、新型コロナウイルスは両国でも猛威を振るい、政府が移動の制限などの措置をとったことで経済状況は大きく悪化し、政権への不満は高まっていた。

事態が大きく動くのは、2020年7月12日にアルメニア・アゼルバイジャンの北部国境地域で武力衝突が発生したことである。どちら側の攻撃によって始まったものかは不明だが、衝突は16日まで継続した。この衝突は、カラバフの前線における衝突ではなく、両国国境地帯（特にアゼルバイジャン側は、ジョージアを経由し、トルコに至る石油パイプラインが通っている地域）における衝突という点で今までと異なっていた。そのため歩兵は展開せず、ドローン、ミサイル攻撃、サイバー攻撃などが行われた。

アゼルバイジャン側は、この衝突で三つのことを確認したと見られる。すなわち、①アルメニア本国の防空能力、②ロシアの反応、③パシニアン政権の対応力である。

第一の防空能力について、アゼルバイジャンが軍事的にアルメニアを圧倒する能力を有していることは既知の事実であるが、問題は実戦でこれが機能するのかということである。アゼルバイジャンは、2016年以降、トルコ、イスラエルなどから偵察及び攻撃用ドローンを購入し配備してきた。ICGのデータによれば、2017年には両国が用いたドローン攻撃は前年比で2・8倍に増加している。しかし、カラバフ紛争の再発では戦場がカラバフに留まらず、両国全土が攻撃対象になることも想定する必要がある。そのため、すでにある程度データを収集しているカラバフだけではなく、アルメニアの防空システムを確認する必要があったと見られる。実際に7月の衝突では衝突事案の65％はドローン攻撃である。

第二のロシアの反応について、アルメニアはロシアの主導する集団安全保障条約機構（CSTO）の加盟国であり、アルメニア本国への攻撃に対してロシアは集団的自衛権を発動するはずである。だが、パシニアン政権後、ロシア・アルメニア関係は冷却しており、アゼルバイジャン側はロシアの反応を確認しようとしたと見られる（従って、衝突は長期化させるつもりはなかった）。結果的に、ロシアが抑制的な対応をとったこと（一部部隊をアゼルバイジャン国境に移動するなどの対応に留めた）はアゼルバイジャンには収穫だった。

第三のパシニアン政権の対応能力は、共和党人脈の排除の過程で軍部の高官を罷免したアルメニア現政権が、攻撃に対して十分な対応をとることができるのか確認したと見られる。

しかし、アゼルバイジャン側に誤算だったのは、国境での衝突後、コロナ禍で集会等が禁止されているにもかかわらず、首都バクーでアルメニアとの全面戦争を主張する愛国主義的なデモが開催されたことである。強固な権威主義とも形容されるアゼルバイジャンで、コロナ禍の中で3万人以上が参加したデモが開催されるのは異例であり、アリエフ政権は対応に窮した。デモは政権批判へと発展しかねないからである。しかし、愛国的色彩を帯びたデモを警官隊も静観せざる得なく、逮捕者が出たのは一部の参加者が国会になだれ込んだ後であった。アリエフは、デモ参加者の多くは愛国者だったが、人民戦線など反対派指導者に扇動されたとし、デモを散会させ、野党指導者を次々に逮捕した。

政権からすれば、来たるべき紛争再開に備え情報収集目的で展開した戦闘に、世論が激しく反応したのである。カラバフ問題に対する強硬な世論は、政権がこれまでも活用してきたものだが、世論の方がより急進的で過激な対応を求めていたことをアリエフ政権は確認することとなった。そして具体的な対応を迫られたのである。アリエフは、16年間在職しカラバフ交渉を担ってきたマンマディヤロフ外相を解任（ただし、罷免は政権内部の権力争いに主因があり、カラバフは口実にされた可能性もある）、交渉からの離脱を表明した。

## ❷紛争の発生から停戦合意まで

おそらく7月衝突への世論の反応を見て、アゼルバイジャン側はカラバフ紛争の再開を決めたものと見られる。7月衝突の直後、アゼルバイジャンはトルコと合同軍事演習を行い、参加予定であったロシア主導の共同軍事演習「カフカース２０２０」への参加をとり止めたことも、その証左である。

対してアルメニア側は「カフカース2020」に参加するなど、攻撃を予測していなかったと見られる。

武力による未回収地域の奪還は、本書でも論じてきたように中央政府は選択肢として排除していない。そのため、アゼルバイジャン側の攻撃は周到に準備されたものだった。攻撃には三つの特徴があった。第一に、ドローンによる偵察と攻撃である。これは旧来的なロケット攻撃などを想定していたアルメニアの防空システムの破壊と、アルメニアの歩兵・装甲部隊への直接攻撃などに用いられた。第二に、歩兵・装甲部隊によるカラバフ北部と南部の二方面作戦である。北部は、カラバフの首都ステパナケルト（ハンケンディ）に近く防御も固く山岳地形も険しい。南部は、山岳高地へと続く渓谷や道路もあり、攻略が北部よりも容易と見られた。そこで、北部でも激しい作戦を展開することで、南部へのアルメニアの注意を削ごうと考えたと見られる。第三に、ロケット・ミサイル攻撃である。これは防空システムの破壊とアルメニア部隊の後退によって、一層効果が出たと思われる。

戦況は終始アルメニア不利で展開した。アルメニアは旧来的な重火器による防戦で、特に攻撃ドローンへの対応力を欠いていた。またロシアも集団的自衛権の発動は、アルメニア本国への攻撃の場合であり、カラバフはこれに含まれないとし、物資の支援などに留めた。イランは、アルメニア・アゼルバイジャン国境に部隊を派遣し、戦争に批判的だったが、直接アルメニアを支援することはなかった。イスラエルはアゼルバイジャンにドローンを提供することを止めるよう求めるアルメニア側からの要請に応じず、戦闘中も販売したと言われている。

今回の紛争で大きな役割を果たしたと言われるトルコは、アゼルバイジャンの軍事作戦を全面的に支持、武器を供与し、シリア内戦に参加したトルコ系傭兵がアゼルバイジャンに向かうことを妨げなかったとされる。アルメニア側にもシリアから傭兵が参戦したと言われるが、圧倒的に不利な状況から戦果には繋がらなかった。アルメニア側は、国民に総動員をかけたが、これは人的損失と戦況不利の裏返しでもあった。パシニアン政権下で軍部やカラバフ政府との連携が欠けていたことが、一層アルメニアを不利にしたという見方もある。アルメニアはカラバフ周辺のアゼルバイジャン村落に攻撃を加えたが、これは直接アゼルバイジャン軍に打撃を与えることができないためであった。

今回の紛争では、両国国民の激しいナショナリズムと相手国への排外主義的言動が見られた。ネット空間では、アルメニア人とアゼリ人が愛国的なプロパガンダを広め、相手国民を罵倒し貶める書き込み、動画、写真が無数に掲載された。また戦場でも国際人道法違反と見られる行為が行われたが、前線の兵士によって、むしろ戦果として愛国的に写真や動画が公開された。体制による動員や組織的サイバー攻撃もあっただろうが、住民が過激主義的なプロパガンダを自ら率先して広めるという状況が、この紛争に見られた大きな特徴の一つであった。今回は情報戦でもアゼルバイジャン側がアルメニア側を圧倒していた印象がある。

紛争を開始する以上、アリエフ大統領はどこで紛争を終わらせるのかを複数想定していたはずである。アルメニア側が不利であったが、あまりにも追い込み過ぎれば、アゼルバイジャン全土が攻撃対象にされ、紛争がカラバフ周辺に留まらなくなるおそれもある。アゼルバイジャンがこれに応じ、アルメニア本国を攻撃すれば、ロシアが集団的自衛権を発動し、紛争に全面的に介入してくるおそれもある。したがって、アゼルバイジャンは一定領域の奪還後、停戦に応じるという選択肢を開戦当初から排除していなかったはずである。

表86：第2次カラバフ紛争停戦までの経緯

| 年/月 | 出来事 |
|---|---|
| 2018/4 | アゼルバイジャンでアリエフ大統領再選 |
| 5 | アルメニアでパシニアン政権誕生 |
| 6 | カラバフで抗議デモ（サハキィアン大統領による任期延長失敗） |
| 7 | アルメニアでコチャリアン元大統領が逮捕 |
| 10 | CIS首脳会談でアリエフ大統領とパシニアン首相が意見交換 |
| 12 | アルメニアでサルキスィアン元大統領を背任罪で訴追<br>アルメニア議会選挙（パシニアン与党が単独で2/3議席獲得） |
| 2019/3 | アリエフ大統領とパシニアン首相の会談 |
| 5 | パシニアン首相がマドリード基本原則を拒否する姿勢を見せる |
| 8 | パシニアン首相がカラバフのアルメニアへの統合を主張 |
| 10 | アリエフ大統領が古参幹部（大統領府長官、首相、大統領顧問）解任、<br>「カラバフはアゼルバイジャンのもの」と再度表明 |
| 2020/2 | アリエフ大統領とパシニアン首相の会談<br>アゼルバイジャン前倒し議会選挙（与党の勝利） |
| 5 | カラバフで大統領選挙（与党系候補ハルチュニアンが選出） |
| 7 | アルメニアとアゼルバイジャンの国境付近で衝突（16人死亡）、<br>バクーで数万人のデモ、アリエフ大統領が交渉からの離脱を表明<br>トルコとアゼルバイジャンが合同軍事演習（7/30～8/10） |
| 9 | 「カフカース2020」軍事演習（9/21～26:アゼルバイジャン不参加）<br>ナゴルノ・カラバフ紛争再発（9/27） |
| 10 | 停戦合意（ロシア:10/10、17、米国:10/24）も即時戦闘再開 |
| 11 | シューシャ陥落後、ロシアの仲介で停戦合意（11/10） |

出典：各種情報より筆者作成

問題は、どの程度までを奪還し、交渉に応じるのかということである。実は4度の停戦合意も、その時点でアゼルバイジャンがどの地域まで奪還していたのかを見ると両国の意図がよく理解できる（**表87**）。ロシアによる最初の停戦仲介の時点では、南部、北部ともアゼルバイジャンに近い平野部や山地低地の一部を占領していた。ただし、まだ占領していなかったハドルートをアリエフ大統領が占領したと述べたため、この時点で停戦合意を飲むことはできなかったと見られる。

2度目のロシアによる仲介の時点では、カラバフ南部の山岳高地へと続く要衝フィズーリを占領、3度目のアメリカによる仲介の時点ではザンゲズル地域など南はカラバフ共和国とイランの国境、西部はアルメニアとの国境を接する山岳低地を全域占領している。より大きな戦果を期待する声が軍や政府内部で大きかったかもしれないが、奪還した地域を交渉の基盤にすれば、さらなる領域の奪還も可能であり、アゼルバイジャン側は10月17日以降には合意妥結を排除していなかったと思われる。

最終的に11月10日に停戦を受け入れたのは、歴史的故地シューシャを奪還したことに加え、上述したロシアとの直接衝突のリスクも高まっていたからである。つまり11月9日にはアルメニア領内のロシア軍ヘリコプターをアゼルバイジャン側が誤爆し、ロシア兵士2名が死亡していたのである。アゼルバイジャン側

**表87：停戦合意までにアゼルバイジャンが奪還した地域**

| | 10月10日 | 10月17日 | 10月24日 | 11月10日 |
|---|---|---|---|---|
| 奪還した地域 | ジャブライル（ハドルート） | フィズーリ地区 | 南部アルメニア国境全域 | シューシャ |

出典：Islamic world news analyticsより筆者作成

は即座に謝罪し補償を約束したが、ロシアは停戦受け入れの圧力を強める口実を得たことになる。

アルメニア側では、なぜ不利になる前に停戦を飲まなかったのかという批判が戦後に生じている。これに対して、パシニアンは、①早く停戦すれば戦わずしてシューシャを含む地域を失っていた、②超人的な努力を重ねれば戦況はまだ好転すると考えていたと停戦合意後に弁明した。このようにしてパシニアン政権が停戦合意受諾を先延ばしする間にシューシャも陥落し、11月10日にロシアの仲介による停戦合意を飲まざるを得なくなったのである。

### ❸残された課題

停戦合意の内容（**表88と図14**）を見る限り、アルメニア側の敗北は明白である。パシニアンは停戦合意受諾の会見で「心が痛めつけられ涙があふれ魂は傷ついた」と述べ、殉職した人々を思い、6秒間頭を垂れた。ただ、これはカラバフ問題の最終的決着ではなく、あくまでも敵対的行為の停止であると述べている。対するアリエフは、アゼルバイジャン側の明確な輝かしい勝利であり、シューシャを解放し、戦闘していないカラバフ周辺地区も奪還したと強調した。前進しない交渉は無意味であり、軍事的解決策を自らが実現した、自分が大統領である限り、カラバフにはいかなる地位も与えないと述べた。

死者数については両国政府共に当初は過少発表していたが、12月までにはアルメニア側で２４２５人、アゼルバイジャン側で２７８３人の兵士が死亡していることをそれぞれ認めた。民間人の死傷者

**表88：停戦合意の内容**

| 合意主体 | アゼルバイジャン、アルメニア、ロシア |
|---|---|
| 署名日 | 2020年11月10日 |
| 合意内容 | ①アゼルバイジャンには奪還した地域及び旧カラバフ自治州周辺の地区が返還される。<br>②残存するナゴルノ・カラバフ及びラチン回廊（幅5km）からはアルメニア軍が撤退し、ロシア連邦平和維持部隊（1960名）が展開する。<br>③平和維持部隊は5年間活動。失効半年前に双方から異論がでなければ5年間自動延長。<br>④停戦管理のための平和維持センターを設置。<br>⑤アゼルバイジャンはラチン回廊の安全を保障し、ロシア平和維持部隊が管理。今後3年間でシューシャを迂回する新たな道路を建設。<br>⑥国内避難民は、UNHCRの管理下でカラバフやその周辺地域に帰還する。<br>⑦捕虜や人質、勾留者・死者の交換を実施<br>⑧アルメニアは、アゼルバイジャンとナヒチェヴァンの通行・通信の安全を保障し、ロシアFSB国境警備局が管理。 |

出典：*Президент России*, 10 ноября 2020 г.より作成

は、BBCは少なくとも143人とするが、ICGは数百人死亡したと述べる。軍人・民間人共に行方不明者もおり、死体も十分に管理されているか不明である。従って、捕虜交換はまだしも遺体の交換はきちんと実施できるか疑問も残る。またカラバフからアルメニアへの避難民は、最大で10万人発生したと言われている。これ以外に元々90年代のカラバフ紛争に起因した避難民もアゼルバイジャン側には多数おり、当然アゼルバイジャン政府は彼ら（未回収地域出身者を除く）を奪還した地域に帰還させることになる。

さて、合意は遵守されるであろうか。アルメニア側では野党連合がパシニアンの政治責任を追及し、合意

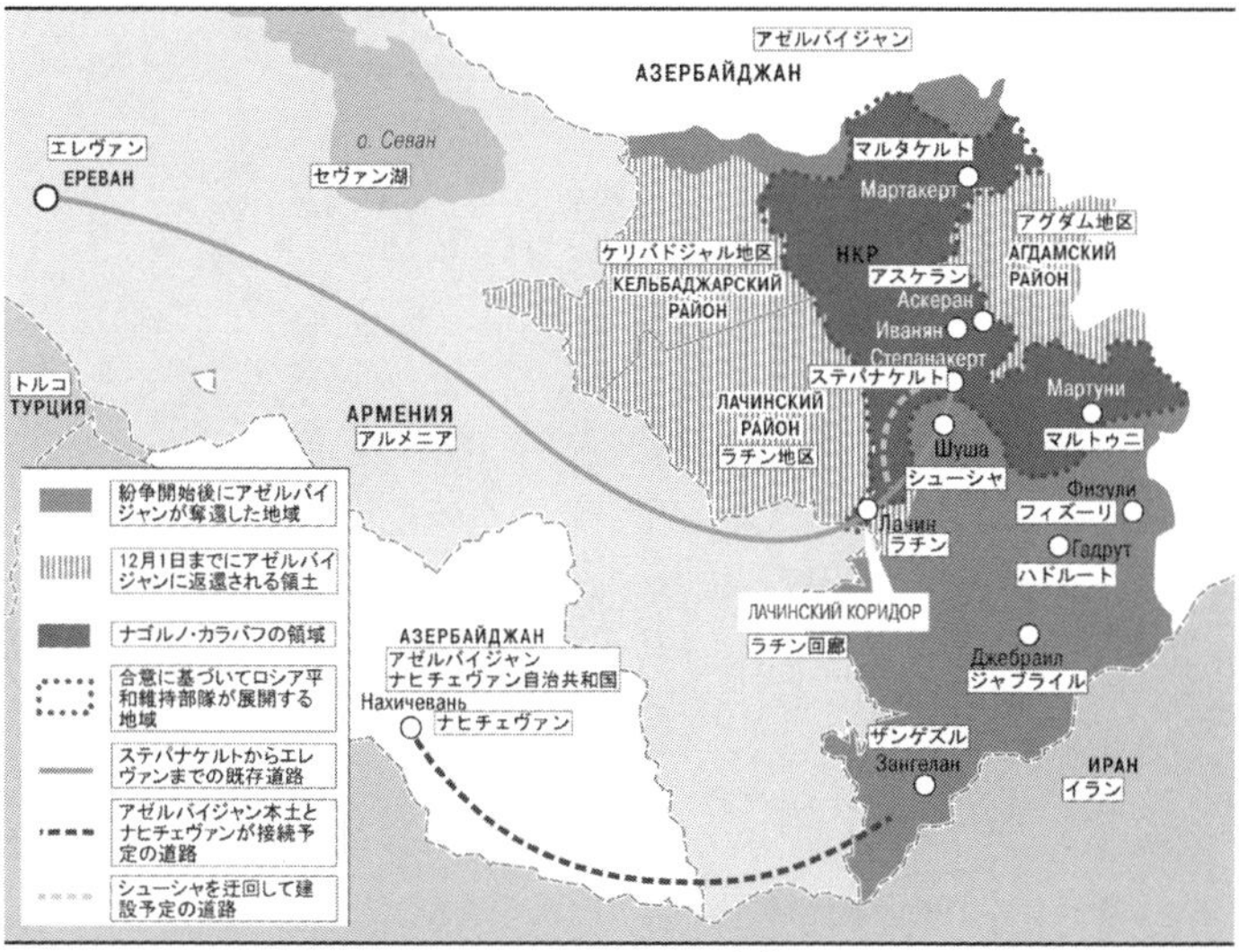


**図14：カラバフ紛争の結果と停戦合意**

出典：*Коммерсантъ*, 10 ноября 2020 г.

の拒否や首相職辞任を求める動きが生じている。前与党の共和党や急進野党ダシュナク党などは大衆を動員し、デモを行っているが、議会はパシニアン与党「マイステップ」が安定多数で、今のところ与党内で倒閣運動はない。次回選挙は２０２３年であり、前倒し選挙を認めない限り政権交代も生じない。野党・共和党も２０１６年の「４日間戦争」で敗北しており、カラバフ問題についての明確な代替案を有しているわけではない。またパシニアンに参謀本部長を解任されていたハコビアンなど軍高官からも批判は出ているが、軍側に紛争継続とそれによる挽回の見込みが十分になかったため、停戦合意は受諾されたはずで、今から合意を破棄し、紛争を再開するなどということができないのは、軍がもっともよく分かっているはずである。合意締結後、アルメニア軍はカラバフを撤退、ロシア平和維持部隊がすでに展開している。

今回のカラバフ紛争の敗戦、あるいはこれまでのポピュリズム的政策の頓挫は、遅かれ早かれパシニアンが民衆の支持を失い、政権運営も困難になることを予想させる（A・サルキスィアン大統領は前倒し選挙を要求、パシニアンも2021年に実施する意向を表明している）。しかし、政権がどう変わろうと、停戦合意を遵守するしかアルメニア側の政治的選択肢は現状ないのである。

カラバフ側は合意を遵守するだろうか。パシニアンは今回の合意についてカラバフ政府と話し合いを重ねたとしている（合意主体にカラバフは含まれていないため）。カラバフ国防軍は、アルメニア軍と強く一体化しており、今回の戦況も十分に理解していたはずである（カラバフ国防大臣は前線で負傷し、辞任しているのだからなおのことである）。停戦合意では、撤退するのはアルメニア軍でカラバフ国防軍は含まれない。だが、カラバフ国防軍の軍員は2〜3万人程度で、この規模で紛争を再開することは現実的ではないだろう。カラバフでもハルチュニアン大統領の政治責任が追及されている。野党連合（議会定員33議席のうち17議席）がハルチュニアン大統領の辞任を要求している。議会による大統領不信任案は3分の1の賛同で発議でき（カラバフ憲法96条2項）、過半数の同意で可決される（同3項）。だが大統領就任1年未満では発議できない（同4項）ため、21年5月までは不信任案も出せない。また仮に政権交代が生じ、合意からの離脱を唱えても、そもそもカラバフは合意主体ではなく、意味はないのである。

今回の紛争の過程では、トルコのコーカサスにおける存在感や影響力の拡大が主張されたが、実際にはロシアが南コーカサスの分離主義紛争の中で唯一軍事的プレゼンスを確保できていなかったカラバフに平和維持部隊を展開させることになった。すなわち、カラバフ紛争におけるロシアの影響力の拡大という結末である。合意締結直後にロシア軍はカラバフに入り、20年12月現在、アゼルバイジャンの奪還地域と残存するカラバフの境界線を中心に23カ所の拠点を形成している。ロシア国防省ウェブサイトにはカラバフ平和維持活動のページが作られ、活動内容の写真や動画を公開している。これは活動の中立性や透明性を示そうという意図だろう。ただカラバフ側の報道によれば、カラバフ国防軍に訓練を提供しているとも報じられ、これはアゼルバイジャン側の反発を招きそうである。

実は、ロシア政府は2015年に「ラヴロフ・プラン」としてカラバフに暫定的地位を与えアゼルバイジャンに返還の上、ロシア軍平和維持部隊が展開、アルメニア軍は撤退するという内容を提案していた。今回の合意はこれに近いが、当時アゼルバイジャンは平和維持部隊がロシア単独で構成されることに反発していた（当時アルメニアも提案を拒否）。今回アリエフ大統領は、停戦合意に基づき設置される平和維持センターにトルコが軍員を派遣することでロシアと合意したと発表した。トルコ議会でも軍員派遣の承認決議が採択され、12月29日に35名が現地に到着した。だが、このセンターはカラバフ内部ではなくアグダム地区（**図14**）に設置され、主に停戦監視を担うものである。つまり、紛争後のカラバフをめぐるトルコの軍事的存在感はロシアと比較にならないほど低いレベルに留まるのが現実である。

第二次カラバフ紛争は、アゼルバイジャンの勝利で終了したが、返還されなかったカラバフを今後どうするのかは何も決まっていない。その意味においてカラバフをめぐる問題は残存し続けるのである。第二次紛争以前の、軍事力を増すアゼルバイジャン（中央政府）に抵抗することが困難なカラバフ（分離主義地域）やアルメニア（パトロン）、という不安定な三者関係からロシアが強く関与する状態に変わったことで、むしろ「未決着の状態」が安定的に維持される可能性すらある。

アゼルバイジャンは、しばらくは戦勝の高揚感で満たされるだろう。しかし、今回の紛争で見たように、もはやカラバフをめぐる世論は、国民を団結させ国内の課題から目を逸らさせる手段として政権が管理・制御できるものではないようである。政権は、自ら世論を扇動してきたが、むしろ今やその好戦的な世論への対処に窮している印象を受ける。カラバフ問題の最終決着（全面的な奪還）を望み、それは可能であり正義だと信じる強硬な世論が大多数を占める以上、この問題への対応を間違えば、アリエフ政権にも大きな打撃が及びかねない。

以上のようにカラバフ問題は今後も重要性を失わず、注視し続ける必要がある。

［2020年12月29日脱稿］

# 参考文献

1）本書は一般向け書籍であり、脚注等も記載していない。そのため、参考文献についても参照した文献や資料を全て挙げる方式ではなく、本文中で言及した文献、あるいは読者が参照するべき必要最小限のものを記載する形とし、個別具体的な新聞記事やインターネット情報については大部分割愛している。

2）ただし、データの出典など本文中や図表などで提示しているもの、また読者自身がデータそのものにアクセスすることで今後自ら理解を形成するのに役立つと考えたものについては記載している。加えて、本書の原型となっているブックレット版では各章の参考文献を割愛したので、元のブックレット執筆の際に参考にした文献についても可能な限り記載している。

3）本書の各章を執筆した際に同じ文献を参照している場合もあるが、同じ文献について章ごとに再掲するとスペースの無駄になるので行わない。また当該文献を最初に記載する際に「〜章を執筆する際にも参照した」等のただし書きも行わないが、データ等に関しては本文中で言及するので、該当するデータの出典は以下の文献リストの初出時の章で確認されたい。

4）上記方針はあるものの、一部の章についてはすでに論文等で参考文献等も記載しつつ公開した部分もあり、それらを土台に大幅な加筆・修正を行った箇所について改めて同じ参考文献を記載すると、上記、必要最小限という方針から逸脱してしまう。従って、詳細な文献や資料については土台となった論文等を参照する形にしてほしい。

## ■第1章

伊藤順二（2014）「帝国ソ連の成立：南コーカサスにおけるロシア帝国の崩壊と再統合」『第一次大戦 4：遺産』岩波書店
北川誠一（1990）「ザカフカース：200年の民族間抗争」『分裂するソ連』NHKブックス
——（1995）「ザカフカースにおける国際政治と民族問題」『スラブの民族』弘文堂
北川誠一・前田弘毅・廣瀬陽子・吉村貴之（2006）『コーカサスを知るための60章』明石書店
木村英亮・山本敏（1979）『ソ連現代史II』山川出版社
木村英亮（1993）『スターリン民族政策の研究』有信堂高文研
キング, チェールズ（2017）『黒海の歴史』前田弘毅（監訳）明石書店
塩川伸明（2004）『民族と言語』岩波書店
——（2007）『国家の構築と解体』岩波書店
高橋清治（1990）『民族の問題とペレストロイカ』平凡社
立花優（2014）「アゼルバイジャン共和国」『中東イスラーム諸国民主化ハンドブック：アジ

ア編』人間文化研究機構
中央アジア研究會（1940）『高架索の概觀』
半谷史郎（2017）「ソ連の民族政策の多面性」『ロシア革命とソ連の世紀 5：越境する革命と民族』岩波書店
前田弘毅（2009）『グルジア現代史』東洋書店
―――（2011）「グルジア紛争への道：バラ革命以降のグルジア政治の特徴について」『ロシア・ユーラシアの経済と社会』第947号、pp.1-13
―――（2013）「ユーラシア諸国のうごき：グルジア」『ユーラシア研究』第48号、pp.68-70
―――（2014）「グルジア共和国」『中東イスラーム諸国民主化ハンドブック：アジア編』人間文化研究機構
前田弘毅（編）（2009）『多様性と可能性のコーカサス』北海道大学出版会
マーチン、テリー（2011）『アファーマティヴ・アクションの帝国』半谷史郎（監訳）明石書店
松里公孝・中溝和弥（2013）「民族領域連邦制の盛衰」『ユーラシア地域大国の統治モデル』ミネルヴァ書房
野田岳人（2012）「チェチェン・イングーシにおけるソヴェト民族政策の一側面」『20世紀ロシアの農民世界』日本経済評論社
廣瀬陽子（2016）『アゼルバイジャン――文明が交錯する「火の国」』群像社
―――（編）(2018)『アゼルバイジャンを知るための67章』明石書店
山内昌之（1988）『神軍　緑軍　赤軍』筑摩書房
―――（2013）『中東国際関係史研究』岩波書店
吉村貴之（2005）「アルメニア民族政党とソヴィエト・アルメニア（1920-23年）」『AJAMES』No.21-1, pp.173-190
―――（2009）『アルメニア近現代』東洋書店
―――（2014）「アルメニア共和国」『中東イスラーム諸国民主化ハンドブック：アジア編』人間文化研究機構
―――（2015）「2つの帝国とアルメニア人」『越境者たちのユーラシア』ミネルヴァ書房
―――（2017）「カフカスの革命」『ロシア革命とソ連の世紀 5：越境する革命と民族』岩波書店

Altstadt, Audrey（1997）“Azerbaijan’s struggle toward democracy,” *Conflict, Cleavage, and Change in Central Asia and Caucasus*, Cambridge, Cambridge University Press
Coene, Fredrick（2010）*The Caucasus: An Introduction*, London and NewYork, Routledge
De Waal, Thomas（2010）*The Caucasus: An Introduction*, London, Oxford University Press
Dudwick, Nora（1997）“Political transformations in postcommunist Armenia,” *Conflict, Cleavage, and Change in Central Asia and Caucasus*, Cambridge, Cambridge University Press
Khoperskaya, Larisa（1998）“Ethno-political change in the north Caucasus,” *Conflict and Consensus in Ethno-Political and Center-Periohery Relations in Russia*, RAND Center for Russian and Eurasian Studies

Slider, Darrell（1997）“Democratization in Georgia,” *Conflict, Cleavage, and Change in Central Asia and Caucasus*, Cambridge, Cambridge University Press

Бугаев А.М.（2018）Сталинские проекты самоопределения народов Северного Кавказа（к вопросу об исторической судьбе Горской АССР）, *История: факты и символы*, 1:10, C.97-110

Государственный Комитет СССР по Статистике（1989a）*Итоги Всесоюзной переписи населения 1979 года, том 4, Национальный состав населения СССР*, Книга 1, Москва

——（1989b）*Итоги Всесоюзной переписи населения 1979 года, том 4, Национальный состав населения СССР*, книга 3, Москва

——（1990）*Население СССР*, Москва, Финансы и Статистика

——（1991）*Национальный состав населения СССР, по данным Всесоюзной переписи населения 1989 г*, Москва, Финансы и Статистика

Гусейнова, И.С.（2015）Проблема международного признания Горской республики, *Историческая и социально-образовательная мысль*, 7:5, C.212-125

Дзидзоев, В. Д.（2012）Государственное устройство Горской АССР, *Вестник СПбГУ*, 2:1, C.31-41

Кажаров, А. Г.（2018）Организация “союз объединенных горцев” и сепаратизм на Северном Кавказе: предпосылки, движущие силы и итоги（1917-1919гг.）, *Вестник Адыгейского государственного университета*, 1:214, C.28-38

Кринко, Е.Ф.（2018）Создание и судьба первых горских автономий в составе РСФСР（1920–1924）, *History and Historians in the Context of the Time*, 16:1, C.38-48

Макаева, Кермен（2012）Региональные аспекты коррупционных проявлений: состояние и перспективы, *Новые технологии*, 1

Попов, Н.П., С.Р. Хайкин（2014）Актуальные проблемы северного Кавказа в оценках жителей республик, *Мониторинг Общественного Мнения,* 2:120, C.131-163

Цуциев, Артур（2006）*Атлас этнополитический истории Кавказа（1774-2004）*, Москва, Издательство Европа

外務省海外安全情報：https://www.anzen.mofa.go.jp/

Travel Risk Map：https://www.travelriskmap.com/#/planner/map

GTD：https://www.start.umd.edu/gtd/

フリーダム・ハウス：https://freedomhouse.org/

「選挙システム国際基金」（IFES）：https://www.ifes.org/

SIPRI（ストックホルム国際平和研究所）：https://www.sipri.org/

IMF World Outlook 2018：https://www.imf.org/external/pubs/ft/weo/2018/02/weodata/index.aspx

Doing Business 2018：https://www.doingbusiness.org/en/reports/global-reports/doing-business-2018

Caucasus Barometer：https://caucasusbarometer.org/en/
ロシア連邦国家統計局：https://gks.ru/
ロシア連邦選挙管理委員会：http://www.cikrf.ru/
ロシア連邦中央銀行：https://www.cbr.ru/
アゼルバイジャン国家統計委員会：https://www.stat.gov.az/?lang=en
ジョージア国家統計局：https://www.geostat.ge/en
アルメニア国家統計委員会：https://armstat.am/ru/
Большая российская энциклопедия（ロシア大百科事典）：https://bigenc.ru/

## ■第2章

塩川伸明（2007）『ロシアの連邦制と民族問題』岩波書店
富樫耕介（2010）「イングーシ共和国における政治的危機とその背景」『ロシア・ユーラシア経済』第937号、pp.22-38
——（2015a）『チェチェン 平和定着の挫折と紛争再発の複合的メカニズム』明石書店
——（2019）「マイノリティの掲げる「国家」が変化するとき：カドィロフ体制下におけるチェチェンの現状と課題」『ロシア・東欧研究』第47号、pp.81-97
徳永晴美（2003）『ロシア・CIS南部の動乱』清水弘文堂書房
野田岳人（2008）「チェチェン革命とドゥダーエフ体制」『群馬大学留学生センター論集』第7号、pp.61-86

Kasaev, Alan（1996）"Ossetia-Ingushetia," *U.S. and Russian Policymaking with Respect to the Use of Force*, RAND Center for Russian and Eurasian Studies
O'Loughlin, John, Gerard Toal and Vladimir Kolossov（2008）"The Localized Geopolitics of Displacement and Return in Eastern Prigorodnyy Rayon, North Ossetia," *Eurasian Geography and Economics*, 49:6, pp.635–669
Sampiev, Israpil（2012）"The conflict in the Prigorodny district and the city of Vladikavkaz," *The Caucasus and Globalization*, 6:3, pp.58-72
Soldatova, Galina（1994）"The former Checheno-Ingushetia," *Ethnic Conflict in the Post-Soviet World*, Armonk, M.E. Sharpe
Tishkov, Valery（1997）*Ethnicity, Nationalism and Conflict in and After the Soviet Union: The Mind Aflame*, London, Sage Publications
Vachagaev, Mairbek（2009）"Rehabilitation of the north Caucasian peoples," *The Caucasus and Globalization*, 3:1, pp.149-158

Даудов, А. Х.（2005）У истоков осетино-ингушского конфликта, *Вестник Санкт-*

*Петербургского университета. Политология. Международные отношения*, 6:3, С.87-94
Дениева, Макка（2014）«Большой террор» в Чечено-Ингушетии во второй половине 30-х гг. хх в., *Теория и практика общественного развития*, 20, С.132-135
Дзидзоев, В. Д.（2012）Влияние осетино-ингушского кризиса на этнополитические процессы в Осетии（90-е гг. XX В. – начало XXI В.）, *Известия высших учебных заведений. Северо-Кавказский регион. Общественные науки*, 5, С.15-23
Евлоева, Динара（2018）Осетино-ингушский конфликт（осень 1992 г.）, *Вопросы науки и образования*, 17:29, С.13-16
Ибрагимов, М.М. Хасбуратов А.И. и Магамадов, С.С.（ред.）（2008）*История Чечни, том 2 История Чечни XX и начала XXI веков*, Грозный, Книжное издательство
Какадий И.И., Сек Н.В.（2019）Этнополитический осетино-ингушский конфликт, *Бюллетень науки и практики*, 5:7, С. 298-303.
Кодзоев М.А.（ред）（2011）*История Ингушетии*, Магас, Тетраграф
Музаев, Тимур（1997）*Ичкерия: руководство и политическая структура*, Москва, Панорама
——（1999）*Этнический сепаратизм в России*, М., Панорама
Осмаев, Аббаз（2012）*Чеченская Республика 1996-2005 гг.: Общественно-политическая и повседневная жизнь в условиях войны и мира*, Saarbrücken, Lampbert Academic Publishing
Чакалиди, Флориан（2018）Формирование факторов кризиса политического управления в осетино-ингушских отношениях, *Власть*, 2, С.118-124

## ■第3章

北川誠一（1987）「アルメニア人問題の背景」『海外事情』3月号、pp.22-35
——（1988）「アルメニア・アゼルバイジャンの民族間紛争」『海外事情』7・8月号、pp.61-74
——（1989）「ナゴルノ・カラバグ帰属決定交渉」『海外事情』4月号、pp.64-79
——（1990）「ザカフカースにおける歴史学と政治：アルバニア問題をめぐって」『ソ連研究』第11号、pp.106-130
——（1998a）「ザカフカースの民族紛争：人口移動と民族問題」『国際問題』第464号、pp.47-61
——（1998b）『ザカフカースの民族問題と歴史的記述』科研費成果報告書、弘前大学
塩川伸明（2017）「ペレストロイカと民族紛争」『ロシア革命とソ連の世紀 5：越境する革命と民族』岩波書店
廣瀬陽子（2005）『旧ソ連地域と紛争』慶應義塾大学出版会

Altstadt, Audrey（1996）“Ethnic Conflict in Nagorno-Karabakh,” *Ethnic Conflict in the Post-Soviet World*, Armonk, M.E. Sharpe

Cheterian, Vicken (2016) "A New phase in the Karabakh Conflict," *Caucasus Analytical Digest*, 84, pp.13-17

Corley, Felix (1997) "South Ossetia between Gamsakhurdia and Gorbachev: three documents," *Central Asian Survey*, 16:2, pp.269-275

Cornell, Svante (2001) *Small Nations and Great Powers*, London, RoutledgeCurzon

De Waal, Thomas (2013) *Black Garden: Armenia and Azerbaijan through Peace and War*, New York and London, New York University Press

Hewitt, George (1999) "Abkhazia, Georgia and the Circassians", *Central Asian Survey*, 18:4, pp.463-499

International Crisis Group (2009) "Nagorno-Karabakh: Getting to a Breakthrough," *Policy Briefing No.55*

—— (2010) "South Ossetia: The Burden of Recognition," *Europe Report No.205*

—— (2013) "Armenia and Azerbaijan: A Season for Risks," *Update Briefing No.71*

—— (2014) "Abkhazia: The Long Road to Reconciliation," *Europe Report No.224*

—— (2016) "Nagorno-Karabakh: New Opening, or More Peril?" *Europe Report No.239*

—— (2016) "Nagorno-Karabakh's gathering war clouds," *Europe Report No.244*

Kukhianidze, Alexander (2012) "Georgia: Conflict, crime and security," *The Caucasus & Globalization*, 6:4, pp.54-62

Mammadova, Shalala (2016) "The difficult Historical Legacies of Armenian-Azerbaijani Relations," *Caucasus Analytical Digest*, 84, pp.8-12

Murison, Alexander (2004) "The secessions of Abkhazia and Nagorny Karabagh," *Central Asian Survey*, 23:1, pp.5-21

Panossian, Razmik (2005) "The Irony of Nagorno-Karabakh," *Ethnicity and Territory in the Former Soviet Union*, London, Frank Cass

Saparov, Arsene (2010) "From conflict to autonomy," *Europe and Asia Studies*, 62:1, pp.99-123

—— (2016) "Ethnic conflict in Nagornyi Karabakh," *Caucasus Analytical Digest*, 84, pp.2-7

Slider, Darrell (1985) "Crisis and response in Soviet nationality policy," *Central Asian Survey*, 4:4, pp.51-68

Авидзба А.Ф., Хашба А.Ш., Осмаев А.Д., Лебедев В.С. (2016) О некоторых вопросах военно-политической истории Абхазии (1989 - 1999 гг.), *Вестник Института ИАЭ*, 1:45, С.82-97

Архипова, Екатерина (2007) Южная и Северная Осетия: административно / территориальное разделение (1801–1925 годы), *Вестник Евразии*, С.191-205

Гучуа, Екатерина (2011) Проблемы суверенности Абхазской государственности в постсоветский период, *Бизнес в законе. Экономико-юридический журнал*, 4, С.79-83

Зухба, Мадина (2011) К проблеме политического статуса Абхазии в 1917-1921 гг., *Теория*

*и Практика Общественного Развития*, 6, С.240-243

Котенко, Денис（2012）Некоторые особенности развития конфликтов на Северном Кавказе и в Грузии в конце 1980-х - начале 1990-х годов, *Кавказ и глобализация*, 6:4, С.172-182

Лакоба, Станислав（2004）Глава IV. На заре советской империи <<Я - Коба, а мы - Лакоба...>>, *Абхазия после двух империй XIX-XXI вв.*, Hokkaido University, Slavic Research Center

Сляднева, Галина（2015）Проблема политического устройства Абхазии в послереволюционный период, *Теория и Практика Общественного Развития, 7*, С.127-129

Тедеева, У. Ш.（2012）Национальный вопрос в Грузии и проблема самоопределения южных осетин в 20-е годы XX века, *Научные ведомости Белгородского государственного университета. Серия: История. Политология*, 19:138, С.135-141

ロシア国立高等経済学院人口研究所：http://www.demoscope.ru/weekly/ssp/census.php

## ■第4章

プリマコフ, エヴゲニー（2002）『クレムリンの5000日：プリマコフ政治外交秘録』鈴木康雄（訳）NTT出版

Ayunts, Artak（2014）“Nagorny Karabakh Conflict Escalation and the Peace Process,” *Caucasus Analytical Digest*, 65, pp.2-4

De Waal, Thomas（2010）“Remaking the Nagorno-Karabakh Peace Process,” *Survival*, 52:4, pp.159-176

Freizer, Sabine（2014）“Twenty years after the Nagorny Karabakh ceasefire,” *Caucasus Survey*, 1:2, pp.109-122

Fuller, Liz（2007）“Georgia: Abkhazia Certain To Reject New 'Peace Plan',” *Radio Liberty / Radio Free Europe*（https://www.rferl.org/a/1075857.html）

Goble, Paul（1992）“Coping with the Nagorno-Karabakh crisis,” *The Fletcher Forum*, 92: Summer, pp.19-26

Guldimann, Tim（1997）“Supporting the Doves against the Hawks,” *OSCE Yearbook 1997*, pp.135-143

Hirose, Yoko and Grazvydas Jasutis（2014）“Analyzing the upsurge of violence and mediation in the Nagorno-Karabakh conflict,” *Stability*, 3:1, pp.1-18

Kropatcheva, Elena（2012）“Russia and the role of the OSCE in European security,” *European*

*Security*, 21:3, pp.370-394
Mackedon, John and Molly Corso（2007）“Little Optimism for Georgia's Abkhazia Peace Plan,” *Eurasianet*（https://eurasianet.org/little-optimism-for-georgias-abkhazia-peace-plan）
Menabde, Giorgi（2018）“Abkhazia and South Ossetia Reject Georgia's Peace Plan,” *Eurasia Daily Monitor*, 15:59（https://jamestown.org/program/abkhazia-and-south-ossetia-reject-georgias-peace-plan/）
Mychajlyszyn, Natalie（2005）“The OSCE and regional conflict in the former Soviet Union,” *Ethnicity and Territory in the Former Soviet Union*, London, Frank Cass
Shiriyev, Zaur（2014）“The uncertain trajectory of Nagorno-Karabakh's conflict resolution,” *Caucasus Analytical Digest*, 65, pp.5-8
Skagestad, Odd（1999）“Keeping hope alive,” *OSCE Yearbook 1999*, pp.211-223
——（2000）“How can the international community contribute to peace and stability in and around Chechnya,” *Chechnya*, The Swedish Institute of International Affairs
——（2008）“Chechnia,” *Central Asia and the Caucasus*, 5:53, pp.160-172
Wolff, Stefan（2011）“The Limits of international conflict management in the case of Abkhazia and South Ossetia,” *Unrecognized states in International System*, Routledge
Zürcher, Christoph（2007）*The Post-Soviet War*, New York and London, New York University Press

Мукомель, Врадимир（1999）Демографические последствия этнических и региональных конфликтов в СНГ, *Социологические исследования*, 6, С.66-71

世論調査基金（ФОМ）：https://fom.ru/
*Caucasus Times*, 11 июня 2007 г.
（http://caucasustimes.com/ru/severnaja-osetija-68-oproshennyh-ingushej-z/）
Кавполит（http://kavpolit.com/）

## ■第5章

富樫耕介（2015b）「北コーカサスを理解するための分析視角」『ロシア・ユーラシアの経済と社会』994号、pp.2-16
——（2015c）「『コーカサス首長国』と『イスラーム国』」『中東研究』第522号、pp.72-85
——（2016）「ユーラシアにおけるエスノナショナルなイスラーム主義運動の凋落」『PRIME』第39号、pp.15-31
——（2017）「“グローバル・ジハード”と旧ソ連地域のエスノナショナルなイスラーム主義：ISの出現による競合・統合・内紛・瓦解・再編」Synodos（https://synodos.jp/

international/19899)
＊本章は、上記4つの論文を基盤とし、大幅に加筆・修正を行ったものである。そのため、上記文献の中で取り上げている参考文献については再掲しない。

高岡豊（2015）「「イスラーム国」とシステムとしての外国人戦闘員潜入」『中東研究』第522号、pp.18-31

――（2017）「シリア：紛争とイスラーム過激派の台頭」『中東とISの地政学』朝日新聞出版

保坂修司（2017）『ジハード主義』岩波書店

吉岡明子・山尾大（2014）『「イスラーム国」の脅威とイラク』岩波書店

Barrett, Richard（2017）*Beyond the Caliphate: Foreign Fighters and the Threat of Returnees*, The Soufan Center

Cecire, Michael（2016）"Same Sides of Different Coins: Contrasting Militant Activisms between Georgian Fighters in Syria and Ukraine," *Caucasus Survey*, 4:3, pp.282-295 *

Jean-François, Ratelle（2016）"North Caucasian Foreign Fighters in Syria and Iraq: Assessing the Threat of Returnees to the Russian Federation," *Caucasus Survey*, 4:3, pp.218-238*

Khanbabaev, Kaflan（2010）"Islam and Islamic radicalism in Dagestan," *Radical Islam in the Former Soviet Union*, London and New York, Rouledge

Lemon, Edward J.（2016）"The Islamic State and the Connections to Historical Networks of Jihadism in Azerbaijan," *Caucasus Survey*, 4:3, pp.239-260*

Malet, David（2015）"Foreign Fighter Mobilization and Persistence in a Global Context," *Terrorism and Political Violence*, 27:3, pp.454-473*

Moore, Cerwyn and Paul Tumelty（2008）"Foreign Fighters and the Case of Chechnya: A Critical Assessment," *Studies in Conflict & Terrorism*, 31:5, pp.412-433*

Moore, Cerwyn（2015）"Foreign Bodies: Transnational Activism, the Insurgency in the North Caucasus and "Beyond"," *Terrorism and Political Violence*, 27:3, pp. 395-415*

Rich, B. and D. Conduit（2015）"The impact of jihadist foreign fighters on indigenous secular-nationalist causes: Contrasting Chechnya and Syria," *Studies in Conflict & Terrorism*, 38:2, pp.113-131*

Youngman, Mark（2016）"Between Caucasus and Caliphate: The Splintering of the North Caucasus Insurgency," *Caucasus Survey*, 4:3, pp.194-217*

Williams, Brian（2010）"Allah's foot soldiers," Ethno-Nationalism, *Islam and the States in the Caucasus*, London and New York, Routledge

（*マークのついている論文は、Routledge社から2017年に刊行された*Networked Insurgencies and Foreign Fighters in Eurasia*に再録され、一冊の本としてまとめて読むことができる）

From Chechnya to Syria：http://www.chechensinsyria.com/

Кавказский Узел：https://www.kavkaz-uzel.eu/

## ■第6章

富樫耕介（2015a）『チェチェン』明石書店
※本章の（I）は、上記書籍の「第Ⅰ章4節　紛争後の平和構築をめぐる問題：「未承認国家」」の議論を土台とし執筆したため、上記書籍の中ですでに示した参考文献については再掲しない

宇山智彦（2014）「権威主義体制論の新展開に向けて」『体制転換／非転換の比較政治学』（日本比較政治学会年報第16号）ミネルヴァ書房
廣瀬陽子（2017）「長期化する紛争と非承認国家問題」『黒海地域の国際関係』名古屋大学出版会
松里公孝（2017）「宗教とトランスナショナリズム」『黒海地域の国際関係』名古屋大学出版会
湯川拓（2021刊行予定）「国家にとってアナーキーとは何か」『国際関係論研究』第35号

Anderson, Liam（2011）“Reintegrating unrecognized states,” *Unrecognized states in International System*, Routledge
Bakke, Kristin（2011）“After the War ends,” *Unrecognized states in International System*, Routledge
Bakke, Kristin and Andrew Linke, John O'Loughlin, Gerard Toal（2018）“Dynamics of state-building after war: External-internal relations in Eurasian de facto states,” *Political Geography*, 63, pp.159-173
Caspersen, Nina and Garareth Stansfield（2011）“Introduction: unrecognized states in the international system,” *Unrecognized states in International System*, Routledge
Closson, Stancy（2011）“What do unrecognized states tell us about sovereignty?” *Unrecognized states in International System*, Routledge
Comai, Giorgio（2017）“The external relations of De Facto States in South Caucasus,” *Caucasus Analytical Digest*, 94, pp.8-14
IPSC（2016）*Opinion polls in Nagorno-Karabakh: Comparative results from 2015 to 2016*, Yerevan（https://eufoa.org/wp-content/uploads/2016/12/Comparative-opinion-polls_2015-2016_17.11.2016_Website_Eng-2.pdf）
Kopecek Vincenc, Tomas Hoch and Vladimir Baar（2016）“De Facto States and Democracy: The Case of Abkhazia,” *Bulletin of Geography*, 32, pp.85-104
Mikaelian, Hrant（2017）*Societal perceptions of the conflict in Armenia and Nagorno-Karabakh*, Caucasus Institute
O'Beachain, Donnacha（2017）“Electoral politics in the De Facto States of the South Caucasus,” *Caucasus Analytical Digest*, 94, pp.3-7
O'Loughlin, John, Vladimir Kolossov and Toal Gerard（2011）“Inside Abkhazia: a survey of attitudes in a de facto state,” *Post-Soviet Affairs,* 27:1, pp.1-36

——（2014）"Inside the post-Soviet de facto states: a comparison of attitudes in Abkhazia, Nagorny Karabakh, South Ossetia, and Transnistria," *Eurasian Geography and Economics*, 55:5, pp.423-456

Populus, EuFoa and IPSC（2010）*Poll conducted in Nagorno-Karabakh: Full report*, Yerevan（https://eufoa.org/wp-content/uploads/2016/12/NK-poll_full-report.pdf）

Toal, Gerard and John O'Loughlin（2013）"Inside South Ossetia: a survey of attitudes in a de facto state," *Post-Soviet Affairs*, 29:2, pp.136-172

——（2016）"Frozen fragment, simmering space: the post-soviet de facto states," *Questioning post-Soviet*, Wilson Center

——（2017）"Public opinion in the Eurasian De Facto States," *Caucasus Analytical Digest*, 94, pp.15-19

Дзуев, Х.В. и А.С. Геворкян（2013）Общественное мнение о социально экономической и политической ситуации в республике Южная Осетия накануне предвыборной кампании президента, *International Journal of Russian Studies*, 2（http://www.ijors.net/issue2_2_2013/articles/dzutsev.html）

Маркедонов, Сергей (2008) Де-факто государства постсоветского пространства: выборы и демократизация, *Вестник Евразии*, 3, С.76-98

Музаев, Тимур (1999) *Чеченская Республика Ичкерия: Политический мониторинг*, Международный институт гуманитарно-политических исследований

Платонова, М.А.（2012）Де-факто независимые государства Кавказа, *Вестник волгоградского государственного университета. Серия 4: История*, 1, С.98-101

*Caucasus Times*, 6 сентября 2006 г.（https://caucasustimes.com/ru/abhazija-68-oproshennyh-za-vhozhdenie-v-so/）,

——16 ноября 2011 г.（https://caucasustimes.com/ru/vopros-o-statuse-respubliki-razdelil/）,

——9 января 2014 г.（https://caucasustimes.com/ru/opros-obshhestvennogo-mnenija-v-abhazii/）,

——9 июня 2016 г.（https://caucasustimes.com/ru/opros-v-abhazii-45-2-za-sohranenie-nezavi/）

*15-й Регион*, 7 октября 2011 г.（https://region15.ru/socopros-v-severnoy-osetii-za-putina-nbsp-mdash-70-9-za-vossoedinenie-osetii-nbsp-mdash-53/）

*Regnum.ru*, 3 октября 2011 г.（https://regnum.ru/news/polit/1451934.html）

レヴァダセンター：http://www.levada.ru/1970/01/01/politicheskij-status-abhazii-i-yuzhnoj-osetii/

南オセティア国家統計局：http://ugosstat.ru/category/oficzialnaya-statistika/

アブハジア国家統計委員会：http://ugsra.org/

ナゴルノ・カラバフ国家統計局：http://stat-nkr.am/index.php

チェチェン独立派憲法：http://thechechenpress.com/constitution.html
（ここで提示しているのは、チェチェン独立派国営通信Chechen Pressのウェブサイトに掲載されているものだが、日本語でも以下の文献の巻末資料で確認可能。アフマードフ，ムサー（2009）『チェチェン民族学序説』今西昌幸（訳）高文研）
アブハジア共和国憲法：http://www.apsnypress.info/apsny/constitution/
（アブハジア国営通信ウェブサイト。これまで参照していた大統領府等のウェブサイトが2020年2月現在閲覧不能なため、ここでは国営通信ウェブサイトを掲載しておく）
ナゴルノ・カラバフ共和国（アルツァフ共和国）憲法：http://www.nkr.am/ru/general-information （ナゴルノ・カラバフ外務省ウェブサイト）
南オセティア共和国憲法：http://www.parliamentrso.org/node/13
（南オセティア共和国議会ウェブサイト）
アブハジア外務省：http://mfaapsny.org/ru/
ナゴルノ・カラバフ外務省：http://www.nkr.am/
南オセティア大統領府ウェブサイト：https://presidentruo.org/

## ■補論

今井宏平（2020）「トルコはなぜナゴルノ・カラバフ紛争に関与するのか」『IDEスクエア：世界を見る眼』アジア経済研究所
立花優（2020）「第2次ナゴルノ・カラバフ紛争」『IDEスクエア：世界を見る眼』アジア経済研究所
——（2020）「アップデートされた紛争：ナゴルノ・カラバフ紛争再燃」『Imidasオピニオン』
——（2020）「ナゴルノ・カラバフ紛争をめぐるアゼルバイジャンの内情」北海道大学スラブ・ユーラシアセンター
——（2020）「第2次ナゴルノ・カラバフ紛争」『ロシアNIS調査月報』2021年1月号、pp.26-32
吉村貴之（2020）「ナゴルノ・カラバフ紛争とアルメニアの政治、そして戦後へ」北海道大学スラブ・ユーラシアセンター

Bakke, K., G. Toal and J. O'Loughlin (2020) "Nagorno-Karabakh: What do residents of the contested territory want for their future?" *The Conversation*
EIU (2020) *Country Report Armenia*, London, Economist Intelligence Unit
——(2020) *Country Report Azerbaijan*, London, Economist Intelligence Unit
Freedom House: Nation in transit 2020:
Azerbaijan：https://freedomhouse.org/country/azerbaijan/nations-transit/2020
Armenia：https://freedomhouse.org/country/armenia/nations-transit/2020

ICG (2019) "Digging out of deadlock in Nagorno-Karabakh," *Crisis Group Report No.255*
ICG (2020) "Improving prospects for peace after the Nagorno-Karabakh War," *Crisis Group Europe Briefing No.91*
〔報道ウェブサイト：スペースの関係で個々の記事はあげない〕
*Armenpress*：https://armenpress.am/eng/
*Artsakh.press*：https://artsakhpress.am/eng/
*BBC*：https://www.bbc.com/news
*Caspian News*：https://caspiannews.com/
*Eurasia Daily Monitor* (The Jamestown Foundation) ：https://jamestown.org/programs/edm/
*Eurasia.net*：https://eurasianet.org/
*Financial Times*：https://www.ft.com/
*International Crisis Group*：https://www.crisisgroup.org/
*Islamic world news analytics*：https://english.iswnews.com/
*TRT*：https://www.trtworld.com/
*Radio Liberty/ Radio Free Europe*：https://www.rferl.org/
アルメニア版：https://www.azatutyun.am/en
*Кавказский Узел*：https://www.kavkaz-uzel.eu/
*Коммерсантъ*：https://www.kommersant.ru/

〔政府ウェブサイト〕
ロシア国防省カラバフ平和維持活動ウェブサイト：http://mil.ru/russian_peacekeeping_forces.htm
ロシア連邦大統領府ウェブサイト（停戦合意内容）：http://kremlin.ru/events/president/news/64384
アルメニア首相府ウェブサイト：https://www.primeminister.am/en/
アゼルバイジャン大統領府ウェブサイト：https://en.president.az/

[著者]
**富樫 耕介**（とがし・こうすけ）
**同志社大学 政策学部准教授**

〔略歴〕横浜市立大学国際文化学部卒業。東北大学国際文化研究科博士前期課程修了。東京大学総合文化研究科博士後期課程修了。博士（学術）。
外務省国際情報統括官組織専門分析員、日本学術振興会特別研究員DC2・PD、在ウズベキスタン日本大使館専門調査員、東海大学教養学部講師を経て現職。ロシア・東欧学会研究奨励賞受賞（2019年）。
〔研究業績〕『チェチェン 平和定着の挫折と紛争再発の複合的メカニズム』明石書店（2015年・単著）、『アゼルバイジャンを知る67章』明石書店（2017年・共著）、「『記憶』を『記録』する：あるシベリア抑留経験者のオーラル・ヒストリー（3）ビロビジャンとハバロフスクにおける抑留」『同志社政策科学研究』第22巻・第2号（2021年・単著）ほか。

**コーカサスの紛争**
**ゆれ動く国家と民族**

著　　者　　富樫耕介

2021年3月25日　初版第1刷発行

発 行 人　　揖斐 憲
発　　行　　東洋書店新社
〒150-0043 東京都渋谷区道玄坂1-22-7 道玄坂ピアビル4階
電話 03-6416-0170　FAX 03-3461-7141

発　　売　　垣内出版株式会社
〒158-0098 東京都世田谷区上用賀6-16-17
電話 03-3428-7623　FAX 03-3428-7625

装　　丁　　伊藤拓希（cyzo inc.）
印刷・製本　中央精版印刷株式会社

落丁・乱丁本の際はお取り替えいたします。定価はカバーに表示してあります。


ISBN978-4-7734-2040-1